Diogenes Taschenbuch 24430

D0581021

EVE HARRIS, geboren 1973 in London, Tochter polnisch-israelischer Eltern, arbeitete zwölf Jahre als Lehrerin, darunter an katholischen und jüdisch-orthodoxen Mädchenschulen in London und Tel Aviv. *Die Hochzeit der Chani Kaufman* ist ihr erster Roman; er schaffte es auf die Longlist des renommierten Man Booker Prize und war Finalist bei den National Jewish Book Awards 2014. Eve Harris lebt mit ihrem Mann und zwei Kindern in London.

# Eve Harris

# Die Hochzeit der Chani Kaufman

ROMAN

Aus dem Englischen von
Kathrin Bielfeldt

Diogenes

Titel der 2013 bei
The Sandstone Press, Ross-shire,
erschienenen Originalausgabe:
›The Marrying of Chani Kaufman‹
Copyright © 2013 by Eve Harris
Die deutsche Erstausgabe
erschien 2015 im Diogenes Verlag
Covermotiv: Foto von
Elizabeth Messina (Ausschnitt)
Copyright © Elizabeth Messina

*Für Jules und Rosie*

Veröffentlicht als Diogenes Taschenbuch, 2018
Alle deutschen Rechte vorbehalten
Copyright © 2015
Diogenes Verlag AG Zürich
www.diogenes.ch
50/20/852/4
ISBN 978 3 257 24430 4

»Darum wird ein Mann Vater und Mutter
   verlassen und an seinem
Weibe hangen, und sie werden sein
   ein Fleisch.«

*(Genesis 2:23, 24)*

# I

## Chani – Baruch
### November 2008 – London

Reglos stand die Braut da, unter Lagen kratziger Petticoats wie zur Salzsäule erstarrt. Schweiß lief ihr den Rücken hinunter, sammelte sich in den Achselhöhlen und hinterließ Flecken auf der elfenbeinfarbenen Seide. Sie schob sich näher an die Tür des *Bedeken*-Raumes heran und presste ein Ohr dagegen.

Sie hörte die Männer singen. Ihre »Lai-lai-lai«-Rufe rollten den staubigen Korridor der Synagoge herunter. Sie kamen, sie abzuholen. Jetzt war es so weit. Dies war ihr Tag. Der Tag, an dem ihr Leben endlich begann. Sie war neunzehn und hatte noch nie die Hand eines Jungen gehalten. Der einzige Mann, der sie berühren durfte, war ihr Vater gewesen, und seine körperlichen Zuwendungen hatten abgenommen, als ihr Körper rundlicher und reifer wurde.

»Setz dich, Chani-leh, zeig ein bisschen Anstand. Komm, eine *Kalla* steht nicht an der Tür. Los, setz dich hin!«

Das Gesicht ihrer Mutter war grau geworden. Die Falten traten umso deutlicher hervor, als ihr das Make-up den Hals hinunterglitt. Die gezupften Augenbrauen verliehen ihrem Gesicht den Ausdruck ständiger Überraschung, und der Mund war zu einer Linie eisigen Pinks zusammengepresst. Mrs Kaufman schien unter dem Gewicht ihrer farblosen Perücke regelrecht zusammenzusacken, das Haar darunter ebenfalls grau und dünn. Mit fünfundvierzig eine alte Frau: müde. Chani war ihre fünfte Tochter, die Fünfte, die im Empfangszimmer auf die *Bedeken*-Zeremonie wartete, die Fünfte, die das Kleid trug. Und sie würde nicht die Letzte sein. Wie Matrjoschka-Puppen kamen nach ihr noch drei jüngere Töchter.

Chani blieb auf ihrem Posten. »Müssten sie nicht längst hier sein?«

»Sie kommen noch früh genug. Du solltest für deine unverheirateten Freundinnen beten. Nicht alle haben so ein Glück wie du heute, *Baruch HaSchem*.«

»Aber wann kommen sie denn? Es fühlt sich an, als würden wir schon ewig warten.« Chani stieß einen langen, gelangweilten Seufzer aus.

»Wenn sie so weit sind. Und nun ist Schluss, Chanileh.«

Von Mutter zu Tochter und von Schwester zu Schwester war das Kleid allen immer ein treuer Freund gewesen – es schrumpfte oder wuchs mit den Erfordernissen einer jeden Braut. Die silbernen Stickereien und unzähligen Perlen kaschierten Narben und schartige Säume der verschlissenen Hülle. Jede Änderung zeugte von der Reise einer weiteren Braut, zeichnete ihre Hoffnungen und Wünsche nach. Die gelbgewordenen Achseln, die schon so oft chemisch gereinigt wurden, erzählten von ihren Ängsten. Kalte, kribbelnde Spannung, das Aufblitzen weißer Laken und das riesige Bett, das auf sie wartete, erfüllten die Gedanken jeder Braut. Wie wird es sein? Wie wird es sein? Diese Frage pulsierte in Chanis Kopf.

Sie ging zögerlich über den Teppich. Als würde sich das Rote Meer teilen, rutschten die Mutter und die Schwestern mit ihren üppigen Hinterteilen zur Seite, um auf dem Diwan für ihren kleinen hübschen Po Platz zu machen. Das weiße Braut-Gebetbuch wurde ihr behutsam in die Hände geschoben. Die Frauen flüsterten und murmelten, die Gebete hoben und senkten sich im Rhythmus ihrer Atemzüge und dem Klopfen ihrer Herzen. Das Hebräische ergoss sich in sanftem, weiblichem Keuchen. Chani stellte sich vor, wie die Worte hoch, hoch und immer höher schwebten – geflügelte Briefe, die mit der Zimmerdecke verschmolzen.

In der warmen Luft mischten sich die verschiedenen Parfums mit Körperausdünstungen und schlechtem Atem. Getrockneter Lippenstift verklebte die ausgedörrten Münder der Frauen, und verborgen unter vielen Kleiderschichten, knurrten ihre Mägen. Einige trugen Zweiteiler, bestehend aus langen Röcken und passenden Jacken, zugeknöpft, soweit es nur ging. Andere hatten den obligatorischen langen Rock mit einer weißen hochgeschlossenen Bluse unter einem schlichten blauen Blazer kombiniert. Die Farben waren absichtlich trist, belebt höchstens von einer kleinen Brosche oder etwa cremefarbenen Paspeln um die Taschen. Eine selbstauferlegte Uniform, die sogar die Jüngste unter ihnen wie eine Witwe erscheinen ließ.

Genau wie Mrs Kaufman trugen die verheirateten Frauen ihre besten Perücken – schwere, glänzende Strähnen, die ihr Haar vor dem anderen Geschlecht verbargen, die falsche Pracht dichter und farbiger als die Natur. Junge, unverheiratete Frauen bekundeten ihren Familienstand, indem sie barhäuptig gingen, doch selbst die prächtigste Mähne war gebändigt und zurückgebunden oder zu einem ordentlichen Bob geschnitten.

Die drallen Rücken und Schultern derer, die schon vor ihr Bräute gewesen waren, wiegten sich vor und zurück, mit knackenden Knien, wenn sie sich tief verbeugten. Sie beteten und seufzten für Chani, dafür, dass diese Ehe eine gute und treue werde und dass *HaSchem* wohlwollend auf sie und ihren Ehemann herabblickte. In Chanis Augen brannten Tränen angesichts ihrer Loyalität und Güte.

Doch wo war die Rebbetzin? Nachdem der Unterricht beendet war, hatte sie versprochen, zur Hochzeit zu kommen. Chani sah sich ein weiteres Mal um, bevor sie die Enttäuschung zuließ. Sie tröstete sich mit dem Gedanken, dass die Rebbetzin bereits in der *Schul* war und sie von der Frauengalerie aus beobachten würde. Chani schwor sich hinaufzuschauen, bevor sie unter die *Chuppa* trat.

Stattdessen war ihre zukünftige Schwiegermutter hier. Als ihre Blicke sich trafen, bedauerte Chani, nicht ins Gebet versunken zu sein. Mrs Levy war prachtvoll in ein dunkeltürkisfarbenes Seidenkleid gehüllt. Ein passender Pillbox-Hut vervollständigte das Ensemble und ließ sie wie einen glitzernden Eisvogel aussehen. Sie schlängelte sich herüber und atmete auf widerliche Art in Chanis Ohr.

»Entzückendes Kleid, Chani – obwohl es für meinen Geschmack ein wenig zu altmodisch ist. Aber dennoch, sehr hübsch. Es steht dir, meine Liebe.«

Der Hut ihrer Schwiegermutter war verrutscht, was irgendwie keck wirkte. Chani unterdrückte ein Grinsen. Mrs Levys extravagante kupferfarbene Perücke war zu einem aalglatten Vorhang getrimmt worden, der ihr hinterlistiges Lächeln umrahmte. Das hämische Grienen eines Leoparden, bevor er zum Sprung ansetzt. Chani würde nicht darauf hereinfallen. Sie ließ sich nicht unterkriegen.

»Danke, Mrs Levy, es ist ein Familienerbstück. Meine Großmutter hat in diesem Kleid geheiratet. Es ist eine große Ehre für mich, es tragen zu dürfen.« Kess lächelnd wandte sie sich Richtung Diwan und ließ Mrs Levy mit offenem Mund stehen. Sie war schon so weit gekommen, dass sie sich von dieser Frau jetzt nicht mehr angiften ließ. Mit der Zeit würden sie lernen müssen, einander zu tolerieren. Die tiefe Abneigung beruhte auf Gegenseitigkeit, doch es war Chani, die den Sieg davongetragen hatte, und heute war ihr Tag.

Das Kleid knarrte, als sie sich setzte. Es floss über ihre Knie und sank in glänzenden Wogen um ihre Füße. Nur ihr Gesicht und die Hände bekamen Luft. Der Stoff kroch über das Schlüsselbein und umklammerte ihre Gurgel, der Hals unter der straffen Seide lang und elegant. Über ihren kleinen, festen Brüsten funkelten Blumen und Vögel in silbernen Bögen, die sich wie ein Spinnennetz über ihren Oberkörper zogen. Ihre Wirbelsäule war in eine aufrechte Haltung gezwungen, das Mieder so straff geschnürt, dass ihre Rippen nach Erlösung schrien. Eine doppelte Reihe Perlenknöpfe kletterte, einer Leiter gleich, ihren Rücken hinauf. Von der Taille abwärts bauschte sich das Kleid ausladend. Mehr und mehr silberne Blätter entfalteten sich, je näher die Stickereien dem Saum kamen.

Chanis Füße zappelten in Satinballerinas, sie schwitzte in den Strümpfen. Dicke Manschetten aus Zuchtperlen fesselten ihre Handgelenke, Hunderte lidloser Augen mit durchstochener Pupille. Sie war eine wahrhaft züchtige Braut, ihr Schlüsselbein, Hand- und Fußgelenke meisterhaft vor männlichen Blicken verborgen. Doch der unnachgiebige Stoff unterstrich ihre mädchenhaften Kurven und deutete das unerforschte Fleisch an, welches sich darunter verbarg.

Das Kleid war ihr Weg hinaus, ihre Chance, den klebrigen Türgriffen und dem ewig währenden Chaos ihres Elternhauses in Hendon zu entfliehen. Sie hatte noch nie ein eigenes Zimmer besessen oder neue Kleidung. Alles war immer aus zweiter Hand. Wie das Kleid. Selbst die Liebe, die man ihr entgegenbrachte, war irgendwie abgetragen.

\*\*\*

Er konnte sich nicht mehr an ihr Gesicht erinnern. Ein kleines Problem. Denn Baruch war gekommen, um seine Braut zu identifizieren, sicherzustellen, dass er das richtige Mädchen ehelichte. Und nicht in die Irre geführt wurde wie Jacob, als Laban am Tag ihrer Hochzeit Rachel durch Leah ersetzte. Hilf mir, *HaSchem*. Wie sah sie aus? Bis zu diesem Augenblick war ihr Gesicht in seinem Gedächtnis eingebrannt gewesen, doch jetzt war sein Kopf leer. Drei breite *Fedoras* versperrten ihm die Sicht, als der Rabbi, der Kantor und sein Schwiegervater auf die Tür des Empfangszimmers zuhasteten. Er hatte sie dreimal getroffen und ihr beim vierten Mal einen Antrag gemacht – aber wie um alles in der Welt sah seine Braut bloß aus? Vor Hunger vernebelt, rebellierte sein Gehirn und lieferte ihm ihre Gesichtszüge nur als verschmierten Fleck. Die Hitze hatte ihn regelrecht im Schwitzkasten; unter den erstickenden Kleiderschichten begann er zu schwanken. Sein Onkel und sein Vater stützten ihn wie einen Betrunkenen, der aus einer Bar geführt wird. Sie schleppten ihn weiter, erst einen Schritt näher, dann noch einen. Seine Brillengläser beschlugen, so schwitzte er. Jetzt hatte er keine Chance mehr; die Tür schwang auf.

Chani konnte sich erinnern, wie es war, als ihre Eltern noch Zeit hatten, als ihre Mutter am Tor des Kindergartens auf sie wartete. Auf dem Weg nach Hause hatten sie die ganze Zeit über miteinander geredet; ihre Hand fest in der ihrer Mutter, die ihrem Geplapper aufmerksam lauschte. Fast verblichen das Bild, wie ihre Mutter mit ihr im Garten Himmel und Hölle spielte, die Röcke hob und geschickt von Stein zu Stein hüpfte. Doch dann waren in schneller Folge noch drei Babys gekommen. Ihre

Eltern taumelten durch einen Morast von Milchfläschchen und stinkenden Windeln. Auf dem Heimweg von der Schule trug Chani nun die Einkäufe, während ihre Mutter den Buggy schob und auf die hinterhertrottende Kleine wartete. Als sie schließlich in die weiterführende Schule kam, holten ihre älteren Schwestern sie ab.

Ihr Vater war der angesehene Rabbi eines kleinen *Schtiebl* in Hendon mit einer bescheidenen Zahl von Mitgliedern. Er war ein sanfter, dünner, stiller Mann, vertieft in seine spirituelle Welt, der eher geistig als körperlich anwesend war. Sein Bart war lang und federleicht, wie graue Zuckerwatte. Er trug den in seinen Kreisen üblichen schwarzen Anzug, mit Hosenträgern unter dem Jackett, damit nichts rutschte. Ihre Mutter kaufte ihm immer Hosen, die ein wenig zu groß waren, vielleicht in der Annahme, er würde hineinwachsen. Doch während ihre Mutter immer beleibter wurde, schien ihr Vater zu schrumpfen.

Chani vergötterte ihn. Er war ein warmherziger, liebevoller Vater gewesen, strahlend und lachend. Sie erinnerte sich an das Gefühl, wenn er sie schnappte und an seinen dünnen Armen durch die Luft wirbelte. Je größer jedoch seine Familie wurde, desto mehr wurde seine Freude an ihr zu einer Zerstreutheit, die sich anfühlte wie Ablehnung. Er irrte durch das Haus im Nebel seiner nicht enden wollenden Vaterschaft.

Es waren nicht nur die Töchter, die nach ihr kamen. Die Gemeinde hatte ihn ihr gestohlen. Zu Hause, in der vernachlässigten Doppelhaushälfte, klingelte es ständig an der Tür. Ein unaufhörlicher Strom an unglücklichen

Ehefrauen, verstörten Vätern und eifrigen Schülern marschierte durch ihren Flur auf der Suche nach Rat. Ihr Vater bugsierte sie eiligst zu seinem Arbeitszimmer, dessen Tür dann über Stunden verschlossen blieb. Als Kind spielte Chani direkt davor, nur um das Auf und Ab seiner Stimme zu hören. Wenn er wieder herauskam, wurde ihre Geduld mit einem Kopftätscheln belohnt. Seine Hosenbeine erkannte sie überall wieder. Wenn sie die Augen schloss, sah sie die gebeugten Schultern und die Samtkappe vor sich, die von seiner Glatze rutschte, wenn er treppabwärts verschwand.

Ihre Mutter war zu einer Maschine geworden, deren Teile abgenutzt waren und knirschten. Früher war sie schlank gewesen, eine geschmeidige junge Frau, fröhlich und flink. Über die Jahre hatte sich ihr Bauch aufgebläht und war wieder erschlafft, wie der Kehlsack eines Ochsenfrosches. Heute war das Licht in ihren Augen verloschen. Sie war eine Fremde geworden, ein erschöpfter Berg erschlafften Fleisches, der ohne Pause stillte, beruhigte, tätschelte oder fütterte.

Ihr Vater hatte seinen Samen immer und immer wieder in den verschlissenen Unterleib seiner Frau gesät. Chani schauderte, wenn sie an die schmerzvollen Geburten dachte, mit denen Baby um Baby auf die Welt gedrängt wurden. Sie schwor sich, dass alles anders sein würde, wenn sie an der Reihe war. Ihre Kinder würden sich nie nach Zuwendung sehnen. Und obwohl sie eigentlich kaum etwas über Empfängnisverhütung wusste, hatte sie sich gelobt, dass sie nach vier Kindern irgendwie aufhören würde.

Doch sie hatte Geduld beweisen und in der Schlange warten müssen, bis für ihre älteren Schwestern passende Gatten gefunden waren. Die temperamentvollen Mädchen, die treppauf, treppab durchs Haus getrampelt waren, sich um das Telefon stritten und abwechselnd liebevoll oder gemein zu ihr waren, waren verschwunden. Familienfotos trudelten ein, aus Brooklyn und Jerusalem. Mit dem Vermehren ihrer eigenen Brut verblassten die Schwestern wie Geister.

Am Telefon waren ihre Stimmen tonlos und rauh. Zum Reden war keine Zeit; keine Zeit, all die Fragen zu stellen, auf die Chani Antworten brauchte. Nun war sie an der Reihe.

Chani trug keinen Schmuck, ein Verbot der *Tora*. Eine *Kalla*, eine jüdische Braut, musste ohne Ringe und ohne Ohrschmuck unter dem Hochzeitsbaldachin stehen, als Zeichen, dass die bevorstehende Vereinigung geistig und nicht materiell begründet war. Sie blickte auf ihre Hände herab, die sich leuchtend gegen ihr Gebetbuch abhoben. Die Nägel waren maniküt und in fast durchsichtigem Pink lackiert worden, doch sie waren hässlich und zu kurz. Sie hatte sie bis zum Ansatz abgeknabbert. Ihre Hände wirkten kindlich, die Finger stummelig. Sie vermisste das Lodern ihres Ringes – des glühenden Diamanten, eine Kugel von obszöner Größe, die an ihren feuchten kleinen Fäusten noch größer wirkte. Sie hatte ihn liebend gern aufblitzen lassen und sich angewöhnt, wann immer es ging, mit der linken Hand zu gestikulieren oder auf etwas zu zeigen.

Sie öffnete das Buch, doch die uralten Buchstaben flitzten umher, anstatt stillzustehen. Wo blieben die Männer? Warum hatten sie noch nicht geklopft? Das Singen wurde doch lauter, oder? Sie konnte nicht mehr warten. Aber sie musste. Letztlich hatte sie ihr ganzes Leben lang gewartet. Sie wünschte sich einen Spiegel, um ihr Make-up zu kontrollieren. Vorsichtig stupste sie gegen die Haarspange, die den bodenlangen Schleier hielt und sich in ihre Kopfhaut krallte. Der Schleier strömte über ihre Schultern und fiel ihr in Kaskaden den Rücken hinunter. Saß sie aufrecht? Sie drehte sich um, um zu fragen, als die Tür in ihrem Rahmen erzitterte. Der Stoß ließ ihre Mutter auf die Füße schnellen. Mit quietschenden Schuhen und vor Schmerz pochenden Fußballen schoss Mrs Kaufman zur Tür.

Mit gesenktem Blick trat sie zurück, als die Tür aufschwang. Die beiden Parteien, draußen die Männer, drinnen die Frauen, starrten einander an. Einen Augenblick lang herrschte Schweigen, eine Stille, als lausche jeder auf einen einzelnen Akkord, der in der von Staubpartikeln wimmelnden Luft nachklang.

Baruch fiel fast vornüber in den Raum. Er richtete sich auf, wischte die Brillengläser an seinem *Tallit* ab und setzte sie wieder auf seine verschwitzte Nase. Jemand gab ihm einen kleinen Schubs, und er wurde weiter hinein in das Zimmer voller berauschender, fremdartiger, weiblicher Aromen befördert.

Und da war sie. Sein Blick traf ihren, und er nahm die Farbe Roter Bete an. Baruch beugte sich ein wenig hinunter, um das Gesicht vor ihm zu begutachten. Ihre großen Augen waren von einem verschmitzten Braun, mandelförmig und kunstvoll mit Kajal betont, die Wimpern lang und glatt. Sie hatte eine schmale, aber gerade Nase und milchfarbene Haut. Das Gesicht wirkte schlau und wachsam, nicht die Maske einer Puppe, sondern lebendig und ausdrucksvoll. Ihr Haar war so kohlschwarz, dass es wie lackiert aussah, und war mit Perlen festgesteckt. Nur wenige Augenblicke nach der Hochzeitszeremonie würde eine Perücke den lakritzfarbenen Glanz verbergen. Sie war sehr anziehend. Er hatte eine gute Wahl getroffen. Doch sollte ein gutes jiddisches Mädchen so zurückstarren? Ein angedeutetes Lächeln umspielte ihren Mund, und er wusste wieder, warum er sie ausgewählt hatte.

Seine Hände zitterten, als er ihr den Schleier über das Gesicht zog. »Amen!«, donnerten die Männer hinter ihm. Sie war das richtige Mädchen – doch wer war sie wirklich? Angesichts dessen, was er gerade im Begriff stand zu tun, wurde ihm schwindelig.

Chani hatte ein Date nach dem anderen gehabt. Alle arrangiert, jeder angehende Bewerber sorgsam erwogen von den Eltern und der Heiratsvermittlerin. Etliche Stunden hatte sie so bei kaltem Kaffee und schwerfälligen Unterhaltungen zugebracht. Den Männern, die ihr gefielen, gefiel sie nicht, und jene, die sie wollten, fand Chani langweilig oder unattraktiv. Nach jedem Treffen rief die Mutter des jungen Mannes an und teilte ohne Umschweife das Urteil mit. Ihre Mutter gab am Hörer höfliche Laute von sich. Dann hängte sie auf, das Gesicht eine einzige geduldige Enttäuschung. Es war schwer genug, abgelehnt zu werden, doch es war entwürdigend, von einem Jungen abgelehnt zu werden, den man nicht einmal wollte. Mit der Zeit verlobten sich alle ihre Freundinnen. Verzweifelt wünschte sie sich, nicht die Letzte zu sein. Sie wollte sich nicht einfach nur mit irgendwem begnügen, doch es wurde immer klarer, dass sie kaum eine Wahl hatte.

Welchen Sinn hatte es, ein unverheiratetes jüdisches Mädchen zu sein? Sie wollte nicht wie Miss Halpern enden, die Religionslehrerin in der Schule, deren langes, blasses Gesicht mit jedem Jahr säuerlicher wurde, den unbedeckten Kopf über verschlissene Lehrbücher gebeugt, das Gekicher jener Mädchen ignorierend, die sie unterrichtete; Mädchen, die an der Schwelle zur Frau standen, voller Lebendigkeit angesichts der Hoffnungen und Versprechungen. Also biss Chani die Zähne zusammen und zeigte Ausdauer.

Nach einer Weile hatte sie alle abgelehnt, selbst jene, die Chani wohlgesinnt waren. Käsige Studenten, der plumpe Lehrer oder der melancholische Witwer – sie konnte sich nicht dazu durchringen, ja zu sagen. Alle höchst fromm, alle auf der Suche nach einem guten jiddischen Mädchen, die ihnen *Tscholent* kochte und ihnen am *Schabbes* die Kerzen anzündete. Eine Instantfrau – bloß noch Wasser hinzufügen. Keiner von ihnen interessierte sich dafür, wer sie war.

Abends erforschten Chanis Hände in ihrer unförmigen weißen Unterhose die eigene Nacktheit, und sie genoss den Duft und erspürte die so verschiedenen

Stellen ihres Körpers. Sie drückte und streichelte und spürte das flüchtige, elektrisierende Pochen. Doch all das blieb ihr ein Rätsel.

Unsichtbare Grenzen umgaben sie. Als kleines Mädchen hatte sie ihren altmodischen Rock raffen wollen, um mit Beinchen wie stampfenden Kolben dem Bus hinterherzujagen. Stattdessen wurde sie gelehrt zu gehen, nicht zu rennen, die Arme steif an die Seiten gepresst. Sie hatte sich nach Ausgelassenheit gesehnt, doch ihr wurde beigebracht, ihren Gang zu zügeln.

Mit fünfzehn hatte sie ihre Geschwätzigkeit in der Schule in Schwierigkeiten gebracht. Als Reaktion darauf füllte sie alte Schulhefte mit wütenden Kritzeleien. Man hielt sie für frech, aber talentiert. Ihre Noten wurden besser. Alles interessierte sie – zumindest das wenige, das sie in die Hände bekam. Internet oder Fernsehen gab es weder in der Schule noch zu Hause. »Ein Fernseher ist eine offene Kloake im Wohnzimmer«, knurrte ihr Vater. Nach der Schule drückte sie sich im Brent Cross Shopping Centre vor Dixons herum, fasziniert von den flackernden Bildschirmen und grellen Farben einer Welt, in die sie sich hineinstürzen wollte.

Im Unterricht verschandelte dicker schwarzer Filzstift Shakespeares Texte. Brandneue Ausgaben von *Julius Caesar* waren entweiht worden, hässliche Flecken verbargen die »unangemessene Sprache« darunter. In Kunst, ihrem Lieblingsfach, waren Gauguins Nackte gekonnt kaschiert worden. Da Vincis Zeichnungen sahen aus wie Patchworkdecken. Hinterteile, Brüste und Genitalien zierten weiße Aufkleber.

Einmal war sie dabei erwischt worden, als sie einen der Sticker abpulte, und wurde zur Direktorin beordert. Niemand wusste genau, wie alt Mrs Sisselbaum war. Es wurde gemeinhin angenommen, sie sei schon uralt auf die Welt gekommen und dann auf ihre winzige Gestalt geschrumpft. Ihre aschblonde Perücke war zur Thatcher-ähnlichen Welle frisiert. Das Haar sah aus, als wäre es auf dem Kopf zu Eis erstarrt. Die riesigen Brillengläser vergrößerten ihre Augen unnatürlich, und sie blickte unverwandt zu Chani auf. Mrs Sisselbaum erinnerte Chani an ein Albinokaninchen. Eine solche Neugier sei widernatürlich für ein jüdisches Mädchen. »Mach das noch mal, und du findest dich auf der Suche nach einer anderen Schule wieder, einer Schule für schamlose Mädchen wie dich.« Mit rebellisch klopfendem Herzen war Chani aus dem Büro geflüchtet. Wenn *HaSchem* die nackte menschliche Gestalt erschaffen hatte, warum verbannte man dann deren Anblick?

Sie lebte unter einer Glasglocke.

Aber schließlich, trotz aller Einwände und Hürden, war es so weit. Schließlich sagte sie ja. Sie kannte ihn nur von den wenigen verkrampften Treffen, bei denen sie sich auf die Zunge gebissen und nur gestelzte Sätze von sich gegeben hatte. Ein nervöser, schlaksiger *Jeschiwa*-Junge, der jedoch überaus freundlich und aufmerksam wirkte. Sie hoffte, dass sich die Glasglocke endlich hob. Oder dass sie sie zumindest mit jemandem teilen konnte.

Über ihren Köpfen ragte der mitternachtsblaue Baldachin empor; seine goldenen Fransen zitterten, als sich das Hochzeitspaar darunter zusammendrängte. Creme-farbene Rosen und Lilien wie Wachsblüten schmückten jede Stange und verströmten einen schweren Duft. Für einen Augenblick hielt sie an seiner Seite inne.

Es fühlte sich seltsam an, so dicht beieinanderzu-stehen. So nahe waren sie einander noch nie gekommen. Trotzdem berührten sie sich nicht. Noch nicht. Zwischen ihnen lag nur ein Atemhauch. Chani war sich Baruchs physischer Nähe intensiv bewusst. Sie spürte, wie erhitzt und angespannt er unter seinem schwarzen Anzug und dem Gebetsmantel war. Die schwarze Hutkante verbarg sein Gesicht. Seine Füße zuckten, und er klopfte mit der Schuhsohle leicht auf den Boden. Doch er sah sie nicht an. Schon gar nicht direkt. Sie wusste, dass er sie heim-lich beobachtete. Hysterie stieg in ihr auf, und ihrem Mundwinkel entwich ein Quieken. Der Rabbi warf ihr mit missbilligend gesträubten Augenbrauen einen war-nenden Blick zu.

Im Kreis, im Kreis und weiter im Kreis. Chani um-rundete Baruch und zählte im Kopf bis sieben, während sie mit jedem Schritt die Schranken zwischen ihnen zer-brach. Sie erinnerte sich, wie sie beide zusammengezuckt waren, als ihre Finger sich im Foyer des Hotels verse-hentlich streiften. Der Zucker hatte sich über den ganzen Tisch verteilt. Wie erstarrt, hatte keiner der beiden Anstalten gemacht, das Malheur wieder in Ordnung zu bringen. Beide befolgten das *Schomer Negia* – das Ge-bot der Keuschheit.

Doch heute Nacht würden die Verbote aufgehoben.

Baruchs Fuß krachte auf das Weinglas. Es zersprang in Scherben, und in der *Schul* verfiel man in lautstarken Freudentaumel. »*Masel tov!*«, brüllte die Gemeinde. Mit einem Ruck hoben die Männer ihn hoch, und in einem rasenden Tanz wurde er umhergeworfen. Jemand trat ihm auf den Fuß. »*Zimmen tov* und *Masel tov! Masel tov* und *Zimmen tov!*«, riefen sie und stampften. Die Frauen auf der Galerie klatschten. Bärte flatterten, Schultern krachten aneinander, die Männer jauchzten und drehten sich wild um die *Chuppa*. Schneller und schneller wurde der Reigen. Chani war nur noch ein verschwommener weißer Fleck am Rande seines Blickfeldes. Er versuchte, ihren Gesichtsausdruck zu erkennen, wurde jedoch fortgewirbelt. Süßigkeiten prasselten auf sie nieder, von Kindern geworfen, denn das brachte Glück. Etwas traf ihn hinten am Kopf.

Er war zwanzig Jahre alt. Sein Leben verlief in engen Grenzen: der Druck, erfolgreich zu sein, ein Rabbi zu werden, seinem Vater zu gefallen. Seine schnelle Auffassungsgabe wurde an den *Talmud* gekettet. Dass er gern Englisch studieren wollte, blieb als frevlerisches Geheimnis in seinem Herzen vergraben. Er hörte auf seinem iPod Coldplay, während sein Vater glaubte, dass die Weisheiten von Rabbi Shlomo seine Ohren füllten. Unter seiner Matratze lagen verbotene Romane – Dickens, Chandler, Orwell –, doch sie reichten ihm nicht mehr aus. Er fühlte sich kontrolliert – es gab keine Erleichterung, kein Entrinnen.

Eines Abends hatte er nach dem Unterricht die U-Bahn genommen. Ihm gegenüber saß eine Frau. Sie war dick.

Ihre Bluse war weit aufgeknöpft und enthüllte zwei Hügel sonnengebräunten Fleisches. Er hob seinen Blick zu der Werbung über ihrem Kopf. Dort prangte ein aufreizendes Mädchen im Bikini. Er wusste nicht, wo er hinschauen sollte. Er murmelte ein Gebet, und trotzdem glitten seine Augen immer wieder zurück zu den goldenen Wölbungen vor ihm, die in ihrer Unvollkommenheit alarmierend real waren. Am Hals der Frau kräuselten sich feine Falten wie Krepppapier. Die Brüste hielten ihn mit einer Urgewalt in ihrem Bann. Er ertrank in der dunklen Spalte dazwischen. Die Bahn ratterte über die Schienen. Die Brüste erbebten. Er bekam einen Steifen. Die Frau starrte ihn an. Er drückte das Gebetbuch über seine Erektion. Die Türen öffneten sich, und er hastete hinaus.

Nachts presste er sein Verlangen in die Matratze. Er hoffte, seine Mutter würde den verschwendeten Samen nicht bemerken, wenn sie die Wäsche wusch. Er hatte versucht, sich zurückzuhalten, indem er Handschuhe anzog und zwei Paar Unterhosen, doch nun waren seine Träume eine verbotene Landschaft aus enormen Brüsten, die sich wie Dünen in der Wüste erhoben. Er war einsam und sehnte sich nach etwas, nach jemandem.

Verheiratet. Zehn Minuten zusammen im *Jichud*-Raum, allein. Plötzlich vermisste Chani das Gedränge weiblicher Körper und das Rascheln von Röcken. Sie wusste weder, was sie tun, noch, was sie sagen sollte, was ungewöhnlich war. Sie versuchte, sich vorzustellen, was die Rebbetzin ihr in dieser Situation raten würde, doch keiner ihrer sanften Sätze kam ihr in den Sinn. Sie hatte zur Galerie der Frauen hochgeschaut. Wo war sie?

Chani konnte Baruch nicht in die Augen sehen. Ihre Freundinnen hatten darüber gekichert, dass diese kurze Pause für die Frischvermählten, direkt nach der Zeremonie, eigentlich dazu da war, es zu tun. Sie wurde starr vor Angst und fragte sich, ob Baruch dasselbe dachte.

Eine Kuchenetagere war aufgestellt worden, Stufe um Stufe glänzten auf Spitzendeckchen Köstlichkeiten aus Blätterteig. Am Fuße standen zwei Flaschen Mineralwasser und zwei Kristallkelche. Weder Chani noch Baruch hatten seit dem vorherigen Tag gegessen oder getrunken. Sie starrten auf die Kuchen. Instinktiv griffen sie nach demselben Stück Mandelkuchen.

»Nein, mach ruhig… Nimm du es. Bitte«, krächzte Baruch.

Chani murmelte einen Dank und einen Segen und nahm einen bescheidenen Bissen. Am liebsten hätte sie alles auf einmal in sich hineingestopft. Sie vermieden Blickkontakt und kauten schweigend.

»Fühlt sich seltsam an, verheiratet zu sein, oder?«

»Mmm.« Sie hatte immer noch den Mund voll.

»Ist es so, wie du es dir vorgestellt hast?«

Heftig schüttelte sie den Kopf. »Ich bin nicht sicher, was ich erwartet habe«, sagte sie. »Es ging so, ähm, schnell.«

»Ja, stimmt. Ich glaube, das geht allen so.«

»Wahrscheinlich.«

»Nun, sie werden jetzt jeden Moment kommen, vielleicht…« Er verstummte und schwieg.

Baruch ahnte, dass er sie küssen sollte, hatte aber keine Ahnung, wie. Er hatte sich sowieso den ganzen Tag nicht die Zähne geputzt, also entschied er sich gegen den Versuch.

Chani spürte, wie sich eine große, knöcherne Hand um die ihre schloss. Sie wünschte, die Hand wäre nicht so schweißnass. Seite an Seite standen sie da und aßen jeder noch ein Stück Kuchen, bis die Tür aufging und sie sich schnell losließen.

\*\*\*

In der Woche vor der Hochzeit saß Baruch in Rabbi Zilbermans Büro. Das Zimmer war eine staubige, graue Schachtel. Es gab zwei Türen, beide verschlossen, aber keine Fenster. Der Schreibtisch war von Papieren bedeckt. Bücher füllten die Regale und lagen verstreut auf dem Boden. Es war kaum genug Platz für die beiden Plastikstühle. An der Wand hing das riesige Foto eines verehrten Weisen. Der alte Mann darauf starrte ihn aus milchig-blauen Augen an, die Hände staken wie gefrorene Klauen aus Fledermausärmeln. War er wohl auch nervös gewesen wegen der Hochzeitsnacht?

Unter dem Foto saß Rabbi Zilberman, eine Studie in Schwarzweiß; der Bart ein schlieriges Dunkelgrau, und die Schultern des schwarzen Anzuges voller Schuppen. Seine traurigen grauen Augen betrachteten Baruch. Er stand der Synagoge in Golders Green vor, in die Baruchs Familie ging. Sein runder Rücken, wenn er sich vorne in der *Schul* zum Gebet beugte, war Baruch vertrauter als das Gesicht. Avromi, der Sohn des Rabbis, hatte dieselbe Schule in Hendon besucht wie Baruch und war der engste seiner wenigen Freunde. Doch das Verhältnis zu Rabbi Zilberman war immer von Ehrerbietung und Formalität geprägt gewesen. Wann immer er Avromi besuchte, hatte der Rabbi seine Anwesenheit mit einem kurzen Nicken und einem kaum angedeuteten Lächeln quittiert. Seine Mundwinkel bewegten sich kurz nach oben, doch der Gesichtsausdruck blieb düster. Wenn er sich höflich nach Baruchs Eltern erkundigt hatte, eilte er weiter, ein Wirbel aus dunkler Wolle und weißem Hemd, der die Jungs schweigend und verlegen hinter sich zurückließ. Bis diese eigenartigen, obligatorischen Tutorenstunden begannen, war der dünne, graubärtige Mann, der ihm nun gegenübersaß, ein Fremder für ihn gewesen.

Der Rabbi begann. »Du bist für alle Bedürfnisse deiner Frau verantwortlich«, sagte er. »Du musst sie ernähren, sie kleiden, ihr ein Dach über dem Kopf bieten und ihr auch sonst alles materiell Notwendige zur Verfügung stellen. Aber du musst ihr auch beim Beischlaf Vergnügen bereiten.«

Baruch rutschte auf seinem Sitz hin und her. Vergnügen. Das hörte sich so einfach an. Er war sogar so weit gegangen, einige private Nachforschungen zu dem Thema in der Swiss Cottage Library anzustellen, weit weg vom *Schtetl* Hendon. Er hatte sogar seine *Jarmulke* gegen eine Baseballkappe getauscht, um noch anonymer zu sein. Zu schüchtern zum Fragen, war er durch die Regale gestreift, so verloren wie Moses in der Wüste, bis er die richtige Abteilung gefunden hatte. Dort setzte er sich hin und vertiefte sich in Sexratgeber, aus einer Welt, die so tabu für ihn war, dass sein Herz vor Schuldgefühlen raste. Doch er konnte nicht aufhören. Fasziniert las er weiter und starrte auf die Darstellungen, bei denen er heiße Ohren bekam. Klitoris, stimulieren, Schamlippen, Klimax – der weibliche Körper ergab keinen Sinn.

In der Schule hatte er sich die schmuddeligen Männermagazine angesehen, die von Tisch zu Tisch gereicht wurden. Bei den Bildern wurde ihm ganz wirr im Kopf – die Frauen so schamlos, die Münder schimmernd und offen, ihre Körper geschmeidig und nachgiebig. Wie sollte er sie mit Chani vergleichen, von der er noch nicht einmal die Ellbogen gesehen hatte? Trotzdem war es seine Pflicht, ihr Vergnügen zu bereiten.

»Einen Orgasmus, Rabbi?«, schlug er vor. Als er seinen Patzer bemerkte, wurde er rot, und der Akneausschlag auf seiner linken Wange schien zu leuchten.

Rabbi Zilberman hob eine Augenbraue. »Ja, ich glaube, so nennt man das heute.« Aber er bohrte nicht weiter.

»Wie weiß ich, ob ich meiner Frau Vergnügen bereitet habe?« Er musste es fragen. Das war seine Chance. Sein Mund war trocken, doch die Worte flutschten einfach heraus.

»Mit der Zeit und mit Übung wirst du es irgendwann wissen. Sie sagt es dir vielleicht sogar, aber verschwende keine Zeit damit, über frivole Sachen zu schwatzen. Entscheidend sind die Taten, nicht die Worte. Ein Kind ist eine wundervolle *Mizwa*. Und Beischlaf mit ihr, während sie schwanger ist, ist eine Doppel-*Mizwa*!«

Schwanger. Baruch hatte fast vergessen, dass diese mysteriöse Beziehung zu so etwas führen konnte. Er war noch nicht bereit, Vater zu werden.

Der Rabbi schien sich auszudehnen und den Raum auszufüllen. »Und, Baruch, genau so, wie wir nicht wie die Tiere essen, haben wir auch keinen Beischlaf auf ihre Art. *HaSchem* hat uns mit physischem Verlangen geschaffen, und die Ehe erlaubt uns, dieses Verlangen auf die richtige Art und Weise zu genießen. Nicht wie die wilden Tiere.« Rabbi Zilberman glotzte ihn an.

Wie die wilden Tiere? Aber wie sollte das anatomisch möglich sein? Er erinnerte sich an die Bilder – aber das Hinterteil war doch sicherlich die falsche Stelle? Baruch war sehr erleichtert, dass *HaSchem* dieses Problem für ihn gelöst hatte.

Doch der Rabbi war noch nicht fertig. »Und wenn deine Frau *nidda* ist, wirst du dich ihr nicht nähern. Du darfst sie nicht berühren, bis ihre Blutung aufgehört und sie sich in der *Mikwe* gereinigt hat. Dann könnt ihr wieder Freude aneinander haben, genau wie in der Hochzeitsnacht. Aber deine Frau wird das alles wissen. Sieh die Zeit, in der du keinen Beischlaf mit ihr haben kannst, als Zeit an, in der ihr euch wieder wie Bruder und Schwester kennenlernt; in der ihr alle Meinungsverschiedenheiten regelt und eure Freundschaft vertieft.« Der Rabbi sprach ruhig und ungeniert.

Baruch starrte auf sein Ohr. Es hörte sich alles sehr weise und einfühlsam an, und es war für ihn nichts Neues. Er hatte die Traktate der Familienreinheit in der *Gemara* studiert, ein Text, so trocken und unnahbar, dass

Erotik gar nicht erst aufkommen konnte. Er hatte in der Schule Biologie gehabt, doch die mechanischen Fakten verblüfften ihn immer wieder.

Wie konnte sie da unten jeden Monat bluten? Bei dem Gedanken daran wurde ihm übel.

\*\*\*

Zwei Tage vor der Hochzeit. Chani wusch, kämmte und bürstete sich, sie schrubbte sich beinahe wund. Sie saß in der kleinen Kabine und wartete darauf, dass das Licht über der Tür anging. Das Badezimmer war eine Wonne. Makellos sauber, mit glänzenden Oberflächen, ganz anders als zu Hause. Die Wände waren pastellrosa gestrichen. Passende rosa Handtücher lagen ordentlich gefaltet über einer geheizten Stange. Es gab sogar eine nagelneue Zahnbürste und eine frische Tube *koschere* Zahnpasta, ein winziges Paket Wattestäbchen, eine Nagelfeile, Nagelschere und Pinzette. Alles nur für sie.

An diesem Morgen hatte Chani sich zum letzten Mal innerlich kontrolliert, genau so, wie Rebbetzin Zilberman sie instruiert hatte. Das weiche *Bedika*-Tuch war strahlend weiß geblieben. Nicht ein Tropfen Blut. Sie war bereit für die *Mikwe*, das rituelle Bad. Die Rebbetzin hatte sie begleitet und wartete jetzt am Empfang. Chani las den gerahmten Hinweis an der Wand:

*Bevor Sie mit den Reinigungsvorbereitungen beginnen, entfernen Sie:*

a) *Schmuck*
b) *Gebisse und Zahnprothesen (bei Zahn-*
   *provisorien fragen Sie Ihren Rabbi)*
c) *falsche Wimpern*
d) *Verbände, Pflaster*
e) *Make-up*
f) *Nagellack*

*Dann schneiden und feilen Sie Hand- und Fußnägel.*
*Putzen Sie Ihre Zähne, spülen Sie den Mund aus, und*
*benutzen Sie die Toilette (wenn notwendig).*

*Baden und duschen Sie vor dem Tauchbad. Untersu-*
*chen Sie sich und entfernen Sie getrocknete Blutreste oder*
*Eiter, getrocknete Muttermilch an den Brustwarzen, Reste*
*von Teig, Nissen oder Kopfläuse, Splitter, Tusche oder*
*Farbreste.*

Chani war sich sehr sicher, dass sie getrocknete Muttermilch und Kopfläuse ausschließen konnte. In ein flau-
schiges Handtuch gehüllt, setzte sie sich auf den Bade-
wannenrand. Flüsternd sprach sie das Gebet vor dem
*Tewila* – dem Eintauchen.

*Mögen die Augen meines Ehemannes nur auf mich*
*blicken und meine Augen nur auf ihn... Möge mein*
*Mann sich meinetwegen glücklicher schätzen als wegen*
*jedes anderen Segens in der Welt...*

Sie stellte sich vor, dass hinter den Türen der anderen
Kabinen auch junge Bräute warteten, genau wie sie.
Wissen konnte man es nicht. In der *Mikwe* war man im-
mer allein.

Bing! Die Lampe ging an. Chani sprang auf die Füße, kontrollierte, ob das Handtuch richtig saß, und öffnete die Tür. Draußen schimmerte der *Mikwe*-Pool einladend blau. Die Oberfläche des tiefen Wassers kräuselte sich und warf glitzernde Reflexe gegen die weiße Decke und die weißgefliesten Wände. Er war größer, als sie gedacht hatte, und füllte den leeren Raum fast vollständig aus.

»Hallooo, Schätzchen, mach dein Handtuch auf, und lass mich dich ansehen.«

Chani machte einen Satz. Hinter ihr stand die *Mikwe*-Frau. Sie war eine schrumpelige, alte Irre. Ihr Haar war in ein verblasstes blaues Kopftuch gehüllt. Sie trug Clogs und dunkelblaue Leggins. Ihr Lächeln war warm und ehrlich, ihre Blicke jedoch messerscharf.

Chani öffnete das Handtuch und wurde einer aufmerksamen Musterung unterzogen.

»Was du bist für eine süße, kleine Braut«, flötete die *Mikwe*-Frau. Chani fühlte sich bloßgestellt. Ihr ganzes Leben lang hatte sie ihre Nacktheit vor neugierigen Augen verborgen, und nun gab sie sie einer vollkommen Fremden preis.

Die *Mikwe*-Frau bat sie, sich umzudrehen, damit sie den Rücken nach ausgefallenem Kopfhaar absuchen konnte.

»Nägel, Schätzchen?«

Chani zeigte ihre Hände vor. Die *Mikwe*-Frau inspizierte jeden der abgebissenen Nägel. Dann besah sie sich die Handinnenflächen.

»Füße?« Chani hielt jeden Fuß hoch.

»Und hast du deine Haare da unten gekämmt?«, fragte die *Mikwe*-Frau.

Chani war nicht sicher, was um alles in der Welt sich dort verstecken sollte, also nickte sie pflichtschuldig.

»In Ordnung, Schätzchen, also rein mit dir. Weich dich richtig ein, meine Kleine. Tauch gaaanz unter.«

Drei Stufen, dann zwei Schwimmzüge, und sie war in der Mitte des Pools. Das Wasser war warm. Sie sank hinab, und die Oberfläche schloss sich über ihrem Kopf. Ihr Herz pochte in den Ohren. Als sie wieder aufstieg, erkannte sie verschwommen zwei dunkle Gestalten am Rande der *Mikwe*. Sie tauchte auf und schnappte nach Luft. Als sie die Augen öffnete, sah sie Rebbetzin Zilberman auf sich herablächeln. Daneben stand die *Mikwe*-Frau, mit demselben verzückten Lächeln auf dem Gesicht.

Chani umklammerte ihren mageren Busen mit den Händen. Sie hatte nicht erwartet, dass die Rebbetzin hereinkam und zusah. Eine kleine Luftblase schoss hinter ihr auf. Sie betete, dass es niemand bemerkt hatte.

Sanft sagte die Rebbetzin zu ihr: »Chani, du musst dreimal ganz untertauchen und dann den Segensspruch aufsagen. Nicht die Beckenwände berühren, denn dann werden deine Handflächen nicht vollständig gereinigt. Spreize deine Finger und Zehen so weit auseinander, wie du kannst. Lass das Wasser jede Spalte waschen. Bist du so weit?«

Chani nickte und sank tief in die *Mikwe*. Sie wusste, wenn eine Frau unter Wasser betete, flogen ihre Gebete direkt zu *HaSchem*. Sie ließ sich zwischen Zeit und Raum treiben. Sie öffnete die Augen, das Wasser brannte nicht. Es war rein und natürlich.

*Bitte, HaSchem, mach, dass es in meiner Hochzeits-*

*nacht nicht weh tut. Bitte, HaSchem, lass es leicht und schnell vorübergehen.*

Sie tauchte noch zweimal unter. Schließlich kam sie an die Oberfläche und sagte den Segensspruch. Wiedergeboren. Sie war bereit zur Hochzeit.

## 2

## Die Rebbetzin
### November 2008 – London

Ein weiterer Tag. Ein weiteres Tauchbad. Eine weitere Braut.

Die Rebbetzin und Chani gingen an den Bögen der Eisenbahnbrücke entlang bis zum Ende der Gasse. Der Himmel über ihnen war stürmisch und grau, und ein kalter, peitschender Wind verheddert ihre langen Röcke. Das geduckte, flache *Mikwe*-Gebäude befand sich neben einer Autowerkstatt und einem Parkplatz. Versteckt und unauffällig, ohne ein Hinweisschild, doch die Frauen der Gemeinde wussten, wo es war, und schätzten die abgeschiedene Lage.

»Wie wäre es, wenn du Baruch in eurer Hochzeitsnacht ein kleines Geschenk machst, als Symbol für den Beginn eures neuen Lebens?«

»Was denn?«

»Eine kleine Schachtel Pralinen oder neue Manschettenknöpfe? Oder ein neues *Siddur*, auf den sein Name geprägt ist?«

»Aber er bekommt doch mich. Bin ich nicht genug?«

»Ich bin sicher, dass du mehr als genug bist, Chani – ich habe nur einen Vorschlag gemacht.«

Die Rebbetzin lächelte, doch sie hatte die Angst in den Augen des Mädchens gesehen. Das war auch kein Kunststück. Sie hatte schon so vielen von ihnen beigebracht, wie man die Tage und Nächte zählte und wie man sich selbst für die *Mikwe* vorbereitete. Selbst diejenigen, die panische Angst vor dem Wasser hatten, die nicht schwimmen konnten – selbst sie hatten sich irgendwann gefügt. Und es war gut gewesen. Mehr als gut. Die Bräute tauchten träumerisch wieder auf und lächelten sanft, während das Wasser ihre bleiche, weiche Haut herabrann und sie züchtig die Oberschenkel unter dem dunklen Haardreieck zusammenpressten.

Aber Chani war anders. Ihr fehlte die einfältige Passivität, die für viele andere Mädchen so typisch war. Sie sehnte sich nach Antworten, doch die Rebbetzin war sich nicht sicher, ob es ihr zustand, sie zu geben. Sie dachte an Mrs Kaufman, Chanis Mutter. Sie war nicht sonderlich überrascht gewesen, als die Frau angerufen hatte und atemlos erklärte, sie schaffe es heute nicht. Die zweitjüngste Tochter sei die Treppe hinuntergefallen und müsse ins Krankenhaus – ob die Rebbetzin Chani bitte in die *Mikwe* begleiten könnte? Als Chani ankam, war sie niedergeschlagen gewesen, und die Enttäuschung spiegelte sich in ihren Augen wider.

Und wer würde nun Chanis Fragen beantworten? Die Rebbetzin entschied sich zu reden. Es war ihre Pflicht. »Chani, beim ersten Mal wird es ein bisschen weh tun, aber lass es einfach geschehen. Versuch dich zu entspannen und atme tief und langsam. Mit der Zeit wird euer Beischlaf schöner. Es ist für euch eine ganz neue Welt. Die Bedürfnisse eines Mannes überwiegen oft gegenüber denen der Frau. Wenn du *nidda* bist, kannst du dich ausruhen. Aber eine Frau kann dennoch großes Vergnügen bei ihrem Mann finden, erforscht einander ...«

Die Rebbetzin hatte schon zu viel gesagt und war peinlich berührt. Chani starrte sie an. Im Licht des Brückenbogens glänzten ihre Augen. Ein Zug zerriss die Luft über ihnen. Die Rebbetzin dankte *HaSchem* für die willkommene Ablenkung.

Schweigend gingen sie weiter, jede in ihre eigenen Gedanken vertieft. Die Rebbetzin dachte an Baruch. Ein talentierter *Jeschiwa Bocher* und ein wirklich guter Fang. Vielleicht ein bisschen neurotisch, das musste man zugeben, aber welcher Junge war das nicht? Er war mit Avromi befreundet, ihrem Ältesten. Sie waren auf dieselbe Schule gegangen, genau genommen in dieselbe Klasse. Baruch kam aus einer guten, reichen Familie. Seine Eltern besuchten regelmäßig die *Schul* ihres Mannes. Es war auch insgesamt eine gesunde Familie. Ein wenig Diabetes väterlicherseits, aber wer hatte heutzutage keinen Diabetes? Chanis Familie dagegen war arm, aber von hervorragender Abstammung; voller *Zaddikim* und daher traditioneller. Aber leider zu viele Töchter. Die arme Mrs Kaufman, was für Kopfschmerzen es ihr bereiten musste, Ehemänner für sie zu finden. Wie sehr sie sich nach einem Sohn gesehnt haben musste.

Die Rebbetzin war über den *Schidduch* etwas überrascht gewesen. Nicht nur wegen des so unterschiedlichen familiären Hintergrundes, Chani war auch nicht die formbare Schwiegertochter, die Mrs Levy im Sinn gehabt hatte. Es fing damit an, dass das Mädchen nicht die *Sem* besucht hatte, obwohl das in den Augen der Rebbetzin kein unüberwindbares Hindernis darstellte. Mrs Levy jedoch hatte es ziemlich gewurmt. Chani war außerdem recht temperamentvoll und hatte an der Schule einen gewissen Ruf, aber andererseits wurde ein lebendiges, neugieriges Mädchen schnell einmal auf diese Weise von der Gesellschaft gebrandmarkt. Warum hatte Baruch sie also gewählt?

Aber noch mehr irritierte sie, dass die Eltern der Verbindung schließlich zugestimmt hatten. Die Rebbetzin wusste, dass Mrs Levy absolut dagegen gewesen war. Waren sie von Mrs Gelbman überredet worden? Die Frau war eine geschickte Eheanbahnerin und machte selten Fehler. Vielleicht kannte sie auch ein passendes Mädchen für Avromi. Ein gutes, *heimisches* Mädchen aus einer entsprechenden Familie. Ja, das war genau das, was sie brauchten. Oder war es dafür schon zu spät? War er über diese Art Mädchen schon hinweg? Ihre Stimmung wurde düsterer, als sie an ihren verwirrten, verlorenen Sohn dachte.

Sie passierten die Werkstatt und wurden wie üblich von den Mechanikern begafft. Zwei fromme Frauen in wenig eleganter Kleidung, deren lange, dunkle Röcke sie beim Gehen behinderten. Chanis nasses Haar hatte einen Fleck auf ihrer Jacke hinterlassen. Wie mochten sie auf die Außenwelt wirken? Auf Männer, die es gewohnt waren, dass sich ihnen weibliche Körper zur Schau stellten?

Die Rebbetzin zog ihre Strickjacke fest um sich zusammen, verschränkte die Arme und eilte weiter. Sie ging erhobenen Hauptes und schaute nicht nach links oder rechts. Sollten sie doch starren. Es gab nichts zu sehen.

An der nächsten Kreuzung blieben sie stehen. Die Rebbetzin umarmte Chani sanft. »Melde dich vor *Schabbes* bei mir, wenn du irgendetwas brauchst«, sagte sie.

»Aber Sonntag sehe ich Sie doch, oder?«

Die Rebbetzin löste sich von Chani und hielt sie eine Armeslänge von sich fort. Forschend blickte sie das kleine, verunsicherte Wesen vor sich an.

»Natürlich werde ich da sein. Nun hör auf, dir Sorgen zu machen, und genieße diese letzten paar Tage zu Hause bei deiner Familie. Ich bin für dich da, wenn du mich brauchst, Chani.«

Und dann waren sie jede ihrer Wege gegangen. Langsam schritt die Rebbetzin die Golders Green High Street hinauf. Sie fühlte sich wie eine Heuchlerin, weil sie seit Monaten nicht mehr in der *Mikwe* gewesen war. Sie hatte ihre Gründe. Die Wärterin hatte auf ihren Bauch gestarrt, doch die Rebbetzin hüllte sich in ihre weiteste, dunkelste Kleidung, die sie in eine riesige Krähe verwandelte. Sollte sie doch denken, was sie wollte.

Um sie herum dröhnte der Verkehr. Ein *Chassid*, in tristes Schwarz gekleidet wie ein Gespenst aus der polnischen Vergangenheit, brabbelte Jiddisch in sein Handy und schlängelte sich zwischen zwei roten Bussen durch. Als er weiterhastete, blitzten seine wollenen Strümpfe auf. Einer der Busfahrer musste voll bremsen und hupte. Der *Chassid* ignorierte ihn, hüpfte auf den Bordstein und begann, sich auf dem überfüllten Bürgersteig geschickt den Weg durch die Menge zu bahnen, wobei er immer noch aufgebracht redete und seine Schläfenlocken im Rhythmus seines abgehackten Gangs wippten. Mit der rechten Hand umklammerte er eine gutgefüllte Plastiktüte, in der sich Gebäck oder eingelegte Heringe befanden. Er sah zu Boden, um Blickkontakt mit Frauen zu vermeiden, und hastete und hastete, denn um all das zu tun, was *HaSchem* befahl, war nie genug Zeit.

Die Welt der *Gojim* zog achtlos an ihm vorüber. Manche starrten ihn kurz an, doch die meisten Nichtjuden waren an die Hut und Perücke tragenden Mitglieder der *Chassiden*-Gemeinde in ihrer Mitte gewöhnt. Die Rebbetzin beobachtete, wie er in einem Judaika-Laden verschwand. Zwei japanische Frauen blieben am Eingang eines chinesischen Restaurants stehen, um sich zu unterhalten. Hinter ihnen hockten kopflose, plumpe Pekingenten auf ihren Spießen und glänzten in all ihrer nicht *koscheren* Herrlichkeit unter den Wärmelampen. Ein älterer Farbiger, in einen blauen Wollmantel gehüllt, schob sich mit einem Weidenkorb an einem Obdachlosen vorbei, der, abgestumpft von Langeweile und Verzweiflung, am dunklen Fenster einer Pizzeria lehnte und die *Big Issue* verkaufte. Sie betrat das jüdische Viertel.

Vorbei an den kleinen *koscheren* Cafés. Vorbei an dem Bäcker Carmelli. Drinnen schoben und drängelten die Leute und reichten Geld über den Tresen im Tausch gegen pralle Tüten voll süßen, warmen Brots und Mohn-Bagels. Die Tür öffnete sich, und ein warmer, stickiger Teiggeruch strömte nach draußen. Zimt-*Rugelach*, Sirup-Baklavas, Donuts, aus denen die Marmelade quoll, Marzipanrollen, knusprige Florentiner, riesige Makronen, jede mit ihrem eigenen Kirschnippel oben-auf. Die Tabletts leerten sich schnell. In ein paar Stunden würde der Ansturm vorbei sein und nur noch Kassen-zettel und fettige Servietten zurücklassen, die den Rinn-stein verstopften. Es war Freitag, und das bedeutete nur eines.

*Schabbes.* In sechs Stunden war es so weit, und die Rebbetzin hatte noch keinerlei Vorbereitungen getrof-fen. Und *Schabbes* wartet auf niemanden. Am siebten Tag ließ *HaSchem* von all seiner Arbeit ab und segnete den siebten Tag und erklärte ihn für heilig – ein Tag des Ausruhens. Er begann exakt um 16:12 Uhr. Um 16:13 Uhr durfte sie noch nicht einmal mehr einen Lichtschal-ter bedienen. Selbst das wurde als Arbeit angesehen. Sie musste zehn Leute verköstigen, fünf davon Gäste. Sie hatte noch nicht einmal *Challot* gebacken. Es waren noch ein paar honigfarbene, geflochtene Laibe übrig. Sollte sie zwei kaufen?

Die *Gojim* trödelten vorbei, ohne den wachsenden Druck, unter dem sich ihre jüdischen Mitmenschen be-fanden, auch nur zu bemerken. Die Frauen waren bereits in den Küchen und bereiteten das abendliche Festmahl vor. Eine Horde Schulmädchen schwatzte und lachte und drückte sich um den unvermeidlichen Berg an Auf-gaben, der zu Hause auf sie wartete. Die Rebbetzin ging weiter und überquerte die Straße. Sie nickte vorbeieilen-den Bekannten kurz zu. Die Hektik des *Schabbes* erfüllte die Luft. Vorbei an Yarok, dem Lebensmittelhändler, dessen Früchte in obszönen Farben strahlten und eine lange Schlange von Kunden in Versuchung brachte. Die Möhren sahen aus wie riesige Finger, die man in einer Kiste aufgehäuft hatte. Sie brauchte Kartoffeln und Zwiebeln für den *Tscholent*, doch sie hielt nicht an.

*Kosher Kingdom* lockte. Das Supermarktfenster war voller neonfarbener Angebote. Sie hatte weder *Kiddusch*-Wein für die Segenssprüche noch Knödel für die Hühnersuppe. Doch die Rebbetzin bog in ihre kleine Straße ab und trottete die ruhige Gasse hinunter. Man konnte sie hinter der Ligusterhecke nicht sehen, doch sie spürte, wie die Blicke ihr folgten. Die Gardinen zuckten. Da geht die Rebbetzin Zilberman, murmelten die Münder. Sollten sie doch murmeln. Die Mülltonnen quollen über, die Vorgärten waren entweder kleine Urwälder oder hässliche kahle Quadrate aus praktischem Beton. Ulmen, ihrer Blätter beraubt, streckten ihre amputierten Glieder Richtung Himmel und boten die einzige Abwechslung im Grau des Pflasters und der sich wiederholenden bescheidenen Doppelhäuser. Die Häuser lehnten sich aneinander, niemand kümmerte sich darum, wie es hier aussah. Wer hatte die Zeit und Energie dazu, wenn es so viele wichtigere Dinge zu tun gab?

Die Haustür fiel hinter ihr ins Schloss. Der dunkle Korridor schien sie einzuhüllen, der vertraute Geruch beruhigte sie. Für den Moment hatte sie das Haus für sich allein; ihr Mann war in seinem Büro in der *Schul*, und Michal und Moishe waren noch nicht aus der Schule zurück. Sie hatte keine Ahnung, wo Avromi stecken könnte, und unterdrückte den wohlbekannten Anflug von Unruhe. Um ihn würde sie sich später Sorgen machen.

Frieden. Stille. Das Haus seufzte, als sie die Schuhe abschüttelte und auf Strümpfen durch den Flur ging. Jeder Schritt hinterließ einen Schweißabdruck auf dem staubigen Holzboden.

Nach der Dunkelheit im Flur blendete sie das Sonnenlicht in der Küche. Sie blinzelte. Die Kühlschränke brummten, der Eisschrank für das Fleisch klickte und gurgelte. Fleisch links. Milch rechts. Der Fleischkühlschrank glänzte silbern, der Milchkühlschrank war weiß. In getrennten Schränken waren die Töpfe und Teller aufgereiht wie gegnerische Truppen, bereit zum Angriff. Die Fleischteller hatten goldene, gewellte Ränder, während ihre Feinde im Milch-Camp in Grün getarnt waren. In separaten Besteckschubladen schliefen unruhig die Fußsoldaten. Die Milchlöffel waren in ihrem eigenen Kasten sicher aufeinandergestapelt. In der Dunkelheit nebenan funkelten die Fleischmesser in dem Wissen, dass ihre Stunde noch kommen würde.

Sie öffnete den Fleischkühlschrank. Das Loch in einem riesigen Hühnchen klaffte wie ein höhnischer Mund. *Grill mich! Iss mich!*, kreischte der Mund.

»Grill dich selbst«, murmelte die Rebbetzin und knallte die Kühlschranktür zu.

Ihre Perücke juckte. Sie brauchte ihre Stricknadel, um darunter herumzustochern und sich gründlich die heiße, fest umschlossene Kopfhaut zu kratzen. Mit schweren Schritten nahm sie die Treppe nach oben, eine Hand glitt das angeschlagene Geländer entlang. Durch die dünne Strumpfhose spürte sie den ausgetretenen Teppich.

Das Schlafzimmer war unordentlich. Es roch nach

Morgenatem und Gleichgültigkeit. Eine Socke hier, eine Socke dort – ihr Mann war zu müde gewesen, sie in den Wäschekorb zu stecken. Der Rock von gestern lag zerknüllt am Boden. Die Vorhänge waren immer noch zugezogen. An einigen Stellen hatte sich der schwere Stoff von den Haken gelöst und hing ungleichmäßig herunter. Lichtstreifen liefen über die Zimmerdecke. Mit einem Ruck zog sie die Vorhänge zur Seite und riss ein Fenster auf.

Besser. Sie bekam wieder Luft.

Der Kleiderschrank stand offen. Auf ihren Bügeln schaukelten die Anzüge ihres Mannes leicht hin und her. Sie gab ihnen einen Schubs und ließ sie tanzen wie fröhliche *Chassidim* auf einer Hochzeit. Alle schwarz, alle derselbe Schnitt. Die dunkelblauen Nadelstreifenanzüge, die dunkelgrauen Anzüge und die aus sommerlichem Leinen hatte ihr Mann vor Jahren aussortiert.

Die Rebbetzin seufzte. Auf ihrer Seite des Kleiderschranks sah es nicht anders aus. Die üblichen langen trostlosen Röcke waren in einer prickelnden Palette von Dunkelblau, Schwarz und Taubengrau hintereinander aufgereiht. Ihre Schuhe standen paarweise brav darunter; es waren alles die gleichen weichen schwarzen italienischen Slipper; bis auf ein weißes Paar für den Sommer. Die Rebbetzin dachte wehmütig an all die Schuhe, die sie früher getragen hatte. Die lasterhaften Pikes mit ihren glänzenden Silberschnallen; rote Lackpumps, in denen sie kaum gehen konnte; freche gelbe Turnschuhe mit neongrünen Schnürsenkeln, Flipflops und kippelige Korkplateaus.

Die Frisierkommode quetschte sich gegen das Erkerfenster. Dort ruhten ihre Perücken auf den Ständern, auf harten, gesichtslosen Ballons. Sie setzte sich vor den Spiegel. Er reflektierte ihr Bett, ein riesiges Mahagoni-Wunder, dass sich in zwei Hälften teilen ließ, wenn sie *nidda* war. Dann wurde es auf geölten Rollen fast geräuschlos auseinandergeschoben. Unter der schweren Matratze verbarg sich ein Reißverschluss, den man nicht fühlte, wenn er geschlossen war. Es war ein Hochzeitsgeschenk ihrer Eltern gewesen. Ihre Großzügigkeit hatte sie überwältigt, denn ein Bett wie dieses musste einige Tausend gekostet haben. Auch ihre Einfühlsamkeit hatte sie sehr bewegt.

Das Bett war inzwischen seit Wochen geteilt, und die Kiefernholzkommode dazwischen war von einer dünnen Staubschicht bedeckt.

*** 

Vor einigen Wochen. Leichte Tritte. Den ganzen Tag lang. Die Rebbetzin war vierundvierzig und wusste, dass dieses Kind ihr letztes sein würde. Die Schwangerschaft war ein Geschenk. Nach Moishe hatte sie es nicht mehr für möglich gehalten. Sein Körper hatte sich seinen Weg durch sie hindurchgerissen, und sie hatte angenommen, die Schäden wären unwiderruflich. Eine Weile glich die Unfruchtbarkeit einer Erlösung, bis die alte Sehnsucht heftiger zurückkehrte als vorher und viele lange Jahre unerhört blieb. Doch nun schwoll ihr Bauch erneut an, wie Teig in einer Blechbüchse. Die alten

Schwangerschaftsstreifen spannten sich wie Gummibänder. Grenzenlose Freude ließ ihr Herz höherschlagen, ließ die Falten in ihrem Gesicht weich und ihr Lächeln strahlender erscheinen. Sie hatte die alten Ängste beiseitegeschoben, das Reißen und Zerren in ihrem Inneren, das Bersten ihres Körpers. Es war gewesen, als würde man sterben.

Dieses letzte würde sie zur Welt bringen, und wenn sie dabei draufging.

\*\*\*

Etwas stimmte nicht. Das Bett war nass. Die Rebbetzin setzte sich auf. Ein Krampf. Dann kehrte der Schmerz als dumpfes Pochen zurück.

»Chaim? Chaim!«

»Wasisn?«, grummelte Rabbi Zilberman.

»Etwas stimmt nicht – das Baby – es fühlt sich alles ganz nass an –«

Eilig knipste der Rabbi das Licht an und stieß die Bettdecke zur Seite. Ein dunkler Fleck hatte sich zwischen den Beinen seiner Frau ausgebreitet. Sie lagen darin.

Er machte einen Satz aus dem Bett und starrte an seinem Pyjama hinab. Die Flüssigkeit war durch das dünne Material gedrungen und klebte an seiner Haut. Er zitterte. Ihr Blut war *nidda,* und deshalb war sie es auch. Im Notfall würden doch sicher alle Gesetze aufgehoben, oder? Er war hin- und hergerissen. Ein Gesetz verbot ihm, sie zu berühren, und ein anderes besagte, dass er um jeden Preis ihr Leben retten musste. Er wusste nicht, was er tun sollte. Das war vorher noch nie passiert. Das hier war Frauensache.

»Wa-was sollen wir tun?«, stotterte er.

Ihr Baby sickerte aus ihr heraus, und Chaim fragte sie, was sie tun sollten. Was für ein Ehemann. Sie wuchtete sich auf alle viere, ihre Hände wühlten in den Laken. Wo war es? Ihre Finger berührten etwas Klebriges.

»Ruf einen Krankenwagen!«, schnauzte sie. Nein. Nein. Bitte, *HaSchem*. Aber sie wusste, dass sie das Baby verloren hatte.

Rabbi Zilberman stand stocksteif. Welches Gesetz war zu befolgen? Ihm wurde übel von all dem Blut. Er musste ihr helfen, aber seine Beine versagten ihren Dienst. Er blieb, wo er war.

»Chaim, *tu* etwas!«

»Ich werde – ich werde *Hatzolah* anrufen«, murmelte er.

Er stolperte zum Telefon auf dem Nachttisch und wagte dabei nicht, auf das Bett zu sehen. Er nahm den Hörer. Doch er konnte sich nicht an die Nummer des *Chassidim*-Unfalldienstes erinnern. Die Rebbetzin stöhnte.

»Ich weiß die Nummer nicht mehr!«

Seine Frau drehte sich um und starrte ihn an. Sie rollte über das Bett, riss ihm den Hörer aus der Hand und wählte 999. Eine Woge von Schmerz erfasste sie. Ihre Oberschenkel fühlten sich warm und nass an. Dazwischen schlabberte das Nachthemd, der Stoff so dunkel, dass er schwarz wirkte.

»Hallo – hallo – ja, ich brauche einen Krankenwagen. Ja, er ist für mich. Für mein Baby. Nein, keine Wehen – bitte sofort. The Drive, Nummer sechsunddreißig, Golders Green. Mein Name – ja – Rebbetzin – ich meine, Mrs Zilberman – danke, ja – werde ich – danke.«

Sie ließ sich zurücksinken und wartete. Es gab nichts mehr zu tun. Ihr Ehemann stand immer noch da, in Unentschiedenheit erstarrt.

Chaim fühlte sich wie ein Idiot. Wie egoistisch war er gewesen, sich um die Gesetze zu sorgen. Das Leben eines anderen zu retten sollte immer an erster Stelle stehen. Instinktiv war er vor ihrem Blut zurückgewichen, doch es war mehr als das. Es hatte ihn angeekelt. Ihr Bauch war so glatt gewesen, so perfekt, eine sanfte kleine Kugel. Das Leben, sorgsam verborgen, hatte sich aus ihr ergossen und solch ein Chaos erzeugt. Doch diese Geborgenheit war nur eine Illusion gewesen und die nasse, schmutzige Wahrheit ihres Leibes zu viel für ihn. Vom Ekel abgesehen, hatte er Angst. Mehr noch als der Verlust seines Kindes schien von dem Blut eine unheilvolle Bedeutung auszugehen, die sein Verstand nicht fassen konnte.

Er hasste sich selbst angesichts so viel Feigheit. Warum hatte er nicht einfach 999 gewählt? Es war ein furchtbarer Fehler gewesen, er hatte die Kontrolle verloren, und nun musste er die Sache wieder geradebiegen. Er versuchte, im Kopf eine Entschuldigung zu formulieren, doch es hatte keinen Sinn. Die Worte hörten sich pathetisch an.

Er schob sich näher ans Bett.

»Rivka –«

Mehr als ihren Namen brachte er nicht heraus. Stattdessen streckte er eine feuchte Hand aus und tätschelte ihre Schulter. Sie starrte zu ihm hoch, ihr Mund vor Abscheu zu einer schmalen Linie zusammengepresst.

Sie schlug seine Hand fort.

»Rivka – ich weiß nicht, was über mich gekommen ist – die Weisen sagen –«

»Es ist mir egal, was sie sagen! Das ist jetzt nicht der Zeitpunkt –« Sie verzog das Gesicht vor Schmerzen. »Bring mir ein Handtuch – zwei … und hol mir aus meiner Kommode ein frisches Nachthemd.«

Die Rebbetzin Zilberman sackte tiefer ins Bett. Er gehorchte der Anweisung, erleichtert, sich nützlich machen zu können. Mit einem Haufen Handtücher im Arm kam er aus dem Badezimmer. Er riss sich zusammen, um mit dem Massaker umgehen zu können, und zog die Bettdecke seiner Frau ab. So viel Blut. Wer hätte gedacht, dass so ein winziges Baby die Ursache für so viel Blut sein konnte? Er hätte bei dem Anblick am liebsten die Augen geschlossen, doch er zwang sich weiterzumachen. Sie öffnete die Beine, und er schob ein aufgerolltes Handtuch dazwischen. Dann hievte er sie hoch. Das Nachthemd war ihr über die Hüften gerutscht. Sie hob die Arme, und er zog es ihr über den Kopf. Dann streifte er ihr ein sauberes über und half ihr in die Ärmel.

Er war dankbar, wenigstens etwas für sie tun zu können, obwohl er sich immer noch zutiefst unbehaglich fühlte. Aber es war nicht genug. Es würde nie genug sein.

»Was kann ich noch tun?«

»Nichts. Zieh dich an – sie werden jeden Augenblick hier sein«, presste sie hervor.

»Ja, okay.«

Seine Stimme bebte. Rabbi Zilberman fühlte sich ohnmächtig angesichts des schmerzhaften weiblichen Mysteriums, das sich vor ihm enträtselte. Noch vor wenigen Minuten war sie schwanger, und alles war gut gewesen. Es war schwer zu verstehen, wie das Glück sich so plötzlich auflösen konnte. Das Kind musste wahrlich heilig gewesen sein, wenn *HaSchem* es zurückrief, noch bevor es seinen ersten Atemzug getan hatte. Sein Kind wäre vielleicht ein großer *Zaddik* oder ein großer *Rebbe* geworden. Er hätte es gern gesehen, sein winziges Gesicht, wie es sich zusammenzog, und sein Sohn dann zu schreien begann. Ihn im Arm gehalten. Denn er war sicher, dass es ein Sohn gewesen war.

Die Erinnerungen an einen früheren Verlust kehrten zurück, schneidend und scharf wie ein Schlachtermesser, und der Geist eines anderen Kindes hing zwischen ihnen in der Luft, ein kühler Hauch.

Sie sah zu, wie er sich anzog. Es gab nichts mehr zu sagen. Er hatte sie im Stich gelassen, seine Frau, seine geliebte Gefährtin und beste Freundin in all diesen Jahren. Vielleicht war sie zu alt gewesen, um ein weiteres Kind auszutragen, doch Isaac wurde geboren, als Sarah schon neunzig war. *HaSchem* hatte es möglich gemacht.

Als er sich umdrehte, waren ihre Augen geschlossen. Die Augenlider hoben sich violett von ihrer blassen Haut ab. Sie bewegten sich zuckend, doch ihr Gesicht

glich einer Maske. Erst in diesem Moment bemerkte er, dass ihr Haar unbedeckt war. Sie jetzt zu belästigen schien lächerlich, doch ihre Unanständigkeit störte ihn. Andere Männer würden ihr Haar sehen. So ein Unsinn. Was machte das schon – sicher würde *HaSchem* –
Die Klingel schellte, und er rannte zur Tür.

Die Sanitäter sprachen mit gesenkten, freundlichen Stimmen und hoben vorsichtig Arme und Beine an, als wäre sie eine Porzellanpuppe. Doch sie war ja wirklich zerbrochen, aufgebrochen, und das Leben floss noch immer aus ihr heraus. Ihr Herzschlag hatte sich verlangsamt und pochte im Takt mit den Schmerzen. Verschwommene Stimmenfetzen klangen mal nah und mal fern.

Sie berührten sie. Die Rebbetzin hatte Berührungen von Männern mit Ausnahme ihres eigenen immer zu vermeiden versucht. Doch diese Fremden, diese *Gojim*, hatten sie getragen, mit ihr gesprochen und ihr das Mitgefühl entgegengebracht, das sie so dringend gebraucht hatte. Und da lag sie nun, ihr Körper entblößt. Es kümmerte sie nicht mehr. Diese Männer wussten, was zu tun war. Ihre Handgriffe waren voller Selbstvertrauen, ohne Angst oder Zögern, wofür sie ihnen dankbar war. Es war eine große Erleichterung, dass jemand anderes die Kontrolle übernommen hatte.

Ihr Ehemann war umhergewuselt, hatte den Weg für die Trage frei gemacht, den Männern eilfertig die Tür aufgehalten und die Kinder fortgescheucht. Sie hatten in Pyjamas zusammengedrängt in der Schlafzimmertür gestanden.

»Dad – Dad – was ist mit Mum?«, wollte Moishe wissen. Aber Michal, seine ältere Schwester, begriff, was passiert war. Sie zog ihn am Handgelenk aus dem Weg. Er riss sich mit einer kurzen Schulterbewegung los.

»Lass mich in Ruhe, Michal! Ich will wissen, was los ist.«

»Das erkläre ich dir später – geh aus dem Weg.« Ihre Stimme zitterte ein wenig, doch Moishe gab nach und schaute von seiner Zimmertür aus zu.

Avromi trat vor, um den Männern zu helfen.

»Bleib weg, und komm hier nicht in die Quere«, zischte sein Vater.

Die Rebbetzin hörte den Schmerz in Avromis gemurmelter Antwort – ihr Mann hatte immer noch nicht verziehen, dass sein Sohn in Ungnade gefallen war.

Sie war dankbar für die Decke, die man über sie gebreitet hatte und die die grausame Tatsache verbarg. Sie wollte nicht, dass ihre Kinder sahen, wie sich das Blut unter ihren Beinen ausbreitete und das zusammengerollte Handtuch durchweichte.

Die Trage wankte die Treppe hinunter, wobei die Männer jeden Schritt mit Bedacht setzten. Rabbi Zilberman folgte ihnen auf dem Fuße und gab die ganze Zeit Anweisungen. »Vorsichtig, ein bisschen weiter runter, jetzt ein bisschen nach links – machen Sie langsam um die Kurve…« So fühlte er sich etwas weniger nutzlos. Die Männer tolerierten geduldig das Geplapper und hatten Verständnis für sein Bedürfnis, involviert zu sein – aber schließlich schritt der ältere der beiden Sanitäter ein, ein großer, stämmiger Ire: »Rabbi, machen Sie sich keine Sorgen – wir haben das schon ein paarmal gemacht, und wir werden Ihre Frau diese Stufen sicher hinunterbringen.«

Also hielt Rabbi Zilberman seinen Mund. Sie hatten sie mit den Füßen zuerst aus dem Schlafzimmer getragen – wie eine Leiche. Das gefiel ihm nicht, doch was hätte er zu diesen *Gojim* denn sagen sollen? Aber es waren trotzdem gute Männer, und sie verdienten ihren Platz in dieser Welt und der nächsten.

Er kam sich dumm vor, wie ein richtiger *Nebbich*. Er konnte noch nicht einmal helfen, sie zu tragen, dafür gab es fähigere Männer als ihn. Er wollte neben der Trage hergehen, um ihr in die Augen zu sehen, doch im engen Flur war dafür kein Platz. Außerdem hatte sie den Kopf weggedreht.

Der Krankenwagen wartete am Bordstein. Die Sirene war aus, doch das Blaulicht blitzte und wurde flackernd von den dunklen Fenstern der kleinen Häuser zurückgeworfen. Und natürlich zuckten die Gardinen, und die Lichter gingen an. Gesichter erschienen in den Fenstern. Mrs Meyer und ihr Mann kamen herausgestolpert, vom Schlaf ganz zerknittert. Sein Käppchen saß schief, und der Gürtel seines Bademantels schleifte durch die Pfützen. Mrs Meyer trug riesige Affengesicht-Hausschuhe mit Glasaugen, ein Geschenk ihrer Enkelkinder. Die gestreiften Socken waren ihr wie eine Ziehharmonika bis zu den Knöcheln hinuntergerutscht, doch ihr Haar war unter einem Tuch verborgen.

Inzwischen hatte sich eine kleine Menschenmenge

gebildet, doch die Sanitäter waren Gaffer gewöhnt. Die Männer arbeiteten schnell und effizient und ignorierten die Zuschauer, doch diese Menge war anders. Sie flüsterte, sie jammerte, und schlimmer, sie gab Ratschläge:

»Bete für die Rebbetzin Rivka Zilberman! *HaSchem* wird sie retten!«

»Ich bin Arzt, und ich sagen Ihnen, sie braucht Sauerstoff.«

»Mein Sohn Simcha – er ist Arzt –, ich werde ihn anrufen.«

»Ihr Haar – was ist mit ihrem Haar? Eine Schande, dass eine verheiratete Frau so erscheinen muss!«

Es war diese letzte Bemerkung, die den Rabbi aus seiner Starre riss. Er wusste, er hätte etwas tun müssen, bevor sie sie hinausgebracht hatten. Wenn die Herrlichkeit einer Frau ihr Haar war, dann hatte die Rebbetzin mehr davon als die meisten. Ihr Haar war lang, glänzend und, abgesehen von ein paar grauen Strähnchen, immer noch kastanienbraun. Vom Tag ihrer Hochzeit an hatte sie es bedeckt, genau, wie es die *Tora* vorschrieb. Er hatte es in der Abgeschiedenheit ihres Schlafzimmers so viele Male durch seine Finger rinnen lassen, dass seine Hände sich selbst jetzt noch an sein weiches, schimmerndes Gewicht erinnerten. Nun streiften die langen Locken über den Asphalt.

»Bedeckt sie!«, schrie er. Er ging zu dem stämmigen Iren hinüber und schüttelte ihn an den Schultern. Der Sanitäter kniete gerade neben der Rebbetzin, bevor sie die Trage in den Krankenwagen luden. Er drehte den Kopf und schaute den Rabbi an. Das Licht der Straßenlaternen machte aus den Haaren des Rabbis einen flaumigen Heiligenschein. In seinen Augen stand das Entsetzen.

»Sir, Rabbi – sie ist zugedeckt –, wir haben eine Decke über sie gelegt, um sie warm zu halten – lassen Sie uns bitte unsere Arbeit machen.«

»Nein – Sie verstehen nicht –, ihr Haar, sehen Sie – ziehen Sie die Decke einfach ganz über sie.«

»Sir – sie ist doch keine Leiche!« Der Sanitäter verlor langsam die Geduld.

»Ja – ja – das weiß ich – aber ihr Haar, es ist nicht bedeckt«, brabbelte Rabbi Zilberman.

Die Menge wiegte sich zustimmend. Plötzlich bahnte sich Mrs Gottlieb ihren Weg nach vorn, ihr prachtvoller Busen vom Kamelhaar-Hausmantel zusammengepresst. Sie schwang ein langes Tuch wie eine Siegesfahne und wedelte damit unter Rabbi Zilbermans Nase umher.

»Sehen Sie, bitte schön – kein Grund für all die Aufregung«, verkündete sie wichtig. Sie kniete neben der Rebbetzin, und mit einer schnellen Handbewegung war das Haar eingefangen und ordentlich zusammengebunden, das Tuch fest darum gewickelt, jede verirrte Locke versteckt. Die Rebbetzin schlug die Augen auf und starrte Mrs Gottlieb an. Diese war schockiert von der Leere darin – »als wäre niemand da«, würde sie später an jenem Tag ihren gebannten Gästen beim Morgenkaffee immer wieder erzählen.

Die Menge stieß einen Seufzer der Erleichterung aus.

Die Männer hievten die Trage in den Rettungswagen. Der Rabbi kletterte nach ihnen hinein. Die Türen fielen mit lautem Rattern zu, und der Krankenwagen erwachte mit einem Ruck zum Leben. Mit heulenden Sirenen und kreischenden Reifen entfernte er sich vom Bordstein.

Die Show war vorbei. Die Bewohner zerstreuten sich langsam. Morgen gäbe es viel zu erzählen.

# 3
## Baruch
### November 2008 – London

Baruch stand früh auf und legte seine Gebetsriemen an. Obwohl er später das *Schacharit*, das Morgengebet, gemeinsam mit allen anderen in der Synagoge sprechen würde, war er an diesem bestimmten Morgen mit dem Bedürfnis nach persönlichem Gebet aufgewacht. Er mochte das Gemeinschaftsgefühl und die Verbundenheit in der *Schul*. Es war schön, seinen Tag in ein Ritual versunken zu beginnen, umgeben von vertrauten, freundlichen Gesichtern. Das Gemurmel männlicher Stimmen war jedoch auch eine Ablenkung, und er war dann nicht immer in der Lage, mit derselben Intensität zu *dawenen* wie alleine.

Zu allem Übel hatte sein Vater in der Woche vor der Hochzeit darauf bestanden, ihn jeden Morgen zur *Schul* zu begleiten, anstatt in seinem Büro zu beten, wie er es sonst tat. Mr Levys Anwesenheit im selben Raum schien einem immer die Luft zum Atmen zu nehmen, nicht zuletzt wegen seines Moschus-Aftershaves, von dem Baruch ganz schwindelig wurde.

Baruch liebte die frühmorgendliche Stille und den kalten Schimmer des Lichts. Seine Familie schlief noch.

Die einzigen Geräusche kamen von dem Geflatter und Gezwitscher der Vögel im Baum vor seinem Fenster. Er fühlte sich sicher und lebendig, jeder Gedanke geheiligt, sein Geist bis auf *HaSchem* von allem frei. Die Lederkästchen waren fest an seinen Unterarm und die Stirn gebunden, die dunklen Riemen so festgezurrt, dass die helle Haut an den Innenseiten seiner Arme prickelte.

Hinterher wickelte er die *Tefillin* ab, küsste sie, legte sie zurück in den Samtbeutel und verschloss ihn mit der Schnur. Er verstaute den Beutel in seiner Schreibtischschublade, den *Tallit* ordentlich gefaltet obenauf.

Sein Zimmer war klein, aber gemütlich, eine einfache Zelle, die seine wenigen Habseligkeiten enthielt. Schon bald würde er dieses Zimmer für immer hinter sich lassen. Es war zu einem Rückzugsort zwischen einer *Jeschiwa* und der nächsten geworden. Seine alte Schuluniform hing immer noch im Schrank, und seine staubigen Lehrbücher mit den Eselsohren standen nach wie vor im Regal. Es tröstete ihn, diese vertrauten Dinge anzusehen, und er verbannte das Gefühl von Angst, das seit Wochen an ihm nagte.

Die Angst vor dem Unbekannten. Zuerst die Hochzeit und dann, vielleicht, ein neues Leben mit Chani in Jerusalem, wo er seinen rabbinischen Studien an einer Top-*Jeschiwa* nachgehen sollte, die sein Vater ausgesucht hatte.

Das kleine, schmucklose Nebenzimmer verlieh der Prozedur eine gewisse Intimität. Männer standen hinter Bänken aus hellem Holz, die bei jeder Bewegung der

Betenden knarrten. Die Wände waren weiß und der Teppich von tiefem, weichem Blau. Außer den schwarz-weiß gestreiften Gebetsmänteln der verheirateten Männer waren die goldenen hebräischen Buchstaben über dem Bogen der einzige Schmuck.

Baruch versuchte, die rauhe Singstimme seines Vaters auszublenden, doch er wurde nicht gelassener. Der Raum war klein, aber nicht voll, und er fragte sich kurz, weshalb sein Vater so eng bei ihm stand. Baruch wurde klar, dass dies wahrscheinlich das letzte Mal in einer sehr langen Zeit war, dass sie gemeinsam das *Schacharit* beteten. In ein paar Tagen würde er als Mann *dawenen*, in seinen eigenen Gebetsmantel gehüllt, der für ihn von Chani ausgewählt und gekauft worden war.

Wie sehr er sich von seinem Vater zu unterscheiden schien. Aus dem Augenwinkel beobachtete er ihn, immer dann, wenn er auf seinen Ballen vorwärtsschnellte. Er hatte ihn größer in Erinnerung, doch über die Jahre war er geschrumpft und zu der kompakten Muskelmasse verhärtet, die nun den Platz zu seiner Rechten einnahm. Inzwischen überragte Baruch ihn deutlich und genoss den Unterschied. In seinen Augen repräsentierte sein Vater die kalte, harte Außenwelt, eine Welt voller heuchelnder Intriganten, die am Telefon lachten und einander Honig ums Maul schmierten. Selbst jetzt schimmerte das Blinken seines Handys gespenstisch durch seinen *Tallit*, ein flackerndes Neonherz.

Er war froh, dass er seinem Vater nicht nachfolgen würde. Dafür hatte der Vater gesorgt. Baruch war kein Geschäftsmann. In seiner Familie war nur Platz für *einen*

*Macher,* und dieser Schwergewichtstitel fiel bisher seinem Vater zu. Seine Brüder Yisroel und Ilan würden in dessen Kielwasser schwimmen, nach seinen Fersen schnappen, kleine Hundshaie, die das Territorium der Familie verteidigten und den Profit steigerten, indem sie Miete von Leuten einstrichen, die wie Ratten in einem Loch zusammengepfercht waren. Seine beiden jüngeren Schwestern, Bassy und Malka, würden irgendwann in ähnlich wohlhabende, einflussreiche Familien einheiraten.

Baruch hatte nie verstehen können, wie sein Vater mit gutem Gewissen *dawenen* konnte, wenn er sein Geld mit dem Unbehagen anderer Leute verdiente. Dabei war er kein schlechter Mensch. Er spendete viel für wohltätige Zwecke, wenn auch mit großartigen öffentlichen Gesten. Das Ordern und Bezahlen der neuen *Tora*-Rolle in der *Schul* stellte sicher, dass sein Vater immer in den Gebeten des Rabbiners erwähnt wurde. Und auch die Kosten für die Erneuerung des verfallenen Daches der Schule seiner Schwestern hatte sein Vater übernommen. Eine kleine Gedenktafel an der Wand des obersten Stockwerks beseitigte jeden Zweifel über den Wohltäter.

Während des Betens waren die Augen seines Vaters fest geschlossen, und ein Geflecht aus Falten vernarbte die rechte Seite seines Gesichts. Sein dunkler Bart war ordentlich getrimmt. Die glänzenden Manschettenknöpfe funkelten mit dem polierten Leder seiner Schuhe um die Wette. Auf seinem Kopf saß ein *Fedora*, schwarz wie die Nacht, absolut fusselfrei. Jeden Morgen bürstete Mr Levy seinen Hut liebevoll, bevor er ihn leicht schräg aufsetzte, das schwarze Samtkäppchen darunter verborgen. Die Haare seines Vaters waren dick und lockig, wie seine eigenen, und es gab keine Anzeichen dafür, dass sie dünner wurden.

Unter dem *Tallit* und dem gestärkten weißen Hemd samt maßgeschneidertem Anzug verbarg sich ein kräftiger Körper. Wenn sein Vater Baruch eine Hand auf die Schulter legte und drückte, war sein Boxergriff immer noch so fest wie ein Schraubstock.

Sein Vater war ein Whitechapel-Junge gewesen und ein regionaler Boxchampion. Die Taxifahrer hatten ihn wegen seines fiesen linken Hakens geliebt. Doch mit achtzehn Jahren hatte ihn ein Größerer, Schnellerer dermaßen k.o. geschlagen, dass er nicht einmal bis zehn aufstehen konnte. Als die Welt zurückkehrte, stellte er fest, dass er mit seinem rechten Auge nichts mehr sehen konnte und die verkrümmte Pupille, umgeben von der haselnussbraunen Iris, ihm ein Belladonna-Starren verlieh. Die Wucht des Schlages hatte die Netzhaut zerrissen und den ringförmigen Knochen dahinter zerschmettert. Das war das Ende seiner Tage im Ring. Ein weiterer Hieb, und er wäre vielleicht nie mehr in der Lage gewesen, in seinem *Siddur* zu lesen. Davon abgesehen war Boxen auch kein schicklicher Zeitvertreib für einen netten jüdischen Jungen.

Mr Levy war hungrig gewesen nach Erfolg. Als Sohn eines einfachen ungarischen Flüchtlings hatte er das starke Bedürfnis, sich zu beweisen. Baruchs Großvater war Fischhändler gewesen, der zu Hause in Ungarn eingelegte Heringe an die jüdischen Frauen des Ortes verkaufte, Frauen, die nur Jiddisch sprachen. Doch Mr

Levy war es nicht um seinesgleichen gegangen, er wollte, dass ihn die weißen Kerle akzeptierten, die derben und schwerfälligen Nichtjuden, die ihm ein Bein gestellt hatten und auf seiner Kappe im Matsch herumgetrampelt waren. Er hatte den stinkenden Fisch satt, die salzige Nässe glitschiger Gedärme, und als es mit dem Boxen abrupt vorbei war, wusste er, dass er einen anderen Weg finden musste, um sein Glück zu machen. Egal, wie gründlich er sich die Hände wusch, die Nägel schrubbte und Zitronensaft in die zerschnittene Haut rieb, den Gestank von altem Dorsch wurde er nicht los.

Seine Söhne hatten ihre Hände nie in Fässer mit schleimigem Hering stecken müssen. Dafür hatte er gesorgt. Mr Levy erfüllte seine Versorgerrolle perfekt. Sein Haus war groß und luxuriös, die Teppiche flauschig, die Fenster dreifach verglast. Baruch war in Wärme, Behaglichkeit und Liebe aufgewachsen. Trotz all seines Materialismus war Mr Levy ein hingebungsvoller Vater. Baruch wusste das alles zu schätzen, und es hatte ihm nie an irgendetwas gemangelt. Noch hatte er sich je etwas gewünscht. Abgesehen von der Freiheit, seinen eigenen Weg gehen zu dürfen.

4

# Chani

## November 2008 – London

Auf ihrem Weg zurück von der *Mikwe* setzte sich Chani im Bus nach vorn und lehnte sich vor, als wollte sie ihn den Hügel hochschieben. Ganz hinten saßen mehrere lärmende jüdische Schuljungs, die Chips und Schokolade futterten, die prahlten und sich neckten und die Freiheit des frühen Schulschlusses am Freitag genossen. Ihre Krawatten waren gelockert, die Hemden hingen aus den Hosen, und sie klauten sich gegenseitig die Käppchen. Sie trugen die Schuluniform von Baruchs alter Schule, und Chani fragte sich, ob er sich je im Bus so unschicklich verhalten hatte. Es war schwer vorstellbar. Einige Reihen hinter ihr saßen zwei junge polnische Frauen, die sich leise unterhielten, schlank und schick in ihren makellosen Jeans und mit perfektem Make-up.

Durch die große Scheibe betrachtete sie, wie die Welt unter ihr Richtung *Schabbes* vorbeieilte, und ihr schlechtes Gewissen regte sich. Sie sollte eigentlich ihren Tanten und den Schwestern dabei helfen, das Abendessen zuzubereiten. Das würde ihr letzter *Schabbes* zu Hause sein. Aber es fühlte sich gar nicht mehr an wie ihr Zuhause. Sie fühlte sich fehl am Platz – sie war weder gegangen, noch war sie richtig angekommen. Und nun, da die Hochzeit endlich unmittelbar bevorstand, etwas, auf das sie am Ende kaum noch zu hoffen gewagt hatte, spürte sie nur noch Leere.

Die Fahrt war dieselbe wie fast jeden Tag ihres Erwachsenseins. Doch dieses Mal hätte ihre Mutter an ihrer Seite sein sollen, hinunter auf die Einkäufer schauen und überflüssige Bemerkungen über Bekannte von sich geben sollen. Tante Frimsche hatte stattdessen angeboten, sie in die *Mikwe* zu begleiten, doch Chani hatte abgelehnt. Wenn ihre Mutter nicht mitkam, dann ging sie lieber allein. Davon abgesehen, würde die Rebbetzin dort auf sie warten.

Die späte Herbstsonne wärmte sie. Chani fand, dass sie im spiegelnden Busfenster kleiner und blasser aussah als sonst. Eine Falte furchte ihre Stirn. Die verchromte Rückenlehne des Sitzes spiegelte sich in endloser Wiederholung hinter ihr. Normalerweise freuten sie solche Momente einsamer Leichtigkeit, und sie genoss das Rascheln der Blätter und die dumpfen Geräusche der Äste, wenn der Bus sich an den Bäumen vorbeischob. Sie starrte dann immer in die dicken, dunklen Kronen und stellte sich vor, wie die Bäume sich nachts ungestört wiegten, wenn kein Verkehr mehr war und die Straßen still dalagen.

Doch heute fühlte sie sich verraten. Die Bäume zogen unbemerkt vorbei. Das hatte sie nicht verdient; schließlich heiratete man nur einmal im Leben. Als *Kalla* hätte sie wichtiger sein sollen als ihre blöde kleine Schwester. Chayaleh, der sie das Haar bürstete, den Mantel zuknöpfte und die an ihrer Hand zur Schule ging, war die Treppe hinuntergefallen und in die Unfallambulanz gebracht worden. Chani fragte sich, ob *sie* ihren älteren Schwestern auch so auf die Nerven gegangen war, aber selbst wenn, war sie sich sicher, dass ihre Bedürfnisse keinen Vorrang vor deren ersten Besuchen in der *Mikwe* gehabt hatten. Wenn die *Kalla* vor der Hochzeit wie eine Königin behandelt werden sollte, warum war ihre Mutter dann nicht da? Jeder andere hätte ihre Schwester ins Krankenhaus bringen können. Chani schluckte schwer, starrte geradeaus und biss die Zähne zusammen. Heute würde sie nicht weinen.

Das Leuchten, das sie umgeben hatte, als sie aus dem Tauchbecken gestiegen war, war verblasst. Als der Bus weiterratterte, versuchte Chani, das kostbare Gefühl nach ihrem Untertauchen wieder in sich wachzurufen. Sie hatte sich beschützt gefühlt, unsichtbar eingehüllt in Tugend. In ein tiefes Gefühl des Friedens, als ob jede Handlung und jeder Gedanke mit *HaSchems* Zustimmung besiegelt worden waren. Das Trockenreiben mit dem rauhen Handtuch schien wie eine Entweihung. Hinterher, in der Kabine, war sie so lange nackt geblieben, wie die Höflichkeit es erlaubte, und hatte ihre Haut an der Luft trocknen lassen. Die Rebbetzin hatte geduldig draußen gewartet. Chani betrachtete sich gründlich im Spiegel, konnte jedoch keine äußerliche Veränderung entdecken. Ihr Gesichtsausdruck hatte möglicherweise an Tiefe gewonnen, beseelter, entschied sie, doch ihr Körper war schlank und geschmeidig geblieben. Er war nicht in fraulicher Üppigkeit erblüht. Wassertropfen waren in kleinen Rinnsalen zwischen ihren Brüsten hindurchgelaufen, über ihren flachen Bauch, und hatten sich in dem dunklen Nest darunter verloren. Sie hatte den Arm abgeleckt, um das Wasser zu kosten. Es war ohne Geschmack. Es war letztlich nur Wasser, wenn auch reines Regenwasser. Doch es hatte ihr alles bedeutet.

Es gab jetzt nichts mehr zu lernen, keine Privatstunden bei der Rebbetzin mehr, in denen sie hinter verschlossenen Türen flüsterten, damit die Kinder von diesen intimen und femininen Dingen nichts mitbekamen. Das geheimnisvolle Wissen über die jüdische Weiblichkeit und die Pflichten als Frau waren weitergegeben und gewissenhaft in Chanis Herzen verstaut worden. In einem Monat würde sie allein in die *Mikwe* zurückkehren. Es könnte auch für eine ganze Weile kein weiterer Besuch anstehen. Chani erstarrte. Sie war noch nicht bereit, ein Kind zu bekommen. Doch wenn es *HaSchems* Wille war, dann wäre es so. Es gab nichts, was sie dagegen tun könnte. Mit einem Mal begriff sie die Unausweichlichkeit ihres Lebens und ihrer Rolle als Frau. Plötzlich fühlte sich diese zukünftige Verantwortung an wie eine große Last. Eine neue Welt raste auf sie zu. Sie hatte sich den Beginn dieses neuen Abschnitts und seine relative Freiheit so verzweifelt gewünscht, doch nun erschien ihr das Leben plötzlich viel zu ernst. Sie kam sich unwürdig vor in ihrem halbgaren Zustand. Doch Baruch würde keine launische Frau haben wollen; sie musste sich zusammenreißen.

Ihre Haltestelle näherte sich, doch Chani blieb sitzen. Sie hatte Zeit. Sie würde nur eine Stunde dort verbringen.

Vor ihr ragte ihr anderer Tempel auf: das Brent Cross Shopping Centre. Seine grauen Türme erhoben sich über den Betonschleifen und fröhlichen Plakatwänden des North Circular. Chani fand, sie hätte sich eine Art Wiedergutmachung verdient, selbst wenn sie es von ihrem eigenen Geld bezahlte. Es war ihr Lohn als Braut.

Ihr Herz pochte etwas schneller. Im Portemonnaie ihrer Tasche befand sich, sorgsam weggesteckt, ihre einzige Kreditkarte, darauf hatte sie ihr kümmerliches Monatsgehalt eingezahlt, das sie als Hilfskraft in ihrer alten Schule verdiente. Farben mischen, Paletten säubern und unbeholfen gehaltene Pinsel führen – all das war vorüber. Sie hatte das Geld für einen Tag wie diesen aufgespart und hatte vor, ihr Geld zu verschleudern. Irgendetwas, worauf sie gerade Lust hatte. Die Vorfreude auf diesen Leichtsinn jagte ihr einen genüsslichen Schauer über den Rücken.

Vergnügen. Die Rebbetzin hatte dieses Wort benutzt. Chanis größtes Vergnügen war es, shoppen zu gehen, doch die Rebbetzin hatte auf etwas Dunkleres, Geheimnisvolleres angespielt, das fast genauso aufregend klang – obwohl Chani das, gerade in diesem Moment, als der Bus auf ihr Mekka des merkantilen Entzückens zusteuerte, für sehr unwahrscheinlich hielt.

Bis zu dieser Unterhaltung hatte Chani ihre Hochzeitsnacht nur mit heftigen, entsetzlichen Schmerzen in Zusammenhang gebracht. Sie wusste, sie würde bluten. Der Zweck des *Schewa Brachot* – den sieben Nächten des Feierns und der Einladungen im Anschluss an die Hochzeitsnacht – war es, die Frischvermählten bis zum

Stillstand der Blutungen vom Beischlaf abzuhalten, denn selbst durch das Blut beim Verlust der Jungfräulichkeit wurde die Braut *nidda*. Unverfügbar. Und wenn Blut kam, dann bedeutete das logischerweise auch Schmerzen, schlussfolgerte Chani. Sie zuckte bei dem Gedanken zusammen, wie eng sie dort unten war, in ihrem Heiligsten. Wenn sie also blutete, musste etwas in diesen kleinen, dunklen Ort eindringen. Dieses Etwas musste zu Baruch gehören. Es hatte offensichtlich das Potential, ihr Vergnügen zu bereiten, wenn man der Rebbetzin glaubte. Na ja, dachte Chani, sie musste solche Sachen wissen, denn sie war ja schließlich eine Ehefrau, und das seit mindestens zwanzig Jahren. Sie würde Übung darin haben, das zu tun – nun, was immer ihr Vergnügen bereitete.

Wenn sie nur nicht plötzlich verstummt wäre. Wenn die Rebbetzin nur ihre kleine Ansprache fortgesetzt hätte über diese obskuren Dinge, die sie schon bald aus erster Hand erfahren sollte. Was genau hatte sie mit »einander erforschen« gemeint? Hatte die Rebbetzin den Rabbi Zilberman erforscht? Der Gedanke an den wolligen Bart des Rabbis, der über die weiche Haut seiner Frau strich, war ziemlich widerwärtig. Und respektlos. Chani verbannte diese sündhafte Vorstellung sofort wieder. Stattdessen tauchte eine alte Erinnerung auf. Chani hatte versucht, sie in einer staubigen Ecke ihres Gehirns zu vergraben, aber seit kurzem wurde sie davon verfolgt.

Fünf Jahre zuvor, in der neunten Klasse, waren sie während einer Klassenfahrt auf einer Wandertour in

Cornwall gewesen. Eine lange Reihe von einhundert Mädchen, jeweils zu zweit, gesittet Hand in Hand, schlängelte sich in North Cornwall oberhalb der Klippen entlang – die langen Röcke von Tau getränkt, die Stimmen heiser vom vielen Psalmen-Singen. Es war ein nieseliger, aber doch schwüler Nachmittag, voller Mücken, die sie unentwegt attackierten, egal, wie frenetisch die Mädchen mit den Händen vor sich durch die Luft wedelten. Der Pfad war schmal, doch das leuchtend grüne Gras breitete sich rechts und links meterweit neben ihnen aus. Die Mädchen waren vernünftig, hielten sich ein gutes Stück vom Klippenrand entfernt und folgten brav ihrer Sportlehrerin Mrs Dean, die den Trupp anführte. Sie war eine kleine, dunkle Gestalt in der Ferne, die einzige Nichtjüdin unter ihnen, und aus diesem Grund, und wegen des gewissen Pragmatismus, den ihr Fach erforderte, war sie die einzige Frau an der Schule, die Hosen tragen durfte. Sie waren ein Quell der Faszination für ihre frommen Schülerinnen, die sie anstarrten, anstatt den Anweisungen zuzuhören. Und wenn es nicht ihre Hosen waren, die sie in ihren Bann zogen, dann war es ihr blondgefärbtes Haar, das sie in einem festen todschicken Pferdeschwanz trug. Als *Gojete* musste sie es nicht bedecken, obwohl sie verheiratet war. Sein künstlicher Glanz war ein schockierender, aber gleichzeitig bezaubernder Anblick.

Neben Mrs Dean ging die stellvertretende Direktorin, Mrs Bernard. Sie war eine ungewöhnlich große, robuste Frau, und obwohl sie ganz vorne lief, war ihr Busen immer noch vor ihr da. Wo immer sie hinging, ging er vorweg. Die Konrektorin trug einen breiten Strohhut, dessen Gummiband sich in eines ihrer vielen Kinne grub. Sie war keine *Chassidin*, kleidete sich jedoch entsprechend, mit langem Rock und langen Ärmeln, doch es gab Gerüchte, nach denen auch sie außerhalb der Schule Hosen trug.

Chani hielt Shulamis an der Hand, ihre beste Freundin. Sie sangen laut, und die Kapuzen ihrer Regenjacken schränkten ihr Blickfeld ein, so dass sie in das Paar vor ihnen hineinliefen, als die Gruppe plötzlich zum Stehen kam. Was war passiert? Warum hielten sie an?

»Stopp, stopp!«, brüllte Mrs Bernard. Die Konrektorin hüpfte auf und ab und wedelte mit den Armen, wobei ihr Busen auf sehr beunruhigende Weise wippte.

Es war zu spät, um einhundert Mädchen umzudrehen. Denn dort, auf dem trüben grauen Sand unter ihnen, lagen Berge von blassem Fleisch, menschliche Körper, so nackt wie Adam und Eva im Paradies, noch vor der Sache mit dem Apfel. Sie waren zufällig auf einen FKK-Strand gestoßen.

»Zurück, Mädchen, dreht euch um!«, brüllte Mrs Dean. Folgsam machte die lange Reihe kehrt. Doch von der anderen Seite des Küstenpfades kamen ihnen zwei Gestalten entgegen, ebenfalls splitterfasernackt. Es gab nichts, was die Lehrerinnen tun konnten, um die Mädchen davor zu bewahren, dieser Abscheulichkeit ansichtig zu werden. Doch fromm, wie sie waren, drehten sie sich weg oder schauten zu Boden. Solche Dinge waren nichts für sie. Zumindest noch nicht. Nur ein Mädchen war wie gebannt.

Die Spaziergänger waren ein Pärchen mittleren Alters. Sie trugen Wanderstöcke und Schlapphüte, an deren Rändern Korkenstücke an Fäden baumelten. Ihre Füße steckten in Ledersandalen. Doch es waren die Dinge zwischen Hut und Sandalen, die Chanis Blick fesselten. Die blaugeäderten Brüste der Frau pendelten wie große weiße Ballons im Takt ihres watschelnden Gangs und stießen sich gegenseitig an. Ihr Bauchnabel war von Fleischfalten verdeckt, die sich über ihren Hüften fortsetzten wie Satteltaschen. Ein dunkles Gewirr von Haaren breitete sich bis zu den Innenseiten der Oberschenkel aus. Die Frau strahlte Chani an.

Es war jedoch der Körper ihres männlichen Begleiters, der bei Chani größere Bestürzung hervorrief. Auf seinem sonnenbraunen Oberkörper wuchsen graue Haarbüschel. Er war spindeldürr, sein Brustbein war nach innen gewölbt und unterstrich den kleinen, gerundeten Unterleib. Darunter wuchs ein kleiner Wald dunkler Locken, und aus dem üppigen Laub baumelten noch seltsamere Lagen violetten Fleisches. Und dazwischen schien ein rosa Rüssel zu zittern. Der Rüssel hatte ein Auge, das Chani anstarrte. Und dann zwinkerte es ihr plötzlich zu.

»Guten Morgen, die Damen«, sagte der Besitzer des Rüssels. Sein Grinsen blitzte unter dem Hut hervor.

Niemand antwortete ihm. Hier und da prustete oder kicherte eines der Mädchen, als das Paar die Reihe entlangging. Doch alle standen sie reglos da und starrten überallhin, nur nicht auf die Grüßenden.

»Chani Kaufman – *dreh dich um*!«

Die Konrektorin hatte sie erwischt. Chani machte einen Satz und wandte sich ab.

»Mit dir spreche ich später und…« Mrs Bernard machte eine Pause, um Luft zu holen, »*mit deiner Mutter!*« Sie schwieg ein paar Sekunden, der Dramatik wegen. »*Und* mit Mrs Sisselbaum.«

Kollektives Luftholen. Chani schaute zu Boden und tat beschämt; doch sie bedauerte nichts. Bei dieser spontanen Enthüllung all dessen, was man so lange vor ihr verheimlicht hatte, war ihr ein Platz in der ersten Reihe zuteilgeworden. Allerdings war es kein erfreulicher Anblick gewesen. Genaugenommen hatten sie die männlichen Teile angeekelt. Wie lächerlich sie ausgesehen hatten, als sie da so in der Gegend herumbaumelten. Mit Sicherheit waren diese versteckten Wunder *HaSchems* Art gewesen, ein Witzchen zu reißen. Sie waren weder geheimnisvoll noch schön. Sie erschienen nutzlos und hässlich. Sie erinnerte sich an die abgeklebten Kunstbücher und ihren Besuch in Mrs Sisselbaums Büro. *Was für eine Verschwendung all dieser weißen Aufkleber*, dachte Chani.

Was Chani nicht wusste, war, dass Mrs Bernard sich später am Abend in einem Dilemma befand. Sie saß in der Klemme. Sie hatte an Chani ein Exempel statuiert und sie gezwungen, beim Abendessen allein an einem Tisch zu sitzen. Doch Quarantäne reichte nicht aus. Sie würde mit dem Mädchen sprechen müssen. Es gab jedoch ein kleines Problem, denn sie hatte gedroht, Mrs Sisselbaum von Chanis schamlosem Benehmen zu unterrichten.

Doch wenn die Direktorin herausfand, dass die ganze Stufe 9 zu einem FKK-Strand geführt worden war, würden Köpfe rollen, und ihrer würde der erste sein. Mrs Bernard hatte sich die Gegend vorher auf einer Landkarte angesehen, doch sie hatte nicht begriffen, dass der Strand aus einem bestimmten Grund markiert war, sonst hätte sie keine Mühe gescheut, einen Umweg zu finden, wäre er noch so lang gewesen. Es war ihre Pflicht, die Mädchen in jeder erdenklichen Weise zu schützen, wenn nötig sogar durch die Überprüfung der Landschaft.

Den Kolleginnen konnte sie vertrauen, dass sie *schtum* blieben. Und dass die Mädchen es der Direktorin weitersagten, war unwahrscheinlich, doch sie könnten es ihren Müttern erzählen, was Beschwerden nach sich ziehen würde. Sie vermutete jedoch, dass sie diese spezielle Episode einfach unter den Tisch fallenließen, anstatt ihre Familien damit zu erfreuen. Die Wandertour war ein großer Erfolg gewesen. Die Mädchen hatten ihre Freiheit und die Kameradschaft genossen. Zwischen ihnen wuchsen starke Bande. Was in Cornwall passiert war, behielten sie hoffentlich für sich.

Mrs Bernard rief Chani zu sich. Es war schwer, das Mädchen nicht zu mögen. Chani hatte Charakter, und der Konrektorin gefielen Mädchen mit Geist viel besser als die unterwürfigen Gutmenschen, die die Schule gern hervorbringen wollte. Chani ließ sich in kein Förmchen pressen und war erfrischend anders. Mrs Bernard war keine religiöse Frau. Es beunruhigte sie, dass diesen Mädchen mit zunehmendem Alter jeglicher Wille zur Selbstverwirklichung ausgetrieben wurde. Chani würde leiden, da war sie sich sicher, denn den Aufgeweckteren, Quirligeren fiel es immer schwerer, das zu tun, was von ihnen erwartet wurde. Ihre Individualität ließ sich nicht so einfach ausbleichen, bis sie gedämpft sprechende, keusche, tugendsame Mädchen waren, die man für bereit hielt, verheiratet zu werden. Trotzdem musste sie hart durchgreifen, denn Chani hätte ihre Anweisungen unverzüglich befolgen müssen; Chani wusste nur zu genau, wann sie sich abwenden sollte. Sie war vorsätzlich ungehorsam gewesen.

Aber was ihre Mutter anging – die arme Mrs Kaufman hatte schon genug um die Ohren. Es wäre herzlos, sie mit den belanglosen Vergehen ihres Nachwuchses zu belasten. Sie hatte Chanis Mutter vor Augen, dick und sorgenvoll, das Gesicht ein trauriger Mond, geschwollene Knöchel, die über die abgewetzten Schuhe quollen. Das konnte sie nicht machen. Diese Frau hatte schon genug *Zores*. Ja, ein bisschen *Rachamin*, ein wenig Mitleid, sollte man haben. Mrs Bernard lächelte über ihre eigene Güte.

Chani trat vor sie und wirkte angemessen reuevoll. Mit gesenktem Kopf stand sie vor ihr, die Hände vor sich verschränkt. Sie linste unter ihrem Pony hervor. Die Konrektorin griff zu den Waffen.

»Ja, Mrs Bernard?«

»Chani Kaufman, dein Verhalten heute war absolut ungehörig.«

»Ja, Mrs Bernard«, flüsterte Chani.

»Wie heißt das?«, blaffte die Konrektorin.

»Es tut mir sehr leid, Mrs Bernard«, sagte Chani etwas lauter.

»Das möchte ich wohl annehmen! Ein Queen-Esther-Mädchen benimmt sich nicht so wie du heute! Wie kannst du es wagen, mir nicht zu gehorchen. Wenn ich sage, dreht euch um, dann tust du das, und zwar sofort.«

Der Busen der Konrektorin bebte. Ihr Gesicht war puterrot.

»Aber, aber … ich habe Sie nicht gehört …«, stotterte Chani. Sie fing an, sich Sorgen zu machen. Die anderen Mädchen hatten sich umgedreht, das Klappern von Besteck auf den Tellern war verstummt. Die Stille war unheimlich.

»Mich nicht gehört? Mich *nicht gehört*? Das glaube ich dir nicht.«

Chani zog den Kopf noch weiter ein. In ihren Augen brannten Tränen. Sie würde ein bisschen weinen. Normalerweise half das. Sie hob den Kopf, genau als die erste Träne ihre Wange hinunterlief. Sie schluckte und quetschte noch eine heraus. In ihren Augen glänzte die flüssige Reue.

»Bi-bitte, Mrs B-b-bernard – ich wollte nicht …«

Die Schleusen öffneten sich. Chani weinte und schlotterte. Ihr lief die Nase, und sie öffnete den Mund zu einem jämmerlichen Schluchzen. Sie sah schrecklich aus, es hörte sich schrecklich an, und sie wurde immer lauter. Mrs Bernard musste der Sache ein Ende setzen. Hysterie war eine hochansteckende Krankheit unter jungen Mädchen.

»Ist ja gut – ist ja gut –, Chani, hör auf, jetzt ist genug. Okay, okay, ich glaube dir, dass es dir leidtut. Hier, nimm ein Taschentuch und geh, wasch dir dein Gesicht.«

Mrs Bernard reichte Chani ihr letztes zerknittertes, aber sauberes Taschentuch. Chani nahm es dankbar entgegen und schneuzte sich in Trompetenlautstärke. Sie keuchte hinter dem Taschentuch hervor: »Werden – werden – Sie es meiner Mutter und Mrs Sisselbaum erzählen?«

Die Konrektorin schwieg. Eine leere Drohung untergrub ihre Autorität. »Wir werden sehen, Chani. Warten wir ab, wie du dich während der nächsten Tage verhältst, und dann ziehen wir am Ende Bilanz.«

Chani schluckte und nickte frenetisch. Dann schaute sie mit rotgeränderten Augen zur Konrektorin hoch. »Danke, Mrs Bernard«, flüsterte sie.

»Du darfst jetzt gehen und dich zu deinen Freundinnen setzen. Aber denk daran: Ich behalte dich im Auge.«

Mrs Bernard schaute ihr hinterher, ihre Freundinnen drängelten sich um sie wie bei einem Rugbyspiel, umarmten sie und bohrten nach Details – »Was-hat-sie-gesagt, was-hat-sie-gesagt?« Aber Chani ging still zu ihrem Platz und setzte sich hin, wie eine Grande Dame des Theaters. Sie sollten ruhig ein bisschen warten; sie hatte reichlich zu erzählen.

Die Konrektorin wandte sich ab, um ihr Lächeln zu verbergen. Sie durchschaute Chanis Spiel und bewunderte ihren Stil. Später am Abend, als alle Mädchen im Bett waren, saß sie mit ihren Kolleginnen zusammen, und sie lachten so dermaßen über die Ereignisse des Tages, dass ihnen die Tränen kamen und sie sich fast in die Hosen machten.

***

Der Bus bog in seine Haltebucht ein. Chanis Gedanken kehrten in die Gegenwart und zu Baruch zurück.

Sie versuchte, sich ihren zukünftigen Ehemann nackt vorzustellen. Er würde einen Rüssel haben. Dies war eine unvermeidliche Tatsache, aber hoffentlich würde er ansprechender sein als das Anhängsel des Spaziergängers. Das musste es sein, was in sie eindrang. Es war schwer vorstellbar, wie dieser schlaffe Tentakel zu einer Invasion in der Lage sein sollte. Die dazu notwendige Hydraulik überstieg selbst Chanis lebhafte Phantasie.

Und bitte, *HaSchem*, lass ihn nicht so haarig sein. Die Vorstellung eines borstigen Körpers, der sich an ihrer eigenen glatten Haut rieb, konnte Chani nicht ertragen. Chani versuchte, sich daran zu erinnern, wie haarig Baruchs Handgelenke gewesen waren, doch es war schwer zu sagen, denn genau wie ihre eigenen waren sie immer bedeckt gewesen. Aber seine Fingerknöchel waren weich, und das war sehr beruhigend.

Als sich die Bustüren öffneten, vergaß Chani sämtliche Ängste. Ihr Paradies auf Erden lockte, und sie rannte ihm entgegen.

Die Menschenmenge wirbelte um sie herum wie schillernde tropische Fische. Sie hatte das Gefühl, vor der dicken Glasscheibe eines Aquariums zu sitzen, ihre Stimmen laut und verzerrt und die Kleidung leuchtend und merkwürdig. Eine indische Familie schlenderte vorbei, die Kinder blieben hinter den Eltern zurück und begafften Chani mit weit aufgerissenen Augen, die wiederum die Kinder anstarrte. Ihre Mutter flatterte in einem burgunderfarbenen Sari vorbei, dessen Pailletten mit jedem Schritt glitzerten. Ein zinnoberroter Punkt zierte ihre Stirn. Chani bewunderte den geraden Rücken und die zarten goldenen Armreife, die sich leuchtend von ihrer Haut abhoben. Brent Cross war ein Bullauge, durch das sie auf die große, weite Welt spähte. Sie sehnte sich danach zu wissen, wie es sich anfühlte, Teil all dessen zu sein, was für sie verboten war.

Wie lebten andere Menschen? Fühlten und dachten sie wie sie selbst? Wie war es wohl, sich frei in der Welt zu bewegen, ohne über jede Handlung und ihre spirituellen Konsequenzen nachdenken zu müssen? Entfernte Verwandte ihres Vaters führten in Amerika ein säkulares Leben. Bei der Vorstellung, was sie sie alles fragen würde, sollte sich die Gelegenheit ergeben, wurde ihr ganz schwindelig.

Wie, zum Beispiel, schmeckte die nicht *koschere* Welt? Jeden Morgen kam sie auf dem Weg zur Schule an einem Café vorbei. Ein salziger, rauchiger Duft wehte aus seinem Eingang. Shulamis hatte ihr erklärt, dass das der Geruch von Speck sei. Woher wusste sie das? Shulamis hatte die Schultern gezuckt und gesagt, ein anderes Mädchen hätte es ihr erzählt. In Amerika konnte man *koschere* Chips kaufen, die mit Speck aromatisiert waren – ein verwirrendes Konzept, denn wie konnten die *koscheren* Hersteller überhaupt wissen, wie Speck schmeckte? War ein *Goi* in den Geschmackstest involviert?

Dann war da noch Weihnachten. Sie hatte die Dekorationen und die Bäume bewundert. Eindeutig besser als die gigantische *Chanukkiah* vor der Station Golders Green. Sie wusste, dass Weihnachten das wichtigste heilige Fest der *Gojim* war und es etwas mit der Geburt von Jehoschua zu tun hatte, dem Mann, den sie Jesus nannten. Tanzten sie genauso wild wie die Männer am *Simchat Tora*? *Dawneten* sie? Waren sie überwältigt von purem Glück? Ihr Vater war dafür bekannt, an *Simchat Tora* vor Glück zu schwanken. Offensichtlich half der Whisky. Und was genau aßen sie? Sie hatte von *koscheren* Truthähnen gehört, die für die etwas liberaleren Juden erhältlich waren. Ein *koscherer* Truthahn, um die Geburt von Jehoschua zu feiern. Ein interessantes Konzept. Ihr Vater nannte Weihnachten immer den Bankfeiertag. Offensichtlich war Jehoschua ein gläubiger Jude gewesen. Chani fragte sich, wie es so weit hatte kommen können.

Wann immer sie an dem großen Kruzifix vor der örtlichen Kirche vorbeikam, warf sie einen kurzen Blick auf den herzzerreißend dünnen Körper und den zerzausten hängenden Kopf. Er war so abgemagert, dass sie seine Rippen erkennen konnte. Beim Anblick der durchschlagenen Füße und Hände lief es ihr kalt den Rücken hinunter, doch sie konnte nicht anders. Natürlich nur ganz kurz, wenn keiner guckte. Ihre Urgroßmutter hätte vor der Kirche dreimal ausgespuckt, um den bösen Blick abzuwenden. Aber Joschka war fast nackt, und das war ein weiterer Grund, um kurz hinzusehen. Ein frommer Junge in einem Lendentuch. Warum nur musste er immer so leiden?

Was sie jedoch am meisten interessierte, waren die

jungen Frauen; was sie für Kleidung trugen und wie sie sich selbst der Welt auf eine Art und Weise präsentierten, die ihr verwehrt blieb. Sie beneidete sie um ihre Freiheit, zu wählen zwischen Farben und Stoffen, und die Möglichkeit der Selbstdarstellung und Individualität. Wie wäre es wohl, Hosen zu tragen oder in der Sommerhitze mit nackten Armen herumzulaufen? Wie fühlte es sich an, Stoff zwischen den Beinen zu spüren, aber nichts, was sich um die Knöchel verfing? Und die Leichtigkeit, wenn einem nie zu heiß war, wenn einem in der Sommerhitze nie die Strumpfhose hinten an den Beinen klebte?

Sie wusste, dass es unhöflich war zu gaffen, also versuchte sie ihr Möglichstes, sie heimlich zu beobachten. Wenn es jemandem auffiel, wandte sie schnell den Blick ab und schaute auf den dunklen Bildschirm ihres Handys. Sie wartete auf Baruchs Anruf. Er hatte gesagt, sie würden noch einmal telefonieren, bevor *Schabbes* begänne. Es wäre ihr letztes Gespräch vor der Hochzeit. Bis jetzt hatten sie jede Woche einmal miteinander telefoniert. Er hatte sie jeden Sonntagabend um acht Uhr angerufen. Und bisher hatte er sie noch nie hängenlassen.

Chani presste ihre Einkäufe an sich und lief mit hämmernden Schritten die Stufen zum Ausgang hinunter. Er hatte immer noch nicht angerufen. Enttäuschung machte sich in ihrem Herzen breit. Eine Menschenschlange drängte sich in den Bus. Sie hüpfte an Bord, und die Türen schlossen sich zischend hinter ihr. Als der Bus in den Verkehr einbog, wurde Chani gegen das Fahrerfenster geworfen. »Entschuldige, Schätzchen! Halt dich jetzt besser fest!«

Sie konnte ihre Fahrkarte nicht finden. Sie wühlte in ihrer Handtasche herum, ertastete Staub und Krümel in den Falten, ihre Haarbürste, die Schlüssel, die zerknickten Ecken ihres Gebetbuches, zerknüllte Taschentücher und einen kaputten Kugelschreiber, als das Handy summte.

Aufgeregt wedelte sie mit einem Zehnpfundschein vor dem Fahrer herum. »Es tut mir leid – ich kann meine Fahrkarte nicht finden – können Sie wechseln?«

»Nein, Schätzchen. Hab kein Kleingeld.« Der Fahrer schüttelte bedauernd den Kopf. »Geh weiter. Ich lass dich ausnahmsweise mal so mitfahren!«

»Danke!«, keuchte sie, als sie nach hinten durchging. Ihr Handy war verstummt. Es war Baruch gewesen. Sie konnte im Bus nicht mit ihm sprechen. Jeder würde zuhören. Doch Chani wurde klar, dass sie kaum eine andere Wahl hatte. Wenn sie ihn jetzt nicht zurückrief, würden sie sich nicht mehr hören, bis sie verheiratet waren. Sie drückte sich an Knien, Hinterteilen und Kinderwagen vorbei und stolperte die Treppe hoch. Ganz hinten war ein Platz frei. Sie schwankte den Gang entlang, ließ sich auf die Bank fallen und wählte seine Nummer.

»Hallo, Chani?« Er klang erleichtert.

»Hi, Baruch – entschuldige, dass ich eben nicht drangegangen bin, ich war im Brent Cross und bin gerade in den Bus eingestiegen – ich konnte meine Fahrkarte nicht finden, aber der Busfahrer hat mich so mitfahren lassen…«, plapperte sie. Warum erzählte sie ihm das alles? Jetzt denkt er, ich bin ein richtiger *Nebbich*.

»Hey, wie nett – Glück gehabt –, ich verliere auch ständig meine Fahrkarte – was machst du denn eigentlich in Brent Cross? Ich dachte, du seist zu Hause bei deiner Familie. Bei uns stolpert man förmlich übereinander…«

»Ja, bei uns auch… und, na ja, ich bin gerade auf dem Weg dorthin. Äh, ist eine lange Geschichte. Ich brauchte mal ein bisschen Zeit…«

»Für dich selbst?«

»Ja. Genau.«

»Ich weiß, was du meinst. Hier ist es wie im Irrenhaus – ich habe es geschafft, mal rauszukommen, um dich anzurufen. Ich bin im Hendon Park bei den Schaukeln. Bin mit dem Rad hergefahren.« Er verstummte. »Es ist schön, mit dir zu sprechen, Chani…«

Chani rutschte auf dem Sitz hin und her. Sie hatte mit dem Zeigefinger an der Fensterscheibe gemalt, aber aufgehört, um sich auf Baruchs Worte zu konzentrieren. Und nun schwieg er. Musste sie jetzt etwas antworten? Eine unangenehme Pause entstand. Sie wartete darauf, dass Baruch weiterredete, doch er blieb still. Wahrscheinlich war es ihm genauso unangenehm, und Chani fühlte sich wie ein Volltrottel. Wenn Shulamis nur am anderen Ende wäre, dann wüsste sie, was sie ihr erzählen würde.

Sie musste etwas sagen. »Ich habe ein paar schöne Sachen gekauft, weißt du.«

»Was denn?«

Chani fummelte an dem pinkfarbenen Dekolleté-BH in der Marks-and-Spencer-Tasche herum. Sie hatte dazu einen passenden Slip, hinten glatt und vorne mit Spitze. Das konnte sie ihm schlecht erzählen. Warum hatte sie das Einkaufen bloß erwähnt? Ihr Gesicht wurde heiß.

»Oh, so dies und das ...«

Sie hatte geplant, das Dies-und-das in der Hochzeitsnacht zu tragen. Und sie dachte an das Gesicht von Mrs Freidelberg, das über ihr in der Schlange an der Kasse aufragte, so dicht, dass sie das Puder in ihren Falten erkennen konnte. »Ahh, die kleine Chani, unsere Braut. Was machst du hier, ohne deine liebe Mutter?« Mrs Freidelberg bekam fast einen Erstickungsanfall, als sie sah, was Chani an sich gepresst hielt. Aber Chani blieb ganz locker. »Oh, ich kaufe nur eine Kleinigkeit für meine Hochzeitsnacht, Mrs Freidelberg. Denken Sie, dass ich meinem *Chossen* hier drin gefalle?« Sie ließ den BH und den Slip vor Mrs Freidelbergs Nase baumeln. Mrs Freidelberg war zurückgeschreckt, als hätte sie sich verbrannt – ihr Mund klappte auf und wieder zu, wie der eines Guppys. »Ein bisschen schrill, die Farbe, nicht?« Nachdem sie ihr Urteil kundgetan hatte, kniff sie die Augen zusammen, die dicken Backen wackelten ablehnend. »Ganz und gar nicht«, entgegnete Chani. »Pink ist sehr modern. Meine Mutter sagt immer, es betont meine braunen Augen.« Mrs Freidelberg legte den Kopf schief, streckte die Waffen und umklammerte fest die Griffe ihres Einkaufskorbes. »Wenn du meinst, meine Liebe ...« In ihrem Korb lagen einige blickdichte Stützstrumpfhosen und ein Büstenhalter, der einer Panzerweste glich.

Mrs Freidelberg war abgedampft, und Chani blieb triumphierend zurück. *Schabbes* stand vor der Tür, und es war zu spät für Mrs Freidelberg, bei ihrer Mutter zu petzen. Bis zur nächsten Gelegenheit wäre sie unwiderruflich verheiratet, und die Dessous hätten hoffentlich ihren Zweck erfüllt.

»Hört sich spannend an ... Irgendetwas für mich?«

Sie konnte es ihm unmöglich erzählen. »Ja, äh, also ...« Chani verstummte.

Er wartete vergeblich auf die Fortsetzung. Er wollte ihr sagen, dass er sich auf Sonntag freute, war sich aber nicht sicher, ob das wirklich der Fall war. Er hätte gern gewusst, wie sie sich fühlte. Er hätte gern gewusst, ob sie genauso nervös war wie er. Bei dem Gedanken daran wurden seine Hände feucht. Baruch merkte, wie die Unterhaltung abebbte. In zwei Tagen wären sie verheiratet, und sie waren immer noch nicht in der Lage, ein vernünftiges Telefongespräch zu führen.

Wie immer gähnte zwischen ihnen ein Abgrund. Baruch war nur zwei Kilometer von Chanis Bus entfernt, doch er hatte das Gefühl, als würden Lichtjahre sie trennen. Er erstickte fast an dem höflichen Small Talk, aber es war offensichtlich, dass Chani noch nicht so weit war, unbekanntes Terrain zu betreten, obwohl sie nun schon mehrmals miteinander gesprochen hatten. Und warum sollte sie auch? Letztlich kannten sie einander kaum. Er hatte das Gefühl, in der Falle zu sitzen. Dieser Anruf könnte genauso gut ein Tonband sein.

Baruch wollte mehr. Er stieß mit dem Fuß gegen den Hinterreifen seines Fahrrades und fragte sich, ob er seine

Taktik ändern sollte. Die leuchtende See des Herbst-
laubes regte sich in einer leichten Brise, drehte sich in
böigen Strudeln um seine Füße und fing sich an seinen
Hosen. Er wünschte, Chani würde neben ihm stehen. Er
wollte sie sehen, ihren Gesichtsausdruck lesen und diese
steife Unterhaltung überwinden. Er wollte sie in jeder
Hinsicht kennenlernen, doch je mehr er es versuchte,
desto weiter weg schien sie zu sein.

»Wie fühlst du dich?«, fragte sie plötzlich.

»Gut, denke ich…« Baruch war völlig überrumpelt
von ihrer Frage. Er konnte den Bus hören. Vielleicht
hatte er sie falsch verstanden? Er wartete darauf, dass sie
noch etwas sagte, um sicher zu sein.

»Was denkst du über – ich meine, denkst du über
Sonntag nach?«

Das war neu. Ihre Stimme war glasklar. Baruch sammelte seine Gedanken und bereitete eine ehrliche, wenn
auch leicht gekürzte, zensierte, also akzeptable Antwort
vor.

»Ich vermute, ich bin ein bisschen nervös – am Sonntag wird sich für uns beide alles für immer verändern, und
so *HaSchem* es will, wird es hoffentlich eine Änderung
zum Besseren sein. Genaugenommen kann ich gar nicht
aufhören, an Sonntag zu denken… Und was ist mit dir?«

»Äh, genauso… Ja, es ist ein bisschen beängstigend,
oder?«

Los, Chani, sprich weiter. Baruch versuchte, sie mit
seiner Willenskraft zum Weiterreden zu bewegen. »Ja,
ist es. Sagst du mir, wovor du dich am meisten fürchtest?
Ist es, dass du mich noch nicht so gut kennst?«

*Die-Hochzeitsnacht-die-Hochzeitsnacht-die-Hochzeitsnacht.* Die Worte drehten sich in ihrem Kopf wie eine Waschmaschine, die im Schleudergang hängen geblieben war. Der Motor des Busses schien im selben Rhythmus zu röhren.

Doch sie konnte sie natürlich nicht aussprechen. »*Besrat HaSchem*, alles wird gutgehen. Ich werde heute Abend für uns beten, dafür, dass wir *HaSchems* Segen erhalten und er uns schützt und unsere *Chassene* sich erfüllt –« Sie brach ab, als sie ihrer eigenen nichtssagenden Heuchelei gewahr wurde.

»Amen«, sagte Baruch. Was sollte er sonst sagen? Er hatte es versucht. Der Mut verließ ihn. War sie so fromm, dass die Mauern zwischen ihnen nie fallen würden?

»Baruch, ja, ich habe Angst, genaugenommen entsetzliche Angst – ich kann nicht schlafen und ich kann nicht essen …«, brach es aus Chani heraus.

Das war zu viel gewesen. Die Selbstsicherheit, die sie so gern ausstrahlen wollte, lag in Scherben. So ging das nicht. Aber irgendwie war sie auch erleichtert.

»Mir geht es genauso – ganz genauso –, also, mach dir keine Sorgen – es geht uns beiden so –, ich kann schon seit – na ja, seit ich dich kennengelernt habe – nicht mehr richtig schlafen.«

Chani lächelte. Die Zweifel ließen sie immer noch nicht ganz los, doch sein Geständnis, obwohl es übertrieben war, hatte sie gerührt. »Ich muss jetzt Schluss machen, ich muss hier aussteigen – wir sehen uns am Sonntag in der *Schul*, Baruch, und … es war schön, mit dir zu reden. Jetzt fühle ich mich besser.«

»Ich auch, Chani. Einen guten *Schabbes*, und versuch, ein bisschen zu schlafen. Wir sehen uns dann am Sonntag… Nun, das nehme ich an… Also, das wär's dann!« Seine Stimme quiekte ein wenig.

»Dir auch einen guten *Schabbes*. Ja, dann bis Sonntag.«

Chani hechtete aus dem Bus, als die Türen sich gerade wieder schlossen. Sie eilte um die Hecke des Hendon Parks herum und weiter auf der Queens Road und betete, dass sie ihm nicht begegnete. Der Weg zu ihr nach Hause führte durch eine enge, feuchte Gasse. Sie zog sich die Kapuze über den Kopf und trat unter das schützende Dach überhängender Eiben, wobei sie gekonnt den Hundehaufen auswich. Es war Zeit für das Nachmittagsgebet. In wenigen Minuten war sie zu Hause.

Wenn Baruch sich umgedreht hätte, hätte er eine kleine triste Gestalt auf der anderen Straßenseite gesehen, die gerade eine Abkürzung nahm. Doch selbst wenn er sie gesehen hätte, hätte er sie wahrscheinlich nicht als das Mädchen wiedererkannt, das seine Frau werden sollte. Sie wäre ein verschwommener, vage weiblicher Fleck gewesen. Seine Brille brachte ihm die Welt zwar näher, doch nie nah genug.

Er drehte sich nicht um. Er blieb tief in Gedanken versunken stehen, die Hände in den Hosentaschen, und lehnte sich an sein Fahrrad. Das Rad lehnte an einer alten Kastanie. Zu seinen Füßen lagen stachelige Schalen, die sich gelb verfärbten, ihre leere Hülle innen noch immer wie Wachs. Die letzten Kastanien lagen glänzend zwischen den verrottenden Blättern.

## 5

# Die Rebbetzin

In den ersten paar Tagen danach fühlte sich die Rebbetzin nur während des Aufwachens so, als sei sie am Leben. In diesen nebligen Augenblicken glaubte sie, da gäbe es noch etwas in ihrem Bauch. Doch dann öffnete sie blinzelnd die Augen, und die Leere in ihr nahm sie in Empfang. Mit der bitteren Realität setzten die Tagträume ein. Sie schob einen Kinderwagen die Brent Street entlang, aus dem das Baby sie leise angluckste. Doch wenn sie hinunterblickte, sah sie nur Blut, dunkel und klebrig, das den Kinderwagen bis zum Rand füllte.

Die Rebbetzin bewegte sich wie in Trance, ihr Körper funktionierte, doch das Essen schmeckte nach nichts, und Schlaf brachte keine Erholung. Ihre Hände beschäftigten sich mit den täglichen Aufgaben, doch sie konnte nicht beten. Die Worte blieben ihr im Halse stecken. Sie versuchte, das *Siddur* zu lesen, doch er brachte ihr keinen Trost.

Ihr Mann war eine ständige Erinnerung an ihren Verlust. Sie ignorierte ihn, wenn er sie ansprach. Er hatte sich sonst immer vor sie gekniet, ihr die Schuhe ausgezogen und ihre heißen, schmerzenden Füße so lange massiert, bis sie ihre Zehen wieder spürte. Allein die Vorstellung fand sie nun abstoßend. Die Blutungen hatten aufgehört, doch sie mied die *Mikwe*. Indem sie *nidda* blieb, hielt sie ihn auf Abstand. Sie hatte sich gewünscht, dass er verschwände, damit sie allein und in Frieden trauern konnte, doch täglich störten die Spuren seiner Anwesenheit ihren stillen Schmerz. Sein Hut hing immer noch am Treppengeländer, seine schmutzigen Unterhosen tauchten immer noch in der Wäsche auf.

Ihr kamen die Tränen, und sie versiegten nicht mehr. Sie liefen ihr das Gesicht herunter, wenn sie es am wenigsten erwartete, und machten es ihr unmöglich, aus dem Haus zu gehen. Sie schickte stattdessen Michal zum Einkaufen. Wenn sie versuchte, ein Kochrezept zu lesen, waren ihre Augen blind vor Tränen. Ihr Kinn wurde rauh von der Hand, die darüberrieb.

Wenn die Tränen getrocknet waren, kam die Wut. Ihr Zorn wuchs sich zu weißglühender Hitze aus. Er loderte in ihrem Inneren und verwandelte ihren sanften Blick in ein hartes Starren, wann immer sie eine werdende Mutter sah, deren Leib sich mit neuem Leben wölbte. Die Frauen witterten ihren Neid, strichen sich beschützend über den Bauch und wandten sich von ihr ab. Eine solche Eifersucht zog den bösen Blick an, und die Rebbetzin wusste, warum die Frauen die Straßenseite wechselten, wenn sie sie sahen. Sie schämte sich für ihre Verbitterung, konnte jedoch nichts dagegen tun. Die Gemeinde zerriss sich das Maul; sie wäre zu alt gewesen, um ein Kind auszutragen. Sollten sie reden. Sie hatte nichts dazu zu sagen.

Ihr Mann war ein einfaches Ziel, wenn das Schreien einsetzte. Die Rebbetzin hatte noch nie die Stimme gegen jemanden erhoben; sie hatte darauf geachtet, freundlich zu bleiben, selbst unter Druck. Doch plötzlich entfuhren ihr Anschuldigungen, harsche Worte und Beleidigungen. Ihr Ehemann ertrug sie alle, den Kopf gebeugt, als wäre es seine Schuld. Und das war es. Wenn es zu viel wurde, verließ er das Haus.

In der Küche schepperte sie mit Töpfen und Pfannen, knallte das Essen auf den Tisch und rührte die Suppe mit so viel Erbitterung um, dass sie überschwappte und in olivfarbenen Flecken erkaltete. Vor den Kindern versuchten sie, den Anschein von Normalität zu wahren, die Stimmen gekünstelt fröhlich, doch sie schauten sich nicht mehr in die Augen. Die Kinder waren alt genug, um die Spannung zwischen ihnen zu spüren; sie wallte auf wie elektrischer Strom, genährt vom Zorn ihrer Mutter. Die Mahlzeiten waren eine einzige Farce, doch niemand lachte. Selbst der sechzehn Jahre alte Moishe benahm sich und unterließ sein pubertäres Gemaule. Ihr Mann und Avromi hatten widerwillig einen Waffenstillstand etabliert.

Ihr Schmerz vergiftete das Essen, er verbrannte die *Challa* und ließ den Käsekuchen säuern. Ihr *gefilter* Fisch, normalerweise süß und butterzart, hatte nun einen beißenden Nachgeschmack. Ihre *Tzimmes*, die den Gästen immer so gut schmeckte, verursachte ihnen nun Verstopfungen. Aber niemand wagte, sich zu beklagen. Die Familie kaute und schluckte gequält. Nur manchmal entschuldigte sich Moishe kurz und stand auf, um die sehnigen Gulaschklumpen auszuspucken, die er im Mund hin- und herwälzte.

Im Verlauf einiger Wochen verebbte der anfängliche Zorn zu leise simmernder Verachtung und schließlich zu Gleichgültigkeit. Sie nahm ihre Lehrtätigkeit wieder auf, doch die Ironie, Mädchen wie Chani beizubringen, dass das monatliche Bad in der *Mikwe* zu ihren Pflichten als Ehefrau gehört, war unerträglich.

Die Rebbetzin starrte sich im Spiegel an. Alles war so beschwerlich. Sie fühlte sich, als triebe sie am Grund des Ozeans. Die Wände schienen sie zu erdrücken. In vier Stunden begann *Schabbes*. Beim Anblick ihrer getrennten Betten konnte sie nicht richtig nachdenken. Sie entschied sich, einen Spaziergang zu machen und rechtzeitig für die Vorbereitungen zurückzukehren.

Rabbi Zilberman vermisste seine Frau. Er sehnte sich nach ihr, und er hatte vor Sehnsucht schon einen Knoten im Magen. Seine Brust fühlte sich zu eng an, und sein Herz schien viel zu schnell zu schlagen. Diese Art von Schmerz hatte er noch nie zuvor erlebt.

Wann immer sie sich bückte, um die Geschirrspülmaschine auszuräumen, schaute er auf ihr weiches, rundes Hinterteil. Ihr Rock klebte an ihren Hüften, und er hatte das Verlangen, sie zu greifen, sich an sie zu pressen und ihr mit seinen Händen wild über Bauch und Brüste zu fahren. Doch er hielt sich zurück, lenkte sich mit dem Sortieren des Bestecks ab, polierte jedes Teil energisch mit einem Geschirrtuch und warf es anschließend so heftig in die Fleischschublade, dass es schepperte.

Sie hatten sich schon so lange nicht berührt. Wie viel länger noch, *HaSchem*? Ein Mann musste warten. Er hatte das Warten satt. Er war selbst schuld – er hätte über alles reden sollen, als sie auf ihn zugekommen war. Doch einmal mehr war er nicht in der Lage gewesen, sich damit auseinanderzusetzen.

Wieder einmal war es Freitagnachmittag. Er saß in seinem grauen staubigen Büro und dachte über den jungen *Chossen* nach, der gerade gegangen war. Er hörte seine Schritte draußen die Stufen zur Straße hinuntertrampeln. Letzte Woche hatte er mit Baruch Levy gesprochen, und die Woche davor mit einem weiteren jungen Mann. Hochzeiten waren ein endloses Geschäft. Die jungen Männer trugen die gleichen dunklen Anzüge und weißen Hemden und den gleichen besorgten, ängstlichen Ausdruck im Gesicht. Sie hockten auf dem Rand des Plastikstuhls und hingen ihm an den Lippen. Er war wie eine Schallplatte mit Sprung, die jede Woche dieselben Ratschläge wiederholte.

Rabbi Zilberman hätte am liebsten über den Tisch gegriffen und jeden dieser Jungen am Kragen gepackt, ihm in die Augen gesehen und gesagt: »Liebe sie, hör ihr zu! Wenn sie dich braucht, beeil dich. Widme dich ihr mit deinem ganzen Herzen, und wenn du Glück hast, wird sie mit der Zeit mehr als nur eine Lebensgefährtin sein. Sie wird deine beste Freundin. Du kannst gar nicht genug mit ihr reden! Redet den ganzen Tag und die ganze Nacht miteinander, wenn euch danach ist. Du musst auch dann geben, wenn dir nicht nach Geben zumute ist. Denn das ist es, was wahre Liebe ausmacht.«

Doch er hielt sich auch dabei zurück. Stattdessen sprach er von Pflichten und Maßhalten. Und fühlte sich wie ein Heuchler.

Er würde beten. Er öffnete sein *Siddur*, doch die Psalmen brachten ihm keinen Trost. Die Worte wirkten fern und kalt. Er würde zu *HaSchem* sprechen. Rabbi Zilberman räusperte sich. »*HaSchem*? Hörst du mich?« Er schaute zur Zimmerdecke hoch und sah die Risse. Er kam sich lächerlich vor. Vielleicht war das nicht der richtige Weg, sich an den König des Universums zu wenden. Er versuchte es noch mal. »*Ribbonoh Shel Olem*, hilf mir, mit meiner Frau Rivka Zilberman zu sprechen. Sie ist ein guter Mensch, eine gute Ehefrau – aber ich habe sie in so vieler Hinsicht im Stich gelassen –« Er brach ab. Was, wenn ihn draußen auf dem Flur jemand hörte? Sie würden sicher denken, er wäre *meschugge*. Und dann würde die ganze Welt über seine Angelegenheiten Bescheid wissen.

Von *HaSchem* schien im Augenblick keine Antwort zu kommen. Er würde mit seiner Frau sprechen. Er würde eingestehen, dass er sich in so vielen Punkten geirrt hatte. Er würde sie anrufen und ihr sagen, dass er sie liebte. Nein, das hatte er ihr schon heute Morgen gesagt. Na und? Er würde es ihr noch einmal sagen. Sie wäre jetzt mitten in den Vorbereitungen für den *Schabbes*. Vielleicht war da der falsche Zeitpunkt? Aber wenn nicht jetzt, wann dann?

Rabbi Zilberman rief zu Hause an. Er stellte sich vor, wie seine Frau sich die Hände an der Schürze abwischte und den Hörer abhob. Es klingelte und klingelte. Vielleicht war sie unterwegs. Er wartete noch ein bisschen länger, hypnotisiert von dem hohlen, mechanischen Piepen. Es schien seine Einsamkeit zu verstärken.

»Hallo?«

»Rivka? Wie geht es dir? Ich bin's, Chaim.«

»Ja. Ich weiß, dass du das bist, Chaim.«

»Ich – ich habe mich gefragt, ob alles in Ordnung ist, ob ich irgendetwas tun kann, um dir zu helfen?«

»Nein, Chaim – es ist alles in Ordnung, danke.«

Unbeirrt machte Rabbi Zilberman weiter. »Nun, wie fühlst du dich? Bist du müde?«

»Nein, mir geht es gut. Ich muss jetzt los. Ich muss vor *Schabbes* noch ein paar Sachen einkaufen – ich hatte noch keine Zeit –«

»Ich vermisse dich.«

Schweigen. Er hörte sie atmen.

»Ich weiß.«

»Vermisst du mich auch?«

Er musste einfach fragen. Er sah sie im Flur stehen, die Telefonschnur mit ihren mehligen Fingern verdrehen, das Kopftuch verrutscht. An ihrer Stirn ein verschmierter weißer Fleck, wo sie den Schweiß weggewischt hatte.

Noch immer sagte sie nichts, dann seufzte sie lang.

»Ich liebe dich, Rivka.«

Ein weiterer Seufzer.

»Das weiß ich. Ich muss jetzt los – sonst werde ich bis *Schabbes* nicht fertig.«

Er merkte, dass sie ein wenig nachgegeben hatte; das war seine Chance. »Es tut mir leid. Wir müssen miteinander reden. Über …« Er brachte es nicht über die Lippen. Er konnte ihren Atem nicht mehr hören, und dann sprach sie.

»Es ist spät. Ich müsste schon weg sein.«

Er hatte sie wieder verloren. Verzweifelt versuchte er es weiter. »Rivka, du kannst nicht weiter so trauern. *HaSchem* will nicht, dass du dich so grämst. Es ist nicht richtig. Zwischen uns läuft alles schief. Wir müssen reden, wir müssen Dinge ändern – bitte –, ich bin für dich da.«

»Ich weiß – ich weiß. Aber ich brauche mehr Zeit.«

»Wie viel länger denn noch, Rivka-leh?«

»Ich weiß nicht. Nur ein bisschen länger.«

»Okay, dann ein bisschen länger. Was soll ich machen? Wir sehen uns zu Hause, nach der *Schul*.«

»Okay, dann tschüs.«

»Tschüs. Rivka …«

»Ja?«

»Einen guten *Schabbes*, mein Liebling.«

»Dir auch einen guten *Schabbes*, Chaim.«

Das Telefon klickte, und der vertraute Summton ertönte. Er hielt den Hörer in der Hand, bis der Ton in der Leitung verstummte.

Der Verlust des Babys hatte ihn auch geschmerzt. Seine Trauer war vielleicht weniger intensiv – schließlich hatte sie das Kind vier Monate in sich getragen. Er dachte an die Zeit, bevor Avromi geboren wurde. Seine arme Rivka, sie strafte sie beide. Zorn wallte in ihm auf – er verdiente es nicht, so behandelt zu werden. Er hatte ihr weh getan, aber genug war genug. Sie hatten drei Kinder, genug, um dafür dankbar zu sein. *HaSchem* war gut zu ihnen gewesen. Es gab Paare, die kein Kind bekommen konnten. Sie sollte dankbar sein für das, womit sie gesegnet worden waren, und mit dem Unsinn aufhören. Ein bisschen länger, das war das höchste der Gefühle, denn man musste sogar geben, wenn einem das Geben wie eine Bürde erschien.

Die Rebbetzin legte den Hörer auf und stand eine Weile in der kühlen, dunklen Ruhe des Flurs. Er bemühte sich – das musste sie ihm zugutehalten –, doch er verstand nicht. Es war mehr als nur die Fehlgeburt. Plötzlich fühlte sie sich wieder schuldig; ihre Härte irritierte sie.

Nein, sie brauchte jetzt Zeit für sich. Zuerst würde sie eine Dose mit Resten für die Obdachlose fertigmachen, die im Eingang des ehemaligen Gemüseladens lebte. Sie betrat ihre stille Küche und ging zum Milchkühlschrank. Sie holte etwas Kartoffelsalat heraus, geräucherten Hering, einen großen Löffel Eiermayonnaise und einen Klacks geriebene Rote Bete. Sie drückte den Deckel fest zu und stellte die Dose in eine Einkaufstüte. Im Brotkasten fand sie zwei knusprige Mohnbrötchen und holte aus der Speisekammer noch eine Packung Apfelsaft.

Die Rebbetzin schritt an den Häusern ihrer Nachbarn vorbei, ihre große, knochige Gestalt in einen alten Regenmantel gewickelt. Drinnen würden die braven Frauen von Golders Green schnippeln, rühren und die Hände mit blinder Sicherheit bewegen, während sie einen weiteren *Schabbes* vorbereiteten.

Auf der Hauptstraße war es inzwischen ruhiger. Ein paar letzte Einkäufer eilten hierhin und dorthin. Selbst der Verkehr war nicht mehr so stark.

Die Obdachlose kauerte im engen Eingang des Ladens. Die Glasfenster schützten sie vor Wind und Regen, nachts hingegen fror sie. Eine fleckige Bettdecke lag über ihren bandagierten Füßen. Ihr Kopf war in einen schmutzigen Schal gehüllt, der ihre kahle, zerschrammte Kopfhaut bedeckte. Sie war von all ihrem weltlichen Besitz umgeben, der in erster Linie aus Plastiktüten bestand, die in größere Plastiktüten gestopft waren. Einige davon hatte sie in Streifen gerissen und zu leuchtend bunten Bändern geknüpft, die sie als Girlande um den Hals trug wie die Blumenkränze eines Hindu-Gottes. Sie flatterten im Wind. Ein Einkaufswagen voller stinkender Lumpen stand hinter ihr. Ihre Hände waren arthritische Klauen.

Wer war sie, und wessen Frau und Mutter war sie gewesen? Wessen Tochter oder Schwester? Die Rebbetzin fragte sich das jedes Mal. Und wie konnte ihre Familie sich abwenden, so dass sie ihre letzten Tage in diesem Zustand hier draußen verbringen musste – unter der Kälte litt, und unter der Gewalt boshafter Fremder? Oder hatte sie sich von ihnen abgewandt? Ihr Kopf war so leer wie ihre Plastiktüten, und in den wenigen lichten Momenten behauptete sie, sie sei das Opfer einer staatlichen Zwangsräumung, konnte sich aber nicht mehr erinnern, wo. Die Gesellschaft ließ sie in einem Hauseingang verrotten, und vom Sitzen auf dem kalten Steinboden konnte sie ihre alten Knochen kaum noch bewegen. So viel Gleichgültigkeit schmerzte die Rebbetzin zutiefst.

Das würde in ihrer Gemeinde nicht passieren. Ihre eigene alte Mutter lebte in einem vornehmen Pflegeheim ganz in der Nähe. Für die Alten und Kranken wurde gesorgt. Ihre Knochen wurden von einer Zentralheizung gewärmt, und ihre Herzen von der Liebe oder der Pflichtschuldigkeit ihrer Kinder. Regelmäßig kam Besuch, der Geschenke mitbrachte, selbstgebackene *Blintzes* und Honigkuchen. Und zu jedem *Schabbes, Jom Tov* oder zu jeder Familienfeier wurden diese geliebten Fossilien herausgekarrt und in ihren Lieblingssessel an den Familientisch gesetzt. Wenn sie ihre zitternde Stimme erhoben, um Nachschlag vom *Tscholent* zu erbitten oder eine Geschichte zu erzählen, die schon tausendmal erzählt worden war, hörte man ihnen respektvoll zu und erfüllte ihnen nachsichtig jeden Wunsch.

Sie näherte sich vorsichtig. Wenn sie geärgert wurde, fing die Obdachlose an zu fluchen. Mit ihrem einen guten Auge spähte sie die Rebbetzin an, das andere war mit Eiter verklebt. Die Rebbetzin ging vor ihr in die Knie und hielt den Atem an – die Obdachlose roch mehr als nur intensiv.

Wie können wir immer dicker werden und munter vor uns hin leben, aber solch eine *Miskena* vor unserer Türschwelle verrotten lassen? Die Rebbetzin hatte Frauen gesehen, die ihre Kinderkarren an der Tüten-Lady vorbeischoben, als wäre sie unsichtbar, die ihre Schritte beschleunigten, als gäbe es sie gar nicht. Diese Frauen, die jede Woche wohltätig spendeten und ihre Großzügigkeit für eine *Mizwa* hielten. Sie dachte an deren Töchter, die Schulmädchen, die kreischten und an der Tüten-Lady vorbeirannten, wenn sie sie ankrächzte, weil sie sie für eine alte Hexe hielten und glaubten, ihr Starren sei böse.

Die Rebbetzin hatte den Eindruck, ihre Gemeinde kümmerte sich nur um sich selbst. Diejenigen, die keine Juden waren, oder nicht die richtige Sorte Juden, spielten keine Rolle. Obwohl auch keiner von den Nichtjuden versuchte, der armen Frau zu helfen.

Die Tüten-Lady bewegte erwartungsvoll ihren verschrumpelten Mund. Sie schaute zu, als die Rebbetzin die Dose öffnete und sie ihr in die Hände gab. Die Hände zitterten, doch nichts kleckerte heraus. Die Rebbetzin holte einen Plastiklöffel aus der Tasche.

»Vielen Dank, Liebes. Das is' sehr nett von Ihnen. Gott schütze Sie.«

»Gott schütze Sie auch. Essen Sie. Ich bringen Ihnen bald wieder etwas.«

»Ahhh, gibt nicht mehr viele wie Sie, das kann ich Ihnen sagen. Möge Jesus Sie lieben und beschützen.«

In der Tat. Sie steckte den Strohhalm in den Apfelsaft und stellte den Getränkekarton auf den Boden in Reichweite der Tüten-Lady. *Am Montag*, schwor sie sich, *rufe ich das Sozialamt an und sorge dafür, dass sie Hilfe bekommt.*

Die Rebbetzin setzte ihren Weg fort. Sie hatte das Zentrum ihrer Gemeinde hinter sich gelassen. Die Zahl der Lebensmittelläden nahm ab. Vor einer Bar flatterte ein Vorhang aus Plastikstreifen in einer leichten Brise, und aus dem Inneren ertönte das unermüdliche Gequassel eines Sportkommentators. Sie sah eine zusammengedrängte Menge gebeugter Rücken und einen flackernden Fernsehbildschirm. Ein Discount-Buchladen, ein polnisches Lebensmittelgeschäft, ein Internet-Café und schließlich ein Schönheitssalon, der »saubere, sichere und schnelle Bräune in neuen Vertikalkabinen« anbot. Vor langer Zeit hatte sie mal ein Solarium besucht. Sie erinnerte sich daran, wie sie in einem Neonsarg gelegen hatte, mit nichts weiter bekleidet als einer winzigen schwarzen Sonnenbrille, ihr Körper eine Silhouette vor den strahlend weißen Röhren hinter dem warmen Glas.

Ein leichter Nieselregen hatte eingesetzt. Die Rebbetzin ging an der U-Bahn-Station von Golders Green vorbei. Eine Horde quiekender Teenager hatte sich draußen versammelt. Die Mädchen warfen ihr Haar zurück oder zogen geziert ihre Ärmel über die Hände, leierten ihre Pullover aus und stellten unter Faltenröcken ihre langen fohlenhaften Beine zur Schau. Sie waren größer als die Jungs.

Sie war einmal eine von ihnen gewesen. Sie hatte nicht immer Rivka geheißen. Mit achtzehn war sie an der Universität Manchester angenommen worden, um dort Geschichte zu studieren. Doch Rebecca Reuben hatte keine einzige Vorlesung besucht. Nach ihrem Überbrückungsjahr in Jerusalem war sie von ihrem gewählten Weg abgewichen. Ein Jahr voller Wüstenhitze, Staub, historischen Steinen und Rascheln der Eukalyptusbäume.

In dem Jahr war sie Chaim begegnet. Und Gott.

# 6

# Chani
## November 2008 – London

Im Badezimmer war es warm und feucht. Auf dem beschlagenen Spiegel prangten ein paar alte Fingerabdrücke. Haare verstopften den Abfluss, und nasse Handtücher lagen in einem Haufen zu ihren Füßen. Sie rieb ein Stück des Spiegels frei. An den kalten Rand des Waschbeckens gelehnt, stand Chani auf Zehenspitzen da und betrachtete ihr Spiegelbild.

Der pinkfarbene BH und der Slip schienen auf ihrer blassen Haut zu treiben. Im dumpfen Licht des schäbigen Badezimmers wirkten die Farben grell und künstlich. Satinkörbchen drückten ihren Busen zusammen und nach oben, feine blaue Venen zeichneten sich dort ab. Die Träger waren straff und schmal, und auf jeder Schulter saß eine winzige goldene Schnalle. Unter ihrem Dekolleté baumelte ein kleiner Glitzerstein. Sie drehte sich, damit er das Licht fing, und ihr Blick fiel auf ihren Po, der in ein glitschiges Stück Satin wie in Frischhaltefolie gewickelt war. *So etwas tragen Huren*, dachte sie. Es war nicht der Eindruck, den sie erwecken wollte, doch das Bild faszinierte sie wegen seiner ungewohnten Vulgarität. Es war die Antithese des steifen weißen Korsetts und der Strümpfe, die ihre Mutter ihr bei Lieber's gekauft hatte. Der Hüfthalter hatte sich irgendwie orthopädisch angefühlt, die Strapse dick und unnachgiebig, und das Elastan hatte ihre Haut gereizt. Dazu gehörten Unterhosen aus weißem Satin, die schmucklos waren und bis zum Bauchnabel gingen.

Sie fragte sich, was Baruch wohl denken würde, wenn er sie so sah. Würde er sie verführerisch finden? Die vollbusigen weiblichen Popstars auf den Plakaten an der Queens Road waren ähnlich bekleidet und sahen mit ihren tintenschwarzen Mascara-Augen so verrucht und betörend aus wie weibliche Dämonen. Aber wie eine Hure wirken wollte sie nicht; er durfte um Gottes willen nicht denken, sie sei ordinär. Es war ihr Versuch, die Hochzeitsnacht selbst zu bestimmen als die Schwelle, die sie aus freien Stücken übertrat und zur Frau wurde. Mit dem pinkfarbenen BH und Slip wollte sie das feiern. Sie war entzückt von den Kurven, die sie verhüllten. Ja, diese Unterwäsche würde sie tragen.

Ihre Träumereien wurden durch ein heftiges Hämmern an der Tür unterbrochen. Chani schnappte sich ein Handtuch und wickelte es über ihrem Busen zusammen.

»Chani! Was machst du da drinnen? *Schabbes* fängt gleich an. Deine Freunde sind schon unten. Du bist zu spät!«, brüllte ihre ältere Schwester Rochele.

»Ich komme! Ich kämme mir nur noch die Haare. Bin in zwei Sekunden da.«

»Vergiss nicht, deine *Broche* zu sagen, wenn du da drinnen fertig bist.«

»Jaaahaaa, Rochele …«

»Gut, bis gleich!«

Unten heulte ein Kind, und ihre Schwester eilte davon. Chani kletterte eilig aus BH und Slip und zog sich ihre eleganteste *Schabbes*-Kleidung an, einen dunkelblauen Samtrock mit Jackett. Sie putzte sich die Zähne, wusch sich die Hände und flüsterte eine *Broche*. Schließlich warf sie die Dessous zurück in die Plastiktüte und versteckte sie in der geheimen Reißverschlusstasche ihres Hochzeitskoffers. Alles bereit für Sonntagnacht. Sie schaltete das *Schabbes*-Nachtlicht an, schloss die Tür und eilte nach unten.

Im Wohnzimmer war ein alter Sessel dekoriert worden und glich nun dem Thron einer Königin. Ein elfenbeinfarbenes Laken bedeckte den verschlissenen Cord, und um die Arm- und Rückenlehnen war silbernes Flitterband gewickelt worden. In die Ecken schmiegten sich zwei dicke rote Samtkissen mit goldenen Troddeln.

Chani wurde von Shulamis und Esti, einer weiteren engen Freundin aus der Schule, zum Sessel geführt, wo sie von noch mehr Freundinnen und weiblichen Verwandten umringt wurde. Die Mädchen jauchzten, pfiffen und klatschten. Das Haus erbebte, als sie mit den Füßen rhythmisch auf den Teppich stampften. Mit unbeholfener Freude hießen sie die Braut mit Tanz und Gesang willkommen. Die Männer beteten in der *Schul Mincha*. Die Frauen hatten bereits gemeinsam zu Hause gebetet, und nun, außer Hörweite der Männer, konnten sie so laut und falsch singen, wie sie mochten.

»*Masel tov*, Chani!«, kreischten sie. Die älteren

Frauen heulten und gaben schrille Trillerlaute von sich. Aus allen Ecken waren Segenswünsche zu hören, als das *Fohrspiel* begann.

Chani sonnte sich in der Aufmerksamkeit, als ihre Freundinnen um sie herumtanzten und sie mit albernen Sketchen und Witzen unterhielten. Rochele bearbeitete das Klavier, wo die Noten aneinanderprallten, wenn ihre Finger in die staubigen Tasten hauten. Ihr Sohn, ein pausbäckiger Dreijähriger, hockte unter dem Klavierhocker. Hinten, auf einem Klapptisch, war ein üppiges Kuchenbuffet aufgebaut worden. Apfelkuchen, Zimt-*Rugellach*, winzige gefüllte Windbeutel mit zuckersüßen Aprikosenhälften, ein solide aussehender Käsekuchen, belegt mit glänzenden, dunkelroten Erdbeeren, kleine Bagels mit Thunfisch und Eiern sowie eine enorme Schwarzwälder Kirschtorte warteten darauf, nun verzehrt zu werden. Shuli, Chanis älteste Schwester, schenkte Tee aus.

Devorah, Mrs Kaufmans dritte Tochter, würde am Sonntag früh aus New York ankommen, wohingegen Sophies Schwangerschaft schon so weit fortgeschritten war, dass sie nicht mehr fliegen durfte.

»Eine Rede! Eine Rede! Die *Kalla* soll eine Rede halten!«, kreischte Tante Frimsche mit vollem Mund, an ihrer Oberlippe wippte ein Krümel.

»Ach, lass sie in Ruhe, Tante Frimsche. Die *Kalla* soll sich entspannen und Spaß haben.« Das kam von Rochele, beschützend wie immer. Chani bedauerte jetzt schon, dass sie nach der Hochzeit wieder wegfuhr. Sie hatte sie nicht mehr gesehen, seit sie geheiratet hatte und nach

New York gezogen war, und war entsetzt darüber, wie sehr sie sich verändert hatte: Rochele war stämmig geworden, mit Hamsterbacken und einem Doppelkinn, das beim Sprechen zitterte. Um die Tasten zu erreichen, streckten sich ihre Arme über ihren Bauch, der von einem Kind oder auch nur von Kuchen angeschwollen war. Chani traute sich nicht zu fragen.

»Ich denke – ich schaffe es, eine Rede zu halten…«, rief Chani gegen den Lärm an. Schlagartig wurde es still. »Wie ihr wisst, rede ich ganz gern…«

»Ach neeee? Wiiiiirklich?«, witzelte jemand aus den hinteren Reihen.

»Danke, Naomi – wenn ich jetzt fortfahren darf… Also, es war ja bekanntermaßen ein ziemlich langer Weg und hat eine Weile gedauert, den richtigen *Chossen* zu finden – aber, ähm, hier stehe ich nun, und dank *HaSchem* und meinen Eltern… werde ich in zwei Tagen eine brave Ehefrau sein.«

»Amen! Aber, brav? Brav? Seit wann bist du denn ›brav‹?«

»Okay, okay, Shulamis – ich werde *versuchen,* brav zu sein!«

Ihre Schulfreundinnen stießen einander in die Rippen und kicherten. Chani bedachte sie mit einem gespielt bösen Blick.

»*Baruch HaSchem*! Du wirst seine Lebensgefährtin sein, seine rechte Hand… Mögest du gesunde, glückliche Kinder gebären… *Besrat HaSchem*«, nuschelte Tante Frimsche und wiegte sich leicht auf ihrem Stuhl.

Chani ignorierte Tante Frimsches religiösen Einwurf

und fuhr fort. »Deswegen wollte ich euch allen dafür danken, dass ihr heute hier seid und diesen großen Moment mit mir feiert. Ich kann nicht behaupten, dass ich nicht nervös bin, aber ich hoffe sehr, dass all meine lieben Freundinnen, die immer noch warten und suchen, Shulamis, Esti und Sophie –«

»Und ich! Vergiss mich nicht!«, zischte Shoshanah und stupste Chani gegen die Schulter. Chani drehte sich um.

»Oh, ja, huch – und Shoshi – tut mir leid, Shoshi, ich habe dich da gar nicht gesehen – alle bald den richtigen Mann finden und heiraten werden! Ich werde am Sonntag für euch *dawenen* und dann auf all euren Hochzeiten tanzen!«

»Amen!«

»Hört, hört!«

Die Frauen hoben ihre Teetassen, im Zimmer wurde es still, und man hörte nur noch das Klicken von Porzellan. Die eben noch so aufgekratzte Stimmung war umgeschlagen. Die unverheirateten Mädchen wurden nachdenklich und vermieden Blickkontakt, ganz mit ihren eigenen Ängsten beschäftigt. Naomi und Maya, beide frisch verlobt, unterhielten sich flüsternd über die Auswahl an Festsälen für die Hochzeit und bewunderten gegenseitig ihre Ringe. Die älteren, verheirateten Damen schlurften hinüber zum Buffet, musterten die Überreste der Kuchenschlacht und pickten mit sirup- und streuselverklebten Fingern in den Resten herum. Die Sandwiches begannen, sich an den Rändern aufzurollen, und die Schwarzwälder Kirschtorte war niedergemacht worden.

Man stand in kleinen Grüppchen herum, unterhielt sich leise, käute die Ereignisse der Woche wieder und tauschte pikante Häppchen Tratsch aus.

Und schon bald verabschiedeten sich diejenigen, die nicht zur Familie gehörten. Wieder war Chani allein, wenn man von Tante Frimsche und ihren beiden älteren Schwestern absah. Von ihren Schulfreundinnen blieb nur noch Shulamis. Es wurde aufgeräumt, und die vier ließen nicht zu, dass Chani half. Sie musste auf ihrem Thron sitzen bleiben und sich entspannen, was leichter gesagt war als getan.

Mit der Ruhe überfiel sie wieder die Panik, die im Hinterkopf gelauert hatte. Keine der Frauen um sie herum war für ihre Fragen empfänglich. Shulamis verstand ihre Ängste nicht, und ihr Wissen um den Geschlechtsakt war noch diffuser als ihr eigenes. Sie hatte einmal versucht, das Thema anzuschneiden, als sie in Orli's Café über einer Tasse heißer Schokolade saßen, doch Shulamis hatte vor lauter Aufregung ihre wilden Vermutungen so laut geflüstert, dass die Frau am Nachbartisch ihnen einen missbilligenden Blick zuwarf und Chani Shulamis unter dem Tisch einen festen Tritt verpassen musste.

Tante Frimsche würde sie auch keinen Schritt weiterbringen. Chani fragte sich, ob sie ihre eigene Ehe mit Onkel Ephraim je vollzogen hatte, da es ein fruchtloser Bund geblieben war. Frimsche war ein knöcherner, alter Stockfisch; freundlich, aber ängstlich und ein bisschen wunderlich. Sie zog die himmlischen Gefilde des Gebets der physischen Welt vor. Chani hatte Schwierigkeiten, sich ihre Tante als neugierige Braut vorzustellen, geschweige denn nackt und sich leidenschaftlich in Onkel Ephraims Armen windend.

Was Rochele anging, so war es eine ganze Weile her, seit sie ein wirklich vertrauliches Gespräch geführt hatten. Ihre Schwester wiederzusehen war eine eigenartige und beklemmende Erfahrung gewesen. Es gab so viel, an das man sich gewöhnen musste, einschließlich ihrer ungewohnt nasal klingenden amerikanischen Stimme.

Zu ihrer älteren Schwester Shuli hatte sie noch nie ein enges Verhältnis gehabt, sie wurde verheiratet, als Chani vierzehn war, und zog nach Stamford Hill. Inzwischen ähnelte sie in ihrem muffigen Tweedkostüm einer Witwe, und das, obwohl sie erst sechsundzwanzig war. Sie bestand darauf, ein Wollbarett über ihrer Perücke zu tragen, nur damit niemand annahm, sie sei unverheiratet. Wie irgendjemand darauf kommen sollte, war Chani schleierhaft. Shuli war wie ein Paket in all diese Kleiderschichten verpackt, zog es vor, mit ihren Kindern Jiddisch zu sprechen, und hatte einen Schüler der *Jeschiwa* in Antwerpen geheiratet. Das Englisch ihrer Neffen zu entschlüsseln kostete einige Mühe, ihre Ausdrucksweise war verworren, die Wörter schwirrten herum wie gefangene Wespen in einer Flasche, und Chani blieb oft verborgen, was sie wohl tatsächlich meinten.

Chani schaufelte einen unförmigen Haufen auf einen Pappteller. Sie würde ihn zu ihrer Mutter in die Küche bringen. Die Tür war angelehnt, und ein Streifen Neonlicht blitzte durch den Spalt. Ihre Schritte machten schmatzende Geräusche auf dem klebrigen Linoleum im Flur. Beim Eintreten schlug ihr ein Schwall Hitze entgegen. Ihre Mutter stand über einen enormen Suppentopf gebeugt und rührte geduldig; ihr Handgelenk vollführte langsame Kreise. Auf ihrem Gesicht lag ein feiner Schweißfilm. Chayaleh klammerte sich an ihren Rock und rieb ihr Gesicht am Hinterteil ihrer Mutter. Sie trug noch immer einen Verband, obwohl er inzwischen schief saß und voller Marmeladenfinger war.

Chanis jüngste Schwester Yona saß in ihrem Hochstuhl, aß seelenruhig Knete und starrte Chani in stiller Verwunderung an. Draußen im Garten unter dem Plastikdach zerrte Yael Wäsche aus der Waschmaschine und sortierte sie in nasse Haufen. Sie war fünfzehn, groß, gertenschlank und trug ihr langes Haar zu einem glatten, dunklen Zopf geflochten. Chani entdeckte ein gewisses Selbstbewusstsein und eine Haltung in ihrem Auftreten, die neu waren. Jetzt, wo Chani heiratete, wusste Yael, dass auch ihre Zeit bald kommen würde, und so sah sie sich mit anderen Augen. Sie sprach leiser und war schüchterner geworden. Chani wurde das Herz schwer, weil ihre jüngere Schwester nun auch zur Frau wurde; die Yael ihrer gemeinsamen Kindertage war für immer fort.

»Mum. *Mum!*«, rief Chani und wartete darauf, dass sich die trüben Augen ihrer Mutter auf sie richteten.

»Hallo, Chani-leh – wie war das *Fohrspiel?* Hattest du Spaß, mein Liebes?«

»Es war klasse, Mum – sie haben sich solche Mühe gegeben, das war so süß von ihnen – Shoshi und Sara-leh haben die ganzen Sketche geschrieben, und sie haben sie letzte Woche bei Shoshi zu Hause eingeübt. Hier, ich habe dir ein Stück Kuchen mitgebracht.«

»Stell es auf die Anrichte, ich esse ihn gleich – die Suppe darf nicht kochen, sonst verliert sie ihren Geschmack... Und die Hähnchen sind noch nicht gefüllt, ich bin total spät dran...«

»Mum, mach kurz Pause, nur für eine Minute, und iss ein bisschen, nur ein klitzekleines Stückchen für mich – ich habe dich den ganzen Tag nicht gesehen.« Chani erwähnte die *Mikwe* nicht. Sie wusste, dass ihre Mutter ein schlechtes Gewissen hatte. Stattdessen schaute sie zu, wie sie einen Segen murmelte und den Kuchen verschlang. Ihr müdes Gesicht hellte sich auf. Chani fragte sich, ob ihre Mutter ihre Ängste zerstreuen konnte.

»Mum... ähm, ich habe mich gefragt... ob du dich wohl noch an deine Hochzeitsnacht erinnerst?«

Ihre Mutter hielt einen Augenblick verdutzt inne, ihr Kiefer erstarrt wie bei einer Kuh, die wiederkäut. Sie schluckte geräuschvoll und starrte Chani an, als sähe sie ihre Tochter zum ersten Mal. »Chayaleh, sei ein liebes Mädchen. Geh und deck für Mama den Tisch«, sagte Mrs Kaufman. »Such mir bitte achtzehn passende Messer und Gabeln aus der Fleischschublade heraus.«

Chayaleh stampfte davon und streckte Chani im Vorbeigehen die Zunge heraus. Chani zerzauste ihr das Haar.

»Aua! Du tust meinen Stichen weh!«, jammerte Chayaleh.

»Ohhh... das tut mir so leid, Eure Hoheit... Ich bitte um Verzeihung«, neckte Chani sie. Chayaleh hob eine

Schulter, ließ sie wieder fallen und hüpfte dann aus der Küche.

»Du hast Angst, mein Liebling, nicht wahr?«, fragte Mrs Kaufman. Sie streckte ihre Hand aus und legte eine warme, schlaffe Handfläche über Chanis weiße Knöchel.

»Nein, nicht wirklich – na ja, doch, Mum.«

»Nun … ich vermute, jede *Kalla* muss tun, was sie tun muss. Alle deine Schwestern haben das anscheinend gut hinbekommen …«, fuhr Mrs Kaufman fort.

»Mum! Das hilft mir *überhaupt nicht*!« Sie konnte ihren Frust nicht länger zurückhalten.

»Ich weiß, Liebling, aber es ist so lange her, seit ich eine Braut war … Ich versuche mich zu entsinnen, wie ich mich gefühlt habe … Dein Vater war in dieser Nacht sehr lieb zu mir. Denk einfach daran, dass es für jede Frau nur ein erstes Mal gibt, und bring es einfach hinter dich – lass deinen Mann seine Pflicht tun. Halte ihn nicht auf. Auch du erfüllst deine Pflicht – je weniger Zirkus, desto besser – und möge *Ha Kodesch Ha Borech Hoo* dich mit einem Kind segnen. Er hat dich bereits mit einem *Chossen* gesegnet, nicht wahr? Ein Junge aus einer guten *chassidischen* Familie, wie es sein soll – und er ist ein *Jeschiwa Bocher*. Ich bin sicher, dass alles gutgehen wird.«

»Amen. Aber tut es weh?«

»Tut es weh? Hmmmm, acht Kinder später – Chani, daran kann ich mich ehrlich nicht mehr erinnern! Wenn ja, dann ist es ein flüchtiger Schmerz. Er vergeht, und mit etwas Zeit und Übung wird es besser werden, mein Liebling. Du wirst schon sehen.«

»Das ist genau das, was die Rebbetzin auch gesagt hat«, seufzte Chani.

»Die Rebbetzin?« Mrs Kaufmans Augenbrauen verschwanden unter ihrem Pony. »Du hast mit der Rebbetzin über deine Hochzeitsnacht gesprochen? Oh Chani, wie konntest du nur? Wie wäre es mit ein paar Manieren und ein wenig Selbstachtung? Wo ist dein Anstand geblieben?«

»Ich verstehe nicht, wo das Problem liegt. Über alles andere hatten wir schon geredet – genaugenommen hat sie das Thema aufgebracht, auf dem Weg zurück von der *Mikwe*.«

»Die Rebbetzin Zilberman hat mit dir auf der Straße über deine ehelichen Pflichten gesprochen? In aller Öffentlichkeit? Ich hatte immer meine Zweifel bei der Frau, viel zu modern…«, schnaufte Mrs Kaufman. Sie warf den zerknüllten Pappteller in den Müll und wischte sich den Mund an der Schürze ab.

»Mum – du warst nicht da, oder?« Die Anklage war ihr einfach rausgerutscht. Chani zuckte zusammen, als das Gesicht ihrer Mutter entgleiste. Dann seufzte Mrs Kaufman.

»Ich weiß, ich weiß, ich habe dich schon wieder im Stich gelassen – es tut mir leid, aber was hätte ich tun sollen? Weißt du, Chani, wenn du Kinder hast, dann passieren solche Sachen, du ziehst ein Kind dem anderen vor, obwohl du es gar nicht möchtest – es tut mir leid –, wenn ich da gewesen wäre…« Die Worte sprudelten aus ihrer Mutter heraus, Bedauern vermischt mit Wut, ihre Stimme nur ein Krächzen.

Mrs Kaufman schwankte, ihr mächtiger Körper erbebte, und Chani schlang die Arme um sie; sie atmete ihren merkwürdigen Duft ein, eine Mischung aus verschwitzter Perücke, gebratenen Zwiebeln und Gesichtscreme. Chani streichelte ihr den Rücken und spürte, wie die Tränen ihrer Mutter in ihren Kragen sickerten und die Anspannung langsam aus ihren massigen Schultern wich.

Baruch strampelte den Berg hinauf, sein Mantel blähte sich hinter ihm. Er war auf dem Weg nach Hause, um sich vor *Schabbes*-Beginn für die *Schul* zu waschen und umzuziehen. Seine Augen tränten von den Abgasen. Er hätte sich gern die Nase geputzt, aber traute sich nicht, den Lenker loszulassen. Oben angekommen, stellte er sich auf die Pedalen, stützte sein Gewicht auf dem robusten Fahrradrahmen ab und raste die Brent Street hinunter. Er liebte den Rausch der Geschwindigkeit. Wenn er Glück hatte, schaffte er es, über die Ampel und um den North Circular in die Golders Green zu schlittern, ohne bremsen zu müssen.

Sein Kopf war voll von Chani, ein Gewirr von Bildern, Worten und Klängen. Wie sie atmete. Die unscharfe Blässe ihres herzförmigen Gesichts. Seine Frau. Plötzlich kam die Furcht wieder hoch und drohte, ihm die Laune zu verderben. Er wusste, dass er Chani wollte, aber wollte sie ihn auch? Schwer zu sagen. Was, wenn nicht? Seit sie sich das erste Mal getroffen hatten, war seine Sehnsucht von Tag zu Tag größer geworden und nagte inzwischen ununterbrochen an ihm. Er dachte an die Hochzeitsnacht und begann, wie verrückt in die Pedalen zu treten. Was, wenn sie ihn zurückwies? Was, wenn er sich selbst nicht unter Kontrolle hatte? Die feuchten Träume dauerten immer noch an. Er hatte wenig Hoffnung, seine Aufregung im Zaum halten zu können, wenn er es noch nicht mal alleine schaffte.

Ihre schmalen weißen Hände, die ausgefransten Rundungen ihrer Fingernägel, ihre weiche helle Haut und die dunklen Augen, die blitzten und funkelten und einen scharfen Verstand versprachen. Möglicherweise war sie eine kühne Abenteurerin, die ihn in das Gelobte Land führte. Das Fahrrad unter ihm schlingerte. Ein verrückter Gedanke, doch er hatte gesehen, wie aufgeweckt sie war, und das gefiel ihm.

Baruch wollte alle ihre Gedanken wissen. Er wollte seine eigenen mit ihr teilen, doch sorgte er sich, sie damit zu langweilen. Seine Gedanken waren unzählig und überwältigend; er wollte sie nicht damit ersticken. Er dachte die ganze Zeit an die Zukunft, ihre Zukunft – wie würde es sein, und wie sollte er sie ernähren?

Am Telefon heute war sie anders als sonst gewesen, er hatte das Gefühl, sie ein bisschen besser zu kennen. Bisher waren ihre Unterhaltungen immer ein monotones Muster aus steifen, höflichen Floskeln gewesen und ihnen beiden unangenehm. Diesmal hatte es sich wie ein echtes Gespräch angehört, und schon sehr bald wäre sie auch fühlbar anwesend.

Baruch versuchte sich vorzustellen, wie es sein würde, mit Chani in Jerusalem zu leben. Der Umzug stand unmittelbar bevor. In sechs Monaten würden sie London verlassen. Wie würden sie in einer neuen und unbekannten Umgebung klarkommen? Sie sprachen beide kein Hebräisch. Er würde stundenlang über religiösen Texten brüten und Chani in einem fremden Land allein zu Hause lassen. Bei dem Gedanken daran graute ihm. Er wollte nicht, dass sie sich einsam fühlte. Wenn er könnte, würde er seine gesamte Zeit mit ihr verbringen. Doch er hatte kaum eine Wahl. Seine Eltern würden ihnen eine kleine Wohnung in Nachla'ot kaufen und sein Studium finanzieren. Er besaß ein paar Ersparnisse, doch keinerlei nennenswerte praktische Fähigkeiten. Chani würde einen kleinen Halbtagsjob finden müssen, um ihren Haushalt zu unterstützen. Vielleicht konnte sie Englischunterricht geben? Aber wie, ohne irgendwelche Qualifikationen?

Er radelte schneller, um seinen Gedanken zu entkommen. Die kalte Luft stach ihn schmerzhaft, doch die Geschwindigkeit passte zu den aufgewühlten Emotionen, die seine Adern durchströmten. Ihre Stimme hallte in seinem Kopf wider, und über das Brüllen und Knirschen der Sattelschlepper, Busse und Autos hörte er den stockenden Rhythmus ihrer Worte. Mit jeder Umdrehung der Pedale schob er die nagenden Zweifel zurück in die hinterste Ecke seiner Gedanken. Er fühlte sich, als würde er fliegen, umgeben von seiner eigenen Hülle, geschützt von der Intensität seiner Gefühle für ein Mädchen, das er kaum kannte.

# 7

# Die Rebbetzin
## Mai 1982 – Jerusalem

Rebecca stand in der Schlange der Sicherheitskontrolle, etwas verunsichert durch die Menschenmengen vor und hinter ihr, und wartete darauf, dass sie an der Reihe war. In Schwarz und Weiß gekleidete Männer mit schwarzen Fedoras oder fellbesetzten Hüten strömten durch die Absperrungen, drückten und schoben sich hastig hindurch, um das Abendgebet an der Klagemauer zu sprechen. Die Spannung war förmlich greifbar, mit jeder Minute, die verrann, die Strenggläubigen wurden immer nervöser. Der Gestank von Schweiß, muffiger Kleidung und fettigen Bärten erfüllte die Luft. Sie hielt den Atem an und verstand nicht, wie man in dieser Hitze Anzüge aus Wolle tragen konnte. Die Frauen waren nicht besser. Einige trugen Pullover über langärmligen Blusen, zugeknöpft bis oben hin. Sie konnte ihren Blick kaum von den dicken, dunklen Strumpfhosen abwenden. Die Jüngeren trugen bodenlange Baumwollröcke. Sie gingen in diskretem Abstand hinter den Männern.

Sie war erleichtert, dass sie ihren längsten Rock und ein langärmliges Shirt angezogen hatte. Shifra stand ähnlich gekleidet neben ihr. Sie hatten sich beim wöchentlichen Unterricht an der *Beit Midrasch* kennengelernt. Fromme Frauen vermittelten dort freiwillig weltlichen Frauen die Grundlagen der *Tora* und des Judentums. Chaim hatte sie überredet, zumindest einmal hinzugehen. Shifra wurde ihr als Mentorin zugewiesen, und Rebecca gefiel die ungezwungene Art, ihr Wissen weiterzugeben. Sie waren gleich alt und wurden schnell Freundinnen. Rebecca spürte plötzlich überdeutlich, wie die dünne Baumwolle an ihrer Haut klebte. Sie wünschte, sie hätte einen Schal mitgebracht, doch es war zu spät, um umzukehren.

Die Soldatin bellte einen Befehl, und die Schlange bewegte sich vorwärts, Rebecca stolperte.

»Alles okay?«

»Ja, ja, alles gut«, murmelte sie und fühlte sich wie ein Idiot.

»Wir sind gleich durch. Das ist der unangenehme Teil.«

»Alles klar.«

Doch klar war eigentlich gar nichts. Sie hatte ein mulmiges Gefühl, weil sie hier war, wie eine Heuchlerin. Es war nicht das erste Mal, dass sie die Mauer besuchte, sie war schon früher in den Ferien mit ihrer Familie hier gewesen, jedoch nie vor *Schabbes*. Der große Platz war dann immer halb leer gewesen, friedlich in seiner Weite. Nichts war von der Fieberhaftigkeit zu spüren gewesen, die nun in der Luft lag. Rebecca fing an zu bedauern, dass sie hergekommen war. Doch sie hatte es Chaim versprochen. Nur dieses eine Mal. Sie wusste, dass auch er hier irgendwo war. Vielleicht war er schon durch.

Die Schlange rückte weiter vor, und nun befanden sie

sich in einer kleinen Halle. Drinnen waren ein Laufband und ein Scanner, doch am *Schabbes* war es verboten, etwas bei sich zu tragen. Gelangweilte Soldaten dirigierten sie durch den Metalldetektor. Sie wirkten lässig, an ihren Hüften baumelten Gewehre, und ihre Kaugummi kauenden Kiefer mahlten. Die Männer und Frauen witzelten und flirteten miteinander und riefen sich über die Köpfe der Gläubigen hinweg Scherze zu. Sie kam sich klein und verletzlich vor. Am hinteren Ende des Platzes stand die Mauer. Massiv und unheilverkündend ragte sie vor ihr auf, ihre Oberfläche im Schatten versteckt. Die an ihrem Fuß versammelten Betenden wirkten unbedeutend und wie Ameisen.

Touristen, Soldaten, Studenten und Schulkinder standen in kleinen erwartungsvollen Gruppen beieinander. Der Abendhimmel verdunkelte sich zu einem Indigoblau. Eine israelische Fahne flatterte stolz, der Stoff knatterte in der aufkommenden Brise. Auf weißgedeckten Klapptischen wurden Softdrinks und Kuchen angeboten. Kameras blitzten, Teenager legten sich die Arme über die Schultern und grinsten, und Reiseleiter riefen Namen. Junge *Chassidim* mischten sich unter die säkularen Juden und luden sie zum *Schabbes*-Abendessen ein. Bettler rasselten mit Blechdosen und riefen laut: »*Ze-dak-ka!*« Rebecca entdeckte eine hochgewachsene schlanke Braut in einem wogenden Kleid mit glitzerndem geschnürten Oberteil. Das Mädchen lachte, ihr Gesicht von Glück erfüllt.

An der Absperrung zum Frauenbereich der Klagemauer verteilte eine Frau Umhänge an weibliche Touristen, die nicht angemessen gekleidet waren. Sie warf Rebecca einen kurzen Blick zu, lächelte und nickte. Die beiden Mädchen bahnten sich ihren Weg durch die eng zusammenstehenden Plastikstühle, auf denen gebeugte ältere Damen saßen und in ihre Gebetbücher schauten. Einige lächelten und flüsterten eine Begrüßung. Rebecca spürte, wie sie freundlich zurücklächelte.

Zwischen ihnen und der Mauer lagen nur noch wenige Schritte. Überall um sie herum wiegten und verbeugten sich Frauen, und in der Luft lag der Summton geflüsterter Andacht. Es war ruhig, heiter, und das verdrießliche Gedränge in der Schlange schon vergessen. Der Wind trieb den Gesang der Männer in Wellen herüber. Sie stellte sich Chaim unter den Singenden vor.

Sie schlängelten sich durch die letzte Reihe der Gläubigen, bis es nicht mehr weiterging. Rebecca blickte an den mächtigen Steinbrocken entlang nach oben. Die kolossale Höhe und Dicke der Mauer verliehen ihr etwas von Ewigkeit.

Sie stand seit fast zweitausend Jahren dort. Instinktiv ließ Rebecca die Hand über die schartige Oberfläche gleiten. Der Stein war immer noch warm von der Sonne, und seine Ritzen waren vollgestopft mit Hunderten kleiner gefalteter Zettelchen. Rebecca hatte nicht gewusst, worum sie bitten sollte. Die vage Idee, die ihr in den Sinn kam, wagte sie nicht in Worte zu fassen, für den Fall, dass der Zettel tatsächlich Wirkung zeigen sollte. Sie war nicht sicher, ob sie dafür schon bereit war.

Sie sah sich um. Zu ihrer Linken lehnte eine Frau bewegungslos an der Mauer, das Gesicht in der Armbeuge verborgen, im Bittgebet versunken. Eine andere Frau, zu ihrer Rechten, schluchzte. Sie hatte nicht erwartet, an diesem heiligen Ort Zeuge von so offen gezeigten Gefühlen zu werden. Shifra gab ihr ein kleines Gebetbuch, dessen winzige Schrift unmöglich zu entziffern war. Doch es spielte keine Rolle, da sie sowieso kein Hebräisch lesen konnte.

Shifra hatte ebenfalls angefangen zu beten. Rebecca fühlte sich verloren. Sie versuchte es mit einem englischen Gebet, doch die Worte in ihrem Kopf erschienen ihr falsch. Sie wusste nicht, ob es der angemessene Zeitpunkt war, das *Sch'ma Jisrael* zu sprechen, doch sie musste irgendetwas sagen. Also lehnte sie sich an die Wand und bedeckte ihr Gesicht mit dem geöffneten Gebetbuch, genau wie die anderen Frauen um sie herum. Flüsternd rezitierte sie, zögerlich und etwas eingerostet:

*»Sch'ma Jisrael Adonai Elohejnu Adonai Echad.«*

*»Höre Israel, der Ewige ist unser Gott, der Ewige ist einzig.«*

Eigentlich glaubte sie nicht an Gott, doch sie konnte seine Existenz auch nicht verneinen, aus Sorge, dass, wenn sie seine Hilfe bräuchte, er sie ihr nicht anböte. Stattdessen wandelte sie in einem spirituellen Niemandsland, zu zynisch, um wirklich zu glauben, und doch zu furchtsam, ganz zu entsagen. Ihre Eltern waren polnische Flüchtlinge des Holocaust. Sie waren nicht gläubig.

Doch hier, an diesem seltsamen, uralten Ort, fühlte sie etwas anderes. Es war, als wäre die Mauer ein Symbol für ein Volk – und eine Verbindung dazu. Zu ihrem Volk. Dieser Gedanke war ihr noch nie gekommen. Die

Klagemauer war alles, was vom heiligen Ort der Juden geblieben war, und in diesem Augenblick verstand sie, dass es nicht reichte, nur zu überleben. Man musste zurückkehren.

Es war dunkel geworden, und die Hitze des Tages war schnell nächtlicher Kühle gewichen. Rebecca fröstelte. Gemeinsam eilten sie durch die gewundenen, engen Straßen von Me'a She'arim, bis sie auf die Hauptstraße stießen. Der Verkehr war abgeebbt, doch unter den Straßenlaternen schwirrten Kinder umher. Alte *Chassidim* mit ihren runden, fellbesetzten Hüten gingen langsam auf und ab, die Hände hinter dem Rücken verschränkt, und murmelten etwas auf Jiddisch.

Die Schatten wirkten dunkler und dichter als sonst. Strahlend weiße Hemden und die Gesichter von Männern, ihre Hände schienen in der Dunkelheit zu schweben. Selbst der allgegenwärtige Dreck und der Abfall waren nun getarnt. Hier und da glänzte eine Flasche oder glitzerte eine Schokoladenverpackung, die sich zwischen Geländerstäben verfangen hatte, kleine Zeichen des modernen Lebens. Aus jedem geöffneten Fenster und jeder Tür drangen Kochdünste. Salzige Nudelsuppe, gebratene Zwiebeln, die Süße frischgebackener *Challa*, Rosmarin, goldene Kartoffeln und gegrilltes Hühnchen. Deckel lagen auf den Töpfen, die Öfen waren abgekühlt, und die Frauen warteten darauf, dass ihre Männer aus den Synagogen zurückkehrten. In den Fenstern flackerten Kerzen im Wind, verloschen jedoch nicht.

Auf jeder Außenwand klebten weiße Plakate voll

zornigem Jiddisch. Die schmucklose hebräische Block-
schrift schien auf eine unheilbringende Präsenz hin-
zudeuten, die beobachtete, urteilte und die Gehorsam
verlangte. Sie konnte die Worte nicht lesen, doch sie
spürte die aufflackernden Blicke, als sie das Ghetto betrat. Auch sie wurde beobachtet.

Shifra betrat mit schnellen Schritten ein heruntergekom-
menes Wohnhaus. Der Spiegel in der Eingangshalle war
rissig und verschmiert. Eine aufgeplatzte Mülltüte ver-
streute ihren Inhalt auf dem Treppenabsatz. Eine Katze
schoss an ihnen vorbei. Es gab kein Licht, und die Treppe
wand sich nach oben in die Finsternis. Plötzlich war
Rebecca befangen, legte Shifra die Hand auf den Arm
und hielt sie zurück.

»Warte, ich fühle mich ein bisschen komisch mitzu-
kommen – bist du sicher, dass es in Ordnung ist?«

»Aber natürlich, Becca. Red keinen Unsinn, ich
möchte, dass du mitkommst. Ich habe meinen Eltern so
viel über dich erzählt, und sie erwarten dich. Los, komm,
meine Schwestern wollen dich unbedingt kennenlernen.«

Rebecca zögerte immer noch. »Shifra, ich kenne keinen der Segenssprüche – nichts –, deine Eltern werden
denken, ich bin eine –«

»Die sind nicht so, das verspreche ich dir. Die packen
einen Menschen nicht einfach so in eine Schublade.
Denk daran, die waren auch mal wie du. Hab keine
Angst. Lass dich von diesen Straßen und Leuten nicht
abschrecken – die kennen dich gar nicht! Du bist hier,
und du bist mit mir zusammen.«

»Was ist mit meiner Kleidung? Ist die okay?«

»Mehr als okay. Ich kann dir einen Pullover borgen, wenn du möchtest.«

»Ja, gerne. Mir ist total kalt.«

»Mache ich. Und nun lass uns hochgehen.«

Sie stiegen das dunkle Treppenhaus hinauf, der Marmor warf ihre Stimmen und Schritte als Echo zurück. Es roch moderig. Abgestandene Kochgerüche hingen in der Luft. Die Hitze des Tages hatte sich unter dem Dach gestaut, als sie den fünften Stock erreichten. Ein schmaler gelber Lichtstreifen fiel unter der Tür hindurch und beleuchtete die Fußmatte und den Handlauf. Die Tür war nicht verschlossen. Shifra drückte sie weit auf, und sie traten ein.

Ein großer ovaler Tisch stand da, gebadet in Licht. In seiner Mitte zwei verzierte silberne Kerzenhalter. Auf der weißen Tischdecke glänzte das Besteck. Shifras Vater schenkte Wein in einen Kelch, hob ihn an und sprach einen Segen. Er hatte Rebecca beim Eintreten ernst zugenickt, jedoch nichts gesagt. Sie setzte sich an den Tisch zu den Frauen. Sie beobachtete, wie der Kelch vom Mann zur Ehefrau wanderte und von den Ältesten zu den Jüngsten. Als er bei ihr ankam, nahm sie einen Schluck. Der Wein schmeckte ekelhaft süß, und sie musste sich zusammenreißen, keine Grimasse zu ziehen.

Sie reichte den Kelch an Shifra weiter. Wieder fühlte sie sich beobachtet. Rebecca schaute hoch, und ihr Blick traf kurz den des Rabbis. Er betrachtete sie aufmerksam, mit festem Blick. Ihr wurde bewusst, dass er sie einzuschätzen versuchte. Hinter seinem Bart war er jünger, als er aussah.

Das Zimmer war eng und voller Menschen, aber trotzdem von Ruhe erfüllt. Die kleineren Kinder liefen herum. Niemand störte sich daran. Ein Kleinkind saß auf dem Boden und kaute an Legosteinen, während zwei weitere sich unter dem Tisch versteckten, flüsterten und kicherten.

Sie war warmherzig empfangen worden, und man hatte ihren Teller gefüllt, doch sie konnte nichts essen. In der Hitze war ihr der Appetit vergangen, und das Essen war ihr zu schwer; die Hühnerkeulen waren von ihrem eigenen fettigen Saft überzogen, und der Krautsalat war matschig und viel zu süß. Die Kinder starrten sie an. Sie hatte den Segensspruch für das Händewaschen nicht gekannt und Shifras Worte nachgeplappert. Das Wasser hatte die bestickten Bündchen um ihre Handgelenke eingeweicht. Die eigene Ignoranz war ihr peinlich, und sie war nervös, ängstlich bemüht, weder jemanden zu beleidigen noch sich selbst zu demütigen. Sie war fest entschlossen, einfach nur den Abend hinter sich zu bringen und dann zurück nach Hause zu gehen, wo alles normal war und sie sich sicher fühlte. Doch diese Leute hatten sie in ihren Bann gezogen. Sie starrte sie an, fasziniert von den sanften Stimmen und den ungewohnten Ritualen.

Zu Hause war *Schabbes* eine traurige Angelegenheit. Man schleppte sich halbherzig durch die Segnungen der Kerzen, des Weines und des Brotes, die ihr Vater in seinem holprigen Hebräisch durcheinanderbrachte. Ihre Mutter kochte grottenschlecht. Die Suppe war immer lauwarm und versalzen, die Kartoffeln angebrannt und verschrumpelt. Die Atmosphäre war melancholisch. Sie hatte sich einsam gefühlt. Ein Einzelkind mit alternden Eltern, der Vater in seinen Erinnerungen versunken, von dem Bedürfnis überwältigt, zu reden und zu reden. Direkt hinter dem Strahlen der flackernden *Schabbes*-Kerzen lauerte das unaussprechliche Grauen. In den Ecken des Zimmers trieben Schatten, als spielten sie die Greueltaten nach, die ihre Träume terrorisierten. Es hatte nichts gegeben, um sich daran festzuhalten, keine Hoffnungen und keine Freude, um dem Trübsal entgegenzuwirken. Nach dem Abendessen ließ sich ihr Vater vor den Fernseher plumpsen, und es blieb an ihr hängen, die schmutzigen Teller abzukratzen und aufzustapeln.

»Und du bist also nach Jerusalem gekommen, um ein Jahr zu überbrücken?«

Die Stimme des Rabbis unterbrach sie in ihren Gedanken. Es überraschte sie, so direkt von ihm angesprochen zu werden. Am Tisch wurde es still. Die Kinder kauten und starrten sie wieder an.

»Ja. Ich nehme an einem einjährigen Programm der Universität für ausländische Studenten teil.«

»Und wo wohnst du?«

»Im Studentenwohnheim. Auf dem Skopusberg.«

»Wie ist es da? Man hat eine großartige Aussicht auf die Altstadt, kann ich mir vorstellen.«

Sie verzog das Gesicht, als sie an die Kakerlaken in der Küche dachte. »Es ist okay – beengt –, ich teile mir ein Zimmer mit jemandem, aber zum Glück komme ich gut mit ihr aus. Sie ist Schottin.«

»Das freut mich. Und wie sind deine Pläne für danach?«

»Oh, ich möchte einen Abschluss in Geschichte an der Universität von Manchester machen. Dann vielleicht Jura. Oder Journalismus, was mir lieber wäre – Jura ist so trocken. Aber meine Eltern hätten gern, dass ich Rechtsanwältin werde.«

Der Rabbi nickte anerkennend. »Aah, die Eltern – kommen einem immer in die Quere! Und wie gefällt dir das Leben in Jerusalem?«

»Es ist vollkommen fremd. Ich habe eine Weile gebraucht, um mich daran zu gewöhnen. Genaugenommen gewöhne ich mich noch immer daran. Der neue Teil der Stadt ist ganz anders, als ich erwartet habe, aber ich finde es wunderbar, die Altstadt zu erkunden. Sie hat etwas an sich, das ich nicht erklären kann.« Sie hoffte, dass ihre Antworten ausreichend waren und sie nicht länger im Zentrum der Aufmerksamkeit stand.

Der Rabbi lächelte, seine weißen Zähne bildeten einen starken Kontrast zu den dunklen Barthaaren. »Ich weiß. Für mich war es nach Golders Green auch ein Schock. Aber ich könnte nirgendwo anders mehr leben. Die Stadt geht einem unter die Haut, sickert in einen hinein –« Er brach ab, um sich seinem kleinen Sohn zu widmen, der ihm auf den Schoß kletterte. Der Moment war vorüber.

Der Rabbi begann das Tischgebet zu singen, seine Stimme pendelte mit jeder Kadenz. Die Familie antwortete und blätterte dabei durch die zerfledderten Seiten des Gebetbuches. Von seinem eigenen Enthusiasmus mitgerissen, sang der Rabbi immer lauter und hieb dabei auf den Tisch. Die Kinder kicherten. Rebecca wusste nicht, wo sie hinsehen sollte, also starrte sie auf die Seite, irgendeine Seite, in der verzweifelten Hoffnung, nicht fehl am Platz zu wirken.

Abrupt hörte er auf und sprach auf Englisch weiter, seine Worte klar und fest. »An *Schabbes* erinnern wir uns, wer wir sind. Wir hören auf zu arbeiten und ruhen. Wir haben Zeit nachzudenken. Zeit, Kerzen anzuzünden und die Segen zu sprechen. Aber reicht das? Oder ist es zu viel? Wir befinden uns in unserem eigenen Land. In der Freiheit. Es ist nicht immer friedlich, doch hier sind wir, zurückgekehrt nach tausend Jahren im Exil. Doch manche von uns leben immer noch im Exil, abgeschnitten von ihrer spirituellen Identität, und vergessen die Gebräuche und Gebete, die unser Volk am Leben erhalten haben. Es ist einfach zu vergessen. Es ist einfacher, nicht zu beten, nicht über jede Handlung nachzudenken, und über deren Konsequenzen. Es ist einfach, nicht *koschere* Sachen zu essen und sich von allem zu entfernen, das uns zu dem macht, was wir sind. Schließlich sind sechs Millionen von uns in den Gaskammern gestorben, also, was soll das alles noch? Wo war *HaSchem* in Auschwitz? In Buchenwald? In Treblinka?«

Die Augen des Rabbis schienen Rebecca zu durchbohren. Was hatte Shifra ihm erzählt? Wer war er, dass er ihr sagte, wie sie ihr Leben zu leben hatte, selbst wenn sie selbst sich diese Frage wieder und wieder stellte?

Etwas gemäßigter fuhr er fort.

»Ich habe keine Antworten. Niemand kann erklären, was *HaSchem* tat oder nicht tat, mögen manche sagen.

Doch wir haben eine Wahl. Unsere Identität zu bewahren, indem wir die Tradition aufrechterhalten. Unser Erbe zu bewahren, obwohl so viele von uns dafür gestorben sind. Oder Hitlers Arbeit fortzusetzen, indem wir vergessen, wer wir sind, und unserem Erbe den Rücken zu kehren. Es ist so viel einfacher, ein modernes Leben zu führen, zu essen, was man will, zu heiraten, wen man will, und an *Schabbes* Fernsehen zu schauen. Aber jedes Mal, wenn jemand dem Judentum den Rücken zukehrt, ist es ein weiterer Sieg für diejenigen, die uns tot gewünscht haben und das noch immer tun.«

Rebecca traute sich nicht aufzuschauen. Sie war wütend auf Shifra. Sie hätte niemals herkommen dürfen. Sie war ein Idiot. Die Predigt war für sie bestimmt gewesen; sie war die Einzige am Tisch, die nicht *koscher* aß.

Und dennoch hielt Jerusalem hier etwas für sie bereit, etwas, das ihren Puls beschleunigte und ihre Sinne entfachte, wie sehr sie auch an der Existenz Gottes zweifelte. Die Stadt pulsierte mit tausend verschiedenen Stimmen, tausend verschiedenen, sehnsüchtigen Seelen: Muslime, Juden, Christen. Ihre Mauern vibrierten mit Gottes Namen. Jerusalem betörte und neckte sie, offenbarte hier und dort ein neues Gesicht, doch drehte sich dann fort und genoss die Verwirrung, die sie geschaffen hatte. Licht und Dunkelheit. Wissen und Ignoranz. Diese religiösen Juden in ihren schwarzen Gewändern stießen sie ab und faszinierten sie. Wessen waren sie sich so sicher? Welche Geheimnisse waren ihnen offenbart worden? Rebecca beneidete sie um ihren inneren Frieden und das Gefühl der Zugehörigkeit. Sie waren Teil eines Ganzen. Rebecca hatte einen kurzen Blick darauf erhascht und blieb unzufrieden zurück.

Auf dem Rückweg herrschte betretenes Schweigen. Rebecca schmollte und ging so schnell, dass Shifra kaum Schritt zu halten vermochte. Shifra hatte ihr einen nervösen Seitenblick zugeworfen, doch nichts gesagt. Sie liefen durch die Häuserreihen und hörten Gesang, der aus den offenen Fenstern schwappte. Ansonsten war die Nacht still geworden, kein Mondlicht erhellte die Dunkelheit.

»Ich bin nicht sauer auf dich. Aber ich bin sauer.«

Shifra ging langsamer und wägte ihre Antwort ab. »Tja, dazu hast du jedes Recht. Ich glaube, ich habe ihm zu viel über dich erzählt. Ich habe wirklich und ehrlich nicht geglaubt, dass er all das sagen würde – ich hätte ihm nichts über deine Eltern erzählen sollen.«

Rebecca blieb abrupt stehen und sah Shifra an. »Es ist mir egal, ob er etwas über meine Familie weiß oder über mich. Das ist es nicht. Mir ist es sogar lieber, wenn man es weiß – das erklärt, warum ich mir nichts aus Tradition mache, aus Wissen, wie auch immer du das nennst. Ich schäme mich nicht für meine Eltern. Was mich gestört hat, Shifra, war die kleine Lektion deines Vaters, wie ich mein Leben zu leben habe. Er hätte mich ebenso gut in einen Topf stecken und kochen können! Und es ist ja nicht so, als würde ich das alles zum ersten Mal hören.«

Shifra senkte den Kopf. »Ich weiß – ich weiß –, manchmal ist er so. Er ist ein Rabbi – das ist sein Job. Sie sind alle so – sie haben das Gefühl, sie müssten es tun, weißt du? Es tut mir leid.«

»Schau, schließlich hat er mich zum Nachdenken gebracht. Vielleicht bin ich deshalb so wütend. Ich bin
neugierig. Sonst wäre ich auch nicht hier. Wir hätten uns
nicht kennengelernt, wenn ich nicht etwas mehr über
die religiöse Seite der Sache hätte erfahren wollen, mehr
darüber zu lernen, was es damit auf sich hat, Jüdin zu
sein, stimmt's?«

»Stimmt, aber ich fühle mich schlecht dabei, dich in
diese Situation gebracht zu haben. Es ist nicht gut gelaufen. Ich wollte, dass du dich entspannst und dich an
*Schabbes* bei mir wohl fühlst. Ich wollte, dass du dich zu
Hause fühlst, doch das ist ziemlich schiefgelaufen. Darüber muss ich mit ihm reden.«

Ihre Freundin sah niedergeschlagen aus, und sie tat
Rebecca leid. Shifra hatte es gut gemeint. Es war nicht so
gelaufen, wie sie es sich vorgestellt hatte, aber sie hatte es
versucht. Rebecca hakte sich bei ihr ein.

»Hey, Kopf hoch. Lass deinen Vater in Ruhe; er kann
nicht anders. Komm, Shifra, es ist *Schabbes*. Es ist nichts
kaputtgegangen. Ich werde weiter zur *Beit Midrasch*
kommen, und du kannst mich weiter in deinem Heiligenschein baden!«

Shifra lachte. »Ich bin froh, dass du nicht noch am
Tisch ausgeflippt bist.«

»Ganz im Ernst, ich denke, ich möchte mehr wissen.
Stück für Stück, nicht gleich das volle Programm, nur
die Grundlagen – keine Gehirnwäsche oder so was.«

»Was für eine Gehirnwäsche? Als ob *ich* so etwas
jemals tun würde. Ich bin doch nicht mein Vater.«

»Okay. Entspann dich.«

»Ich soll mich entspannen?«

»Ja, du! Fang bei den ganzen Anwärtern für die Ehe an, die du treffen wirst.«

»Ich wünschte, das könnte ich.«

Sie setzten ihren Weg fort und unterhielten sich über dies und jenes, bis sie die Pfosten erreichten, die das Ende des orthodoxen Bezirks markierten. Dahinter rumpelten Autos und wirbelte die Modernisierung. Sie würden sich Dienstagabend im Unterricht an der Universität wiedersehen. Befreit von den stillen Zwängen des religiösen Viertels, warf sich Rebecca in das Gewühl des weltlichen Jerusalems. Teenager stolperten an ihr vorbei, Bierflaschen in der Hand, die Mädchen in grellbuntem, engem Lycra und mit verschmiertem Make-up. Der Trubel verschluckte sie, als sie sich ihren Weg zu einem Taxistand bahnte. Alles, was sie jetzt wollte, war, Chaim zu sehen.

Sie wartete dort auf ihn, wo sie sich immer trafen, direkt vor dem Basketballplatz. Hinter ihr ragten die Betonklötze der Studentenwohnheime auf. Sie saß zusammengekauert an den Drahtzaun gelehnt, die Knie an die Brust gezogen, um sich warm zu halten. Im Tal unter ihr breitete sich die Altstadt aus wie ein glitzernder Teppich. Das schwache Geräusch des Verkehrs trieb in der nächtlichen Brise zu ihr herauf und mischte sich mit dem gespenstischen Rufen der Muezzin. Die Stadt erschien so nah, doch blieb sie so schwer fassbar wie immer. Von hier fühlte es sich so an, als gehöre die Stadt zu ihr, doch wie sehr sie sich auch bemühte, sie konnte ihre Rätsel nicht lösen oder ihre uralten Geheimnisse lüften. Mit jedem Spaziergang durch die Altstadt, den sie gemeinsam mit Chaim in den letzten sechs Monaten unternommen hatte, war sie Jerusalem mehr verfallen. Sie konnte nicht genug bekommen von den sich windenden Straßen und den unerwarteten offenen Plätzen, die unter dem strahlend blauen Himmel in der Sonne brieten. Selbst jetzt, in der Dunkelheit, und nachdem sie sie gerade erst verlassen hatte, sehnte sie sich danach. Wo blieb Chaim? Vielleicht konnten sie sich ein Taxi schnappen, zurück in die Stadt fahren und ein Stück spazieren gehen.

Dann fiel ihr ein, dass Chaim an *Schabbes* nicht mehr mit Bus oder Taxi fuhr. Sie respektierte seine Entscheidung, doch manchmal war es frustrierend. Rebecca vermisste die Bars und das Stimmengewirr am Wochenende. Nun warteten sie, bis *Schabbes* zu Ende war. Manchmal fühlte sich das Warten an wie eine Ewigkeit. Und trotzdem war sie lieber mit ihm zusammen als irgendwo anders.

Sie warf einen Blick auf ihre Uhr. Es war fast Mitternacht. Er war in French Hill gewesen, wo er mit Freunden zu Abend gegessen hatte. Sie wusste, dass er den weiteren Weg zurück genommen hatte, da er vermied, nachts durch das arabische Viertel zu gehen. Sie hörte Kies knirschen und sah das rote Glühen einer Zigarette in der Dunkelheit auf und ab wippen.

»Hallo.«

»Hey. Wie geht's dir? Wie war das Abendessen?«

Er beugte sich über sie, umarmte sie fest und rieb ihr den Rücken gegen die Kälte.

»Interessant. Ein bisschen anstrengend, wenn ich ehrlich bin.«

»Wie kommt's?« Er reichte ihr die Zigarette, und sie nahm einen tiefen Zug.

»Es ist nicht so wie zu Hause. Da war eine Eindringlichkeit, eine Gelassenheit, die…«

»…besonders war?«

»Ja, vielleicht. Aber der Rabbi, Shifras Vater, hat alles vermasselt, als er anfing, darüber herzuziehen, dass säkulare Juden wie ich die religiöse Rückkehr nach Israel verderben, weil sie nicht *koscher* leben und keine Juden heiraten. Er sagte, wir würden quasi an Hitlers Stelle dessen Job erledigen.«

Sie merkte, wie Chaim neben ihr grinste. Seine Belustigung ärgerte sie.

»Das ist nicht witzig, Chaim! Er hatte es richtig auf mich abgesehen! Er wollte, dass ich mich schuldig fühle, und das steht ihm nicht zu.«

»Nein, stimmt, aber sieh dir deine Reaktion darauf an. Wenn es dir egal wäre, würde es dir nicht so nahegehen. Er hat nicht notwendigerweise recht. Einige von ihnen glauben, wir hätten den Holocaust durch Anpassung ausgelöst oder dadurch, dass wir uns von der *Tora* abgewendet haben.«

»Das ist lächerlich! Wie kann jemand so etwas glauben? Tut mir leid, aber das ist einfach nur verrückt. So viele wirklich religiöse Juden sind in den Gaskammern gestorben, Seite an Seite mit all den Sündern. Wie sollte das also stimmen?« In ihr wuchs die Empörung. Shifra glaubte doch mit Sicherheit nicht an solche Theorien?

Chaim zuckte die Achseln. »Ich sehe das genau wie du. Es ist vollkommen irrational. Aber es ist etwas, das ich an strenggläubigen Menschen mag – sie vertrauen einfach vorbehaltlos, und ihr Glaube gibt ihnen Antworten.«

»Wie Schafe«, schnaubte Rebecca.

»Ja, möglicherweise, aber für sie ist unser Leben das reinste Chaos. Keine Regeln, keine Richtung. Wir tun nur das, wozu wir Lust haben, und pfeifen auf die Konsequenzen.«

Rebecca wandte den Kopf und starrte ihn an. Sie konnte nur schwach die Kontur seines Gesichts erkennen. Er riss ein Streichholz an, und das kurze gelbe Aufflackern beleuchtete seine Augen, von Fältchen umrahmt, und färbte seine hohlen Hände dunkelrot. Noch hatte er das Rauchen an *Schabbes* nicht aufgegeben. Etwas von dem alten Chaim war noch vorhanden, und sie war dankbar dafür. Er veränderte sich, und wenn sie nicht auf der Strecke bleiben wollte, musste sie sich an diese Veränderungen gewöhnen. Er übte keinerlei Druck auf sie aus, erkundete einfach seinen eigenen Weg und wollte ihn gern mit ihr gehen. Und sie wollte ihn nicht verlieren, jetzt, da sie ihn gefunden hatte. Sie versuchte, zu verstehen und zu fühlen, was er fühlte. Und manchmal, so wie das vergängliche Flackern eines Streichholzes, hatte sie den Eindruck, sie fühle es auch. In der Altstadt, im Licht, in den Schatten. In der Wärme seines Körpers neben ihr in der Nacht.

»Komm. Lass uns nach Hause gehen. Es ist kalt.« Er stand auf, reichte ihr die Hand und zog sie auf die Füße.

Ihre Beine waren taub vor Kälte und bewegten sich anfangs nur steif. Dann fingen sie an zu joggen und spürten, wie das Blut langsam anfing, in ihren Adern zu zirkulieren, als sie über den Kiesweg rannten.

# 8

# Chani

## November 2008 – London

Chani lag im Bett und dachte nach. Sie starrte an die Zimmerdecke, wo sich in der Dunkelheit eine Vielzahl sich verändernder Farben und zusammenhangloser Muster bildete. Ihre Cousine Malka schnarchte leise neben ihr auf der Campingliege.

Chani beneidete sie um die Fähigkeit, mit einer derartigen Leichtigkeit in den Schlaf zu gleiten. Sie selbst war angespannt überwach. Um sie herum tickte und knarrte das Haus, als die Balken sich dehnten und es in den Rohren gluckerte, doch es schien, als würde jedes Geräusch extra für Chani verstärkt werden. Sie fragte sich, ob ihre Mutter jemals ein anderes Leben gewollt hatte. Das Unglück ihrer Mutter machte Chani traurig, ein Gefühl, das sie schon ihr ganzes Leben lang kannte. Diese Einsicht war für Chani weder neu noch überraschend. Früher hatte Mum mehr gelächelt, manchmal sogar gelacht. Ein verschwommenes Bild tauchte in ihrer Erinnerung auf, ihre Mutter, die grinsend auf einem Rummelplatz in einer riesigen, sich drehenden Teetasse sitzt. Hatte sie neben ihr gesessen, oder war es eine ihrer jüngeren Schwestern gewesen? Doch das spielte eigentlich keine Rolle, sondern nur, dass ihre Mutter damals glücklich gewesen war.

Früher, an *Schabbes*, hatte sie wie eine echte *Schabbes*-Königin in ihrer glänzendsten Perücke und sanft lächelnd am Tisch gethront, ihre Jüngsten verhätschelt, die auf ihrem Schoß saßen oder zwischen den Gästen herumtobten. Die Unterhaltung war angeregt gewesen, und ihre Mutter hatte zum Spaß mit ihrem Vater gestritten. Chani erinnerte sich, wie sie von ihr die Segnung erhalten hatte, den weichen Kuss auf die Stirn, an die klebrigen Reste des Lippenstifts. Noch immer hatte ihr Vater jeden Freitag das Lied *Eschet Chajil* gesungen – *Das Lied der tüchtigen Frau* –, und Chani erinnerte sich, wie ihre Mutter vor Freude geglüht hatte, als er mit bebender Stimme den Lobgesang anstimmte. Nun war ihr Lächeln fahl, und sie schleppte sich oft nach oben, wo sie bei ihrem jüngsten Kind einschlief, noch bevor das Gebet nach dem Essen gesprochen war.

Die Traurigkeit schien ihrer Mutter wie eine Wolke zu folgen und sanft auf ihre Töchter zuzutreiben, doch Chani hatte sich daran mehr gestört als die anderen. Als sie ihre älteren Schwestern danach fragte, zuckten sie nur die Achseln und antworteten: »So ist sie jetzt eben, typisch Mum.« Was Chani in keiner Weise beschwichtigte. Wie war ihre Mutter in ihrem Alter gewesen? Chani hatte sich in Familienalben vertieft und nach Anhaltspunkten gesucht und hatte eine andere Frau gefunden: ihre Mutter, für *Purim* verkleidet, sie als Zahnpastatube, ihr Vater als Zahnbürste – und beide grinsten sich verlegen an. Wie war ihre Ehe gewesen, bevor die Kinder kamen? Es gab nur wenige Fotos, und die meisten waren von der Hochzeit ihrer Eltern. Die nervöse schlanke Braut im geerbten Kleid, in steifer Pose und mit nachdenklichem Gesicht. Ihr Vater wirkte klein und mickrig. Später hatte Mrs Kaufman an Körperumfang zugenommen, doch ihre pausbäckige Miene blieb undurchdringlich. Sie saß inmitten ihres kleinen Stammes und wurde einfach nur mehr.

Chani schien es, als lebte ihre Mutter in ihrer eigenen Welt. Shulamis' Mutter war immer fröhlich. Mrs Feldman hatte fünf Kinder und war schlank geblieben wie ein Stock. Sie bewegte sich flink und war eine redselige, gastfreundliche Frau. Sie versäumte es nie, sich nach Mrs Kaufman zu erkundigen.

Chani witterte das Mitleid, das hinter der höflichen Nachfrage lauerte. Sofort schämte sie sich für ihre Mutter, für deren schwerfällige Masse und die sorgenvolle Ausstrahlung, doch immer folgte der Scham eine Welle von Schuldgefühlen wegen ihrer Illoyalität. Sie wollte stolz auf sie sein, und gleichzeitig sehnte sie sich nach einer modernen Mutter, die elegante Kleidung trug. Eine Frau, die nach Parfum duftete, nicht nach Bratöl, die Schwung hatte und sie mit zum Shoppen nahm, doch am meisten wünschte sie sich eine, die zuhörte und Antworten gab.

Eines Nachmittags kam sie nach Hause und fand ihre Mutter in einer Art Trance vor. Ihr Vater war in der *Schul*, ihre jüngeren Schwestern auf dem Heimweg von der Schule. Mrs Kaufman saß im Wohnzimmer auf der Ecke des schäbigen Sofas, den Kopf in den Händen, schwankte vor und zurück und flüsterte immer wieder: »Ich kann nicht mehr, ich kann nicht mehr …« Chani bekam entsetzliche Angst. Ihre Mutter schien völlig die Kontrolle über sich verloren zu haben. Wie gelähmt stand Chani im Türrahmen, ohne dass ihre Anwesenheit bemerkt wurde. Zitternd rief sie: »Mum? Mum, alles in Ordnung?«

Doch Mrs Kaufman schwankte weiter, wie im Gebet. Chani schob sich dichter heran, bis sie neben ihr kniete. Vorsichtig zog sie ihre Hände beiseite und spähte in ihr tränenverschmiertes Gesicht, der Mund in einer grotesken Grimasse geöffnet. Die Worte wurden zu einem heiseren Krächzen, und irgendwann verstummte sie ganz. Zwischen ihren Knien erbebte ihr geschwollener Unterleib, größer denn je, zum achten Mal mit neuem Leben aufgebläht.

»Mum – Mum – was hast du –, was ist passiert?«, wollte Chani wissen. »Ist mit dem Baby alles okay?«

Ihre Mutter atmete stoßweise. Ein Spuckefaden rann von ihrer Unterlippe und tropfte in ihren Schoß. Plötzlich drang aus ihrer Kehle ein langgezogenes, verzweifeltes Heulen. Chani nahm ihre Mutter bei den Schultern und schüttelte sie energisch. Sie hörte auf zu schwanken und blinzelte Chani erschöpft an.

»Es ist ein Mädchen«, krächzte Mrs Kaufman.

»Was ist los, Mum? Wovon redest du?«

»Das Baby – es ist noch ein Mädchen.« Sie rieb sich mit den Händen über den Bauch. »Ich habe deinem Vater versprochen, dass ich die Ärztin nicht fragen würde, doch ich konnte nicht widerstehen. Ich bin so dumm – hätte ich es nur gelassen …«

»Oh, Mum… Das tut mir leid.«

»Dein Vater wird so enttäuscht sein. All diese Jahre haben wir für einen Sohn gebetet, doch was wir bekommen, ist eine Tochter nach der anderen! Wir haben die *Mizwa* immer noch nicht erfüllt, von jedem eines zu produzieren – und das hier wird unsere letzte Chance sein, da bin ich sicher – ich bin zu alt!«, heulte Mrs Kaufman.

»Mum – das Baby ist immer noch ein Geschenk *HaSchems* – du solltest es ihm nicht übelnehmen, dass es ein Mädchen ist –«

»Acht Mädchen!«, kreischte Mrs Kaufman, die Hände in den Rock gekrallt. »Noch eine Tochter, für die ein *Chossen* gefunden werden muss, noch eine *Chassene*, die bezahlt werden muss – wir schaffen das nicht mehr! Dein Vater hat schon genug Schulden. Die Hochzeiten deiner Schwestern haben ihn ruiniert… Was sollen wir jetzt nur tun? Und du bist auch immer noch ohne Mann. *HaSchem* muss uns für irgendetwas bestrafen…«

Die Stimme ihrer Mutter war immer schriller geworden. Chani nahm sie so fest in die Arme, wie sie konnte. Das war doch sicher die Schuld ihres Vaters. Hätte er sich nicht zurückhalten können? Es musste doch einen Weg geben, um zu verhindern, dass man ein Baby bekam. Chani merkte, wie ein Schwall Wut sie überkam, auf ihn und dann auf ihre Mutter, da sie an der Sache mit Sicherheit auch nicht ganz unschuldig war. Es gab Frauen, die das Tauchbad der *Mikwe* mieden, doch ihre Eltern waren gute Menschen, die nach den Geboten *HaSchems* lebten. Ihre Mutter würde sich nie vor ihrer rituellen Pflicht drücken – und sich ihrem Vater auch nicht verweigern.

Chani wusste, dass ihre Eltern sich liebten; dessen war sie sich sicher. Sie spürte ihre tiefe Zuneigung in der zärtlichen, respektvollen Art, in der sie miteinander sprachen, obwohl sie sich in Anwesenheit der Kinder selten berührten. Noch nie hatte ihr Vater seine Stimme gegen seine Frau erhoben, und wie anstrengend sie auch sein mochte, stand er immer stoisch zu ihr, beschwerte sich nie und kritisierte sie nicht.

Zwei Dinge hatte Chani sich geschworen: Sie wollte weder, dass ihre Ehe eine Kopie der Ehe ihrer Eltern würde, noch wollte sie wie ihre Mutter enden. Nicht jede Mutter hatte acht Kinder. Die Paare in ihrer *Kehillo* erfüllten jedoch fast alle ihre religiöse Quote und zeugten mindestens einen Jungen und ein Mädchen. Die meisten von ihnen beließen es nicht bei ihrer Pflicht, sondern hatten vier oder sechs Kinder. Zehn war übertrieben, kam aber durchaus vor. Die Verantwortung für das Fortbestehen des jüdischen Volkes war allgegenwärtig.

Doch es gab Ausnahmen. Ihre Freundin Esti war eine von dreien und ihre Mutter noch immer im gebärfähigen Alter. Vielleicht hatte sie einfach beschlossen, kein weiteres Kind zu bekommen. Und was die Rebbetzin Zilberman anging, nun, wenn die Frau eines Rabbis bei dreien aufhören konnte, dann – Chani hielt mitten im Gedanken inne. Sie hatte Gerüchte gehört und hatte aus Respekt vor der Rebbetzin nicht einstimmen wollen. Die Vorstellung, dass sie womöglich litt, setzte ihr zu. Trotzdem musste es Wege geben, die Empfängnis zu verhüten. Das war etwas, über das sie mit Baruch sprechen sollte, falls sie den Mut dazu aufbrachte, bevor es zu spät war.

Ihr schwirrte der Kopf. Was für ein Ehemann würde Baruch sein? Würde er ihr zuhören? Würde er sie lieben? Vielleicht liebte er sie schon jetzt ein bisschen. Nein, das war unmöglich – sie liebte ihn nicht, warum sollte er sie also lieben? Jetzt sowieso noch nicht. Würden sie sich verlieben? Was bedeutete das? Sie hatte diesen Ausdruck schon so häufig gehört, doch bei sich selbst fand sie das unvorstellbar. »*To fall in love*« hörte sich so an, als sei die Liebe ein Bottich voll siedender Flüssigkeit. Es deutete auf Kontrollverlust hin, etwas, das sie früher begrüßt hätte.

In ihrer Welt verliebten sich die Menschen nicht. Sie wurden in die Ehe begleitet. Sie trafen sich, sie heirateten, und dann bekamen sie Kinder. Und irgendwann, unterdessen, lernten sie sich kennen. Sie wurden ein Team, Mann und Frau, und brachten weitere Babys zur Welt, wenn es *HaSchems* Wille war. Und wenn sie Glück hatten, bedachte *HaSchem* sie mit einem Lächeln, und sie lernten, einander zu lieben. Langsam, aber sicher wurde aus zwei Fremden eine nette, behagliche Einheit, die in seinem Namen *Mitzwot* befolgte. Sich zu verlieben war etwas für die *Gojim*.

Aber, wie war Baruch wirklich? Sie hatte nur das gesehen, von dem sie annahm, dass es sich um seine höfliche Fassade handelte, und mehr hatte sie ihm von sich selbst auch nicht gezeigt. Er war ihr Verehrer, altmodisch, bescheiden und artig, der über seine riesigen Füße stolperte, wenn er ihr eine Tür aufhielt. Chani hatte sich enorm beherrschen müssen, um nicht loszulachen. Er war beinahe übertrieben aufmerksam, doch was, wenn sein Verhalten eine Maske gewesen war? In Wirklichkeit könnte er ein Monster sein. Es war schwer vorstellbar, dass Baruch etwas anderes war als sanft und liebenswürdig. Bitte, *HaSchem*, lass ihn nicht langweilig sein!

Sie dachte zurück an ihr letztes Telefonat, und ein kurzer Schauer überlief sie. Die Aufregung wurde jedoch sofort wieder von bohrenderen Fragen verdrängt. Würde er sie gut behandeln? Was, wenn er sie schlüge? Die Vorstellung erschreckte sie. Sie wäre allein mit einem Fremden, einem Fremden, der ihr körperlich überlegen war. Sie wusste, dass das passieren konnte. Es war schon passiert. Aber wem genau? Sie hatte es hier und da in der Gemeinde flüstern hören, doch es war alles vertuscht worden, und die Rabbiner hatten abgewiegelt. Das Opfer schwieg, die Misshandlung ein Geschwür, tief im Inneren der *Kehillo*. Es war eine Tatsache, dass Baruch tun konnte, was ihm beliebte, wenn sie erst einmal hinter verschlossenen Türen waren. Chani warf sich im Bett hin und her, während ihre Phantasie mit ihr durchging: Baruch, wie er brüllte, der Mund eine klaffende, zornige Öffnung und seine Faust, deren Knöchel hervortraten. Sie drehte ihr Kissen um, damit sie auf der kühlen Seite lag. Es war unwahrscheinlich, dass Baruch ein Tyrann war. Aber konnte sie da sicher sein?

Sie hoffte, sie würde ihn als Ehefrau nicht enttäuschen. Sie wusste, was von ihr erwartet wurde, doch ihre eigenen Erwartungen an die Liebe und die Ehe blieben abstrakt. Seine Vorstellungen waren unmöglich zu erraten. Chani versuchte sich Baruch vorzustellen, doch sein Gesicht entzog sich ihr immer wieder. Akne – drei rote Punkte brachen an seinem Kinn hervor. Und kleine grüne Augen hinter dicken Brillengläsern. Doch da musste noch mehr sein. So unattraktiv war er doch gar nicht, oder? Sie kramte in ihrem Gedächtnis, auf der verzweifelten Suche nach Details. Sein Haar – ja, das war dick und lockig. Noch keine Anzeichen von Haarausfall, *Baruch HaSchem*. Die Tonsur ihres Vaters war nicht besonders anziehend. Aber warum hatte er sie ausgewählt? Es gab genug Mädchen, die verzweifelt jemanden heiraten wollten. Warum sie?

Es nützte nichts. Der Schlaf wollte nicht kommen, und ihr Gehirn brodelte vor lauter Fragen. Sie kletterte aus dem Bett, zog ihren Morgenmantel an und schlich sich nach unten in die Küche. Sie brauchte Schokolade.

In der Dunkelheit des Schlafzimmers lauschte Mrs Kaufman auf die Schritte ihrer Tochter. Auch sie konnte nicht schlafen. Von Schuldgefühlen geplagt, hatte sie die letzten Stunden damit zugebracht, sich Vorwürfe zu machen, weil sie Chani vernachlässigt hatte, während ihr Mann etwas vom *Baal Schem Tov* murmelte. Rabbi Kaufman, die wandelnde Tugend, wurde nie von Schlaflosigkeit geplagt.

Mrs Kaufman wälzte sich von einer Seite auf die andere, das Bett protestierte ächzend, und Rabbi Kaufman wurde an den Rand der Matratze abgedrängt. Er wachte auf und stellte fest, dass er nicht zugedeckt war, die Füße schon taub vor Kälte. Über den mächtigen Flanken seiner Frau ragte die Daunendecke auf. Um sich zu wärmen, kuschelte er sich an ihren breiten Rücken und nahm die Diskussion mit dem uralten Weisen wieder auf.

»Chani-leh? Chani, bist du das?«, flüsterte Mrs Kaufman.

Doch sie erhielt keine Antwort. Die Schritte entfernten sich und wurden immer leiser.

»Ich hätte mit ihr in die *Mikwe* gehen sollen, aber ich bin so müde«, jammerte sie leise vor sich hin, an die Dunkelheit und an *HaSchem* gerichtet, wenn er denn zuhörte. *Ich sollte aufstehen*, dachte sie. *Ich sollte nach ihr sehen. Aber ich kann mich nicht bewegen.* Die Niederlage trieb ihr die Tränen in die Augen. Sie gab einen langen Seufzer von sich und bat Gott um Linderung. Doch nichts tat sich. Ihr Haarnetz scheuerte auf ihrer wunden Kopfhaut, und die Knie ihres Mannes stachen ihr in den Rücken.

»Yankel, bist du wach?«

»Urgh?«, gurgelte Rabbi Kaufman. Stand der *Baal Schem Tov* vor ihm im Schlafzimmer?

»Yankel, wach auf! Ich muss mit dir reden!« Nein, es war eindeutig nicht der *Bescht*, der da sprach, musste der Rabbi sich traurig eingestehen. Es war seine Frau. In der Tat, der große Rebbe wich zurück und hinterließ nur ein schwaches Leuchten auf seinen Lidern.

»Was ist, Leah-leh? Es ist Schlafenszeit.«

»Yankel?«

»Ja, Leah-leh?«

»Ich kann nicht schlafen.«

»Versuch es, mein Liebes, versuch es… Sprich eine *Broche*.«

»Das wird nichts helfen. Ich bin eine schlechte Mutter gewesen.«

»Oh, Leah-leh, fängst du schon wieder damit an?«

»Es ist wahr, ich bin eine schlechte Mutter. Und es ist zu spät, alle Fehler wiedergutzumachen.«

»Unsinn, Leah-leh. Du bist eine wundervolle Mutter für unsere Kinder und mir eine wundervolle Frau…«

»Das stimmt nicht, das sagst du nur so…« Mrs Kaufman hatte Schluckauf bekommen, und ihre Tränen durchweichten das Kissen.

»Leah-leh, jetzt ist Schluss! Bitte versuch zu schlafen. Komm, komm, meine Liebste… Morgen früh ist alles wieder gut…«

Rabbi Kaufman tätschelte die Hand seiner Frau und rieb seinen Bart gegen ihr Polyester-Nachthemd. Er hielt sie fest im Arm, bis der Schlaf ihn übermannte und sein Griff sich lockerte. Der *Baal Schem Tov* kehrte nicht zurück.

Mrs Kaufman schluchzte weiter. Sie dachte an Chani und dass eine weitere Tochter sie verließ. Sie spulte ihr Gespräch in der Küche zum x-ten Male ab.

»Ich hätte ihr die Wahrheit sagen sollen. Der Schmerz hört niemals auf. Es wird nie leichter, dieses Leben… nur schwerer«, sagte sie in die Dunkelheit hinein.

9

# Die Rebbetzin
## Oktober 1982 – Jerusalem

Sie hatten sich in der Kantine der Universität kennengelernt. Rebecca war spät und hungrig aufgewacht. Sie
hatte nicht nur das Frühstück verschlafen, sondern auch
die morgendlichen Vorlesungen. Sie nahm ihre Umgebung kaum wahr, benommen von Hunger und Koffein-
mangel. Sie schlief fast im Stehen wieder ein und schlurfte
mit ihrem Tablett langsam in der Schlange vorwärts.
Die Suppenterrine dampfte, und ihr Inhalt verkochte zu
einem salzigen, geschmacklosen Schleim. Die Lasagne
sah besser aus, und sie nahm sich ein großes Stück, bezahlte und ging hinüber zu einem leeren Tisch, von dem
man über den Innenhof sehen konnte, eine nackte und
staubige Schale, in die das Wintersonnenlicht fiel.

Bis sie dort angekommen war, hatte sich ihr Essen in
eine fettige, starre Masse verwandelt, doch zumindest
machte es satt. Sie attackierte es mit dem nutzlosen
Plastikbesteck. Als sie die Hälfte gegessen hatte, fiel ein
Schatten über den Tisch.

»Darf ich mich setzen?«

Die Stimme war ein wenig nasal, und er sprach mit
einem abgehackten Akzent. Gleichzeitig war das Englisch besänftigend und vertraut im Wirrwarr des chao-

tischen Hebräisch, das sie erst noch meistern musste. Sie blickte auf und sah einen hochgewachsenen, schlanken jungen Mann, dessen bleiche Haut von einer Menge teefarbener Sommersprossen übersät war. Unter einem Schopf rotbrauner widerspenstiger Haare sah sie ein schmales, unregelmäßiges Gesicht, auf dessen spitzem Kinn sich die Stoppeln sträubten. Er hatte etwas Skeptisches und Wachsames an sich. Er erinnerte sie an einen Fuchs.

»Ja, natürlich«, sagte sie. Er hatte sie aufgescheucht. Sie war sicher, dass sie Tomatensauce am Mund hatte. Nachdem er sich ihr gegenübergesetzt hatte, begann er ohne weiteren Kommentar sein Essen hinunterzuschlingen. Reis, Hähnchen, Karotten und Erbsen verschwanden in alarmierendem Tempo. Er aß ohne Pause, seine Gabel grub Furchen und näherte sich dem Mund mit voller Ladung. Sie starrte gebannt.

»Entschuldige. Ich esse immer so schnell. War gerade mal genug für den hohlen Zahn.«

Sie wurde rot. »Oh, ich wollte dich nicht anstarren! Tut mir leid – lass dich von mir nicht stören –, ich bin sowieso fertig.« Eilig stand sie auf und nahm ihr Tablett.

»Aber du hast gar nicht aufgegessen.«

»Ich war sowieso nicht so hungrig«, log sie. Sein Blick ruhte auf ihrem Gesicht. Etwas aus der Fassung gebracht, schüttelte sie den Kopf, lächelte ihn verlegen an und ging davon.

»Lass mich dich wenigstens zum Kaffee einladen«, rief er hinter ihr her und hielt sie damit auf. Jetzt lächelte sie richtig.

»Na dann, okay. Für mich bitte schwarz, mit zwei Stück Zucker.«

»Nimm ruhig Platz«, grinste er und schlenderte zur Schlange.

Sie musterte ihn, als er lässig an der Theke anstand. Sie wusste, dass er nur so tat, als merke er nichts. Ihr gefielen seine schmalen, leicht gebeugten Schultern, das gebräunte Dreieck am Halsansatz, die verschlissenen Sportschuhe und die ausgeblichene Jeans. Er schien sich auf attraktive Weise in seiner eigenen Haut wohl zu fühlen.

Chaim war dreiundzwanzig Jahre alt und Südafrikaner. Vier Jahre zuvor war er nach Israel immigriert, nachdem die Universität Johannesburg ihn exmatrikuliert hatte, weil er durchs Examen gefallen war. Zu viele Partys und zu wenig Studium. Seine Eltern hatten ihn zu diesem Schritt gedrängt. Sie waren der Ansicht, es würde ihn zurechtstutzen, und in vielerlei Hinsicht hatten sie recht. Er hatte seine Zeit bei der Armee abgeleistet und es gehasst, doch die Erfahrung hatte ihn abgehärtet. Er hatte gelernt, sich an die Regeln zu halten, diszipliniert zu sein und als Teil eines Teams zu handeln – Verhaltensweisen, die er vorher abgelehnt hatte. Davon abgesehen war er Pazifist, fühlte sich in dieser Umgebung zutiefst unwohl und war erleichtert, als er seine Pflicht erfüllt hatte.

Er hatte sich für Jerusalem entschieden, weil seine Großmutter in einer großzügigen Wohnung im Vorort Rechiva lebte, und anfangs hatte er bei ihr gewohnt, bis er das Gefühl hatte, er bräuchte nun seine eigenen vier Wände. Nachdem er in ein Zimmer im Studentenwohnheim gezogen war, besuchte er sie weiterhin jeden zweiten Tag. Er studierte im zweiten Jahr Philosophie und Politik und hatte keine Ahnung, was er nach dem Abschluss machen sollte. Vielleicht einen Laden für philosophische Literatur eröffnen. Um seinen Lebensunterhalt zu verdienen, gab er privaten Englischunterricht oder las Aufsätze Korrektur, die von israelischen Studenten auf Englisch geschrieben worden waren.

In seiner Freizeit erkundete er die Altstadt, durchstreifte ihre vier Viertel, passte sich dem fremdartigen Rhythmus an und entdeckte die versteckten schönen Flecken. Er streunte durch die arabischen und christlichen Straßen, die Touristen und Israelis aus Angst mieden. Er saß in zerfallenen Kaffeestuben und trank bitteren, süßen Kaffee, mit Nelken gewürzt. Die Kellner kannten ihn inzwischen und begrüßten ihn wie einen Freund, forderten ihn zu Backgammon-Spielen heraus, die er unweigerlich verlor, nur um am nächsten Tag wiederzukommen und erneut zu verlieren.

Er sagte, er fühle sich hier sicherer als in Johannesburg oder irgendwo sonst in Südafrika. Mitten in der Altstadt, in den engen, blutbefleckten Straßen, um die seit Jahrhunderten gekämpft wurde, in der Dunkelheit muffiger Cafés, in denen die Tische klebrig waren von Coca-Cola und die Luft mit statischem Rauschen aus dem Radio und dem harschen Geratter von Arabisch erfüllt war, fand er seinen Frieden. Für ihn war es das Auge des Sturms.

Von alldem erzählte er Rebecca, und sie bat ihn, sie mitzunehmen.

Unter der sanftmütigen, charmanten Hülle Chaims steckte eine Seele, die auf der Suche war. Und er wollte diese Suche mit jemandem teilen. Chaim kam aus einer liberalen jüdischen Familie, die Traditionen bedeuteten ihm nicht viel, doch die Altstadt und die Intensität des Glaubens, die dort zu spüren war, warfen Fragen auf. Neugierig erkundete er die heiligen Stätten, an denen die Pilger aller drei Glaubensrichtungen beteten. Er wollte wissen, woher ihre Überzeugung kam und wie diese Überzeugung ihnen half, die Widrigkeiten des Lebens zu meistern. Doch viel mehr noch interessierte ihn, wo sein Platz in dem Ganzen sein konnte, ob das Glauben und Handeln im Namen von etwas, das größer war als man selbst, dazu führte, dass man ein besserer Mensch wurde.

Chaim war sicher, dass es im Leben um mehr gehen musste, als die materielle Welt bieten konnte, und erzählte Rebecca häufig von seinen Sehnsüchten. Er wollte, dass sein Leben eine Bedeutung hatte – was immer das hieß. Zuerst beunruhigte sie das. Rebecca wollte sich nicht auf einen Tagträumer einlassen und witterte Gefahr. Doch all seine Ideen und Theorien waren neu und inspirierend für sie. Er sprach ihren Verstand und ihre Phantasie an, in ihren Augen eine seltene Gabe bei Männern.

Sie fühlte sich wohl mit Chaim, weil er sich in seiner Haut wohl fühlte, freundlich war und unaufdringlich. Er mochte Frauen, und sie erwiderten seine Zuneigung. Er war höflich und flirtete zugleich auf eine spielerische, harmlose Art mit ihnen. Sie fanden wiederum, dass er ein einfühlsamer Zuhörer war. Chaim schien weibliche Gesellschaft eindeutig zu bevorzugen, und zu Anfang dachte sie, sie wäre einfach nur eine von vielen.

Glücklicherweise hatte auch Chaim Gefallen an ihr gefunden. Auf einmal trafen sie sich zufällig auf dem Campus, am Bankautomaten, oder er stand plötzlich vor ihr, wenn sie in der Cafeteria saß und an ihrem Kaffee nippte. Die Nachmittage, die sie zusammen verbrachten, wurden zu Abenden und dann zu Nächten. Er war für sie nicht der Erste, doch die wenigen Tändeleien, die ihr jeweils so bedeutsam erschienen waren, verblassten.

Und Chaim hatte in ihr jemanden gefunden, mit dem er über alles reden konnte. Er erzählte ihr von seinen Sehnsüchten, seinen Träumen und sogar von seinen Ängsten. Sie sog es auf und teilte im Gegenzug ihre eigene innere Welt mit ihm, auch Dinge, die sie sonst immer für sich behalten hatte. Er war ganz anders als alle vor ihm. Er war ihr Freund, ihr Liebhaber und ihr Partner. Es fühlte sich an, als stürzte sie in ein warmes Meer und stellte fest, dass sie schwimmen konnte.

Rebecca wusste nicht genau, warum, aber ihre Unterrichtsstunden bei Shifra gaben ihr ein Gefühl von Frieden, obwohl sie sich oft durch die ganze Stunde debattierte. Hinterher, auf dem Rückweg zu ihrem Zimmer, grübelte sie darüber nach, was sie gelernt hatte, sortierte es in ihrem Kopf und bereitete sich darauf vor, über die Stunde mit Chaim zu diskutieren. Sie liebte diesen intimen geistigen Austausch mit ihm. Es hatte sie einander nähergebracht. Sie war immer noch nicht sicher, ob sie gläubig war, doch sie war verzaubert von den Feinheiten einer jeden *Tora*-Passage und deren Bezug zum religiösen Leben. Durch die Feste und Rituale nahm sie den Wechsel der Jahreszeiten viel bewusster wahr. Die Tage vergingen nicht mehr einfach, sondern bekamen einen Rhythmus durch die Gebete, und die Geschäftigkeit der Woche endete in der Geruhsamkeit des *Schabbes*.

Regelmäßiger besuchte sie nun freitags Shifra zum Abendessen und versöhnte sich mit Shifras Vater. Anfangs hatte sie Abstand gehalten und sich gegen weitere Kritik gewappnet, doch nichts dergleichen geschah, als hätte er gespürt, dass er sie verletzt hatte. Stattdessen gab er sich besondere Mühe, sie herzlich zu begrüßen, mit ihr zu reden oder zu scherzen. Sie war enttäuscht, weil sie sich beinahe auf die Konfrontation gefreut hatte. Doch er war offen und warmherzig und ermutigte sie, Fragen zu stellen. Shifra strahlte vor Freude.

Langsam begann sie sich dort zu Hause zu fühlen. Die Segenssprüche und Rituale wurden immer vertrauter, und sie konnte sie nun auch selbst sprechen. Und wenn sie das tat, hatte sie das Gefühl, sich richtig zu verhalten. Die Kinder starrten sie immer noch an, doch wenn sie lächelte, lächelten sie zurück. Sie genoss die wachsende Akzeptanz.

Die Veränderungen waren zuerst kaum wahrnehmbar, doch je mehr sie lernte, desto angemessener schienen sie ihr. Mit dem Begriff des Glaubens haderte sie aber immer noch. War sie jetzt eine Gläubige? Etwas regte sich in ihrem Herzen, doch sie war sich nicht sicher. Als sie mit

Chaim über ihre Zweifel sprach, hatte er erwidert, dass auch sein Glaube nach wie vor anfällig war. Er käme und ginge, doch mit jeder *Mizwa*, die er befolgte, und jedem Segen, den er sprach, wurde er stärker, fühlte er die Verbindung wieder, nach der er suchte. Schließlich war es menschlich, sich zu irren, und zu zweifeln war Teil der Reise. Sie gab nicht auf und stellte fest, dass er recht hatte. Selbst wenn sie die kleinsten, grundlegendsten *Mizwot* ausführte, zum Beispiel eine Spende gab, fühlte sie sich, als mache sie das zu einem besseren Menschen.

Sie hörte auf, Milch und Fleisch zu mischen, und aß wie Chaim nur noch in *kosheren* Cafés. Fernseher und Radio blieben an *Schabbes* ausgeschaltet. Sie schob ihre Jeans im Schrank ganz nach hinten und kaufte Röcke und Kleider in bunten Farben, die weich, fließend und feminin waren. Sie mochte sich inzwischen lieber ohne Make-up, das Gesicht rein und bloß. Was sie mal unattraktiv fand, erschien ihr nun natürlich und richtig. Chaim hatte ihr gesagt, dass sie es sowieso nicht nötig hätte.

Im Gegenzug bedeckte Chaim seinen Kopf, manchmal mit einer weißen gehäkelten *Kippa*, und bevorzugte Kleidung in hellen Farben, die locker und bequem saß, und trug darunter einen Gebetsschal direkt auf der Haut, dessen winzige geflochtene Fransen über seinen schlabberigen Jeans baumelten. Er ließ sein Haar wachsen, das zu einem dichten, lockigen Nest wurde und schon bald mit seinem Bart verschmolz, was ihm ein wildes, biblisches Aussehen verlieh. Es gefiel Rebecca insgeheim, obwohl sie sich beklagte, weil es beim Küssen so kratzte.

Ihre Beziehung vertiefte sich. Sie hatten so viele

Gesprächsthemen, doch die Worte wurden vorsichtiger gewählt. Manchmal hatten sie überhaupt nicht das Bedürfnis, sich zu unterhalten. Rebecca war noch nie mit jemandem zusammen gewesen, mit dem sie einfach nur dasitzen und schweigen konnte. Früher hatte sie sich immer gezwungen gefühlt, jede Lücke in einer Konversation zu füllen, das dümmliche Geschwätz, das ihr dabei über die Lippen kam, war ihr selbst unangenehm. Nun tauschten sie lange Blicke aus, die zwischen ihnen verweilten und zu einem Lächeln wurden. Und das reichte.

Bis er sie eines Nachts von sich schob.

Draußen peitschte ein kalter Wüstenwind den Abfall und die toten Blätter zu einem Veitstanz auf. Obwohl Rebeccas Zimmergenossin nicht da war, unterhielten sie sich nur flüsternd. Die Wärme des Bettes machte sie müde. Sie legte ihren Kopf auf Chaims Brust, er drückte sie zärtlich an sich, und bald atmeten sie im selben entspannten Rhythmus. Ihre Hand suchte unter der Bettdecke nach ihm.

Doch er zog ihre Hand sanft fort. Sie erstarrte. Er hatte sie bisher noch nie zurückgewiesen.

Sie stützte sich auf einen Ellbogen.

»Möchtest du nicht?«

Er wandte den Kopf ab und ließ sich mit der Antwort Zeit. Dann setzte er sich auf und zog ein T-Shirt über. Schweigend schaute sie ihm zu, ihr wurde flau im Magen.

»Ich möchte, Becca. An meinen Gefühlen hat sich nichts geändert. Aber ich sehe unsere Beziehung jetzt anders. Wir sollten das nicht tun. Wir sind nicht verheiratet.«

Sie hatte etwas Derartiges erwartet. Trotzdem war es wie ein Schlag. Gott war ihm nun wichtiger als sie. Ihr konnte er widerstehen. Sie verlor ihn, und ausgerechnet da, wo sie immer alles geteilt hatten, intensiv und intim. Ängstlich setzte sie sich auf und kauerte sich gegen den Bettrahmen.

»Was bedeutet das für uns?«

Er blickte sie an und griff nach seinen Zigaretten. Das plötzliche gelbe Auflodern beleuchtete sein Gesicht, doch er hatte seine Augen geschlossen, und sie gaben nichts preis. Dann verschluckte ihn die Dunkelheit wieder.

»Es bedeutet, dass wir heiraten sollten. Ich liebe dich. Ich respektiere dich, und deshalb ist das hier falsch. Wir sollten uns noch nicht mal mehr berühren, bis wir verheiratet sind.« Die Worte trafen sie tief, seine Stimme tonlos und dogmatisch. Sie zitterte, Panik umklammerte ihr Herz. Das war nicht der Chaim, den sie kannte.

»Aber ich kann mir überhaupt nicht vorstellen, jetzt schon zu heiraten. Meine Güte, ich bin erst achtzehn, Chaim! Und du erst dreiundzwanzig.«

»Ich weiß. Aber ich bin so weit. Ich bin mir ganz sicher. Ich habe mit dem Rabbi über uns gesprochen, und er hat gesagt, wenn wir uns lieben, sollten wir heiraten, und dann fertig. Es gibt im jüdischen Glauben einen Platz für Sex, und der ist in einer liebevollen, innigen Ehe. Nicht so wie jetzt, Becca. Das hier macht alles nur billig. Hör zu, wenn zwei Menschen heiraten, dann ist es, als füge man zwei Hälften derselben Seele wieder zu-sammen, die einst aufgespalten und zwei ungeborenen Kindern in die Wiege gelegt wurde. Sie wachsen auf und gehen jeder ihrer Wege, in Unkenntnis, dass es den anderen gibt, bis sie sich treffen, wenn sie das Glück haben, einander wiederzufinden. So wie ich dich gefunden habe.«

Rebecca atmete langsam aus. Sie konnte nicht glauben, was sie da gerade hörte. Sein plötzliches Verlangen nach Zölibat traf sie vollkommen unvorbereitet. Er entglitt ihr. Sie konnte ihn nicht halten.

»Was hast du denn auf einmal? Es hat dich vorher nie gestört, dass wir nicht verheiratet sind.« Der Sarkasmus in ihrer Stimme war ihr selbst unangenehm. Sie hörte sich bockig an und kindisch. Chaim wirkte so entschlossen, so erwachsen in seiner Überzeugung. Vielleicht war sie nicht die Richtige für ihn. Sie stellte sich ihn neben einer kleinen fügsamen Frau vor, ihr Haar in ein Kopftuch gehüllt, der Stoff tief in die Stirn gezogen, ihre Gesichtszüge demütig und mild. Fade. Diese Frau war nicht sie.

Chaim starrte sie an. Die Dunkelheit wich petrolblauen Flecken. Er dachte über eine Antwort nach und wählte seine Worte mit Bedacht. Mit pochendem Herzen drängte sie ihn schweigend zur Eile.

»Ich weiß nicht. Je länger ich die *Tora* studiere, desto mehr habe ich das Gefühl, einer Art Wahrheit näher zu kommen, wie wir leben sollten. Ich möchte der beste Mensch sein, der ich sein kann. Und das bedeutet, auch mit dir das Richtige zu tun. Ich möchte, dass wir noch einmal von vorn anfangen.«

Er hörte sich beinahe an wie Shifra. Ihr Chaim, der Chaim, den sie kannte – immer so zynisch, selbstironisch und humorvoll –, verschwand Stück für Stück.

»Du veränderst dich, und ich weiß nicht, ob mir das gefällt. Es passiert alles zu schnell. Ich kann da nicht mithalten. Ich habe genug getan, Chaim. Ich bin den Weg, auf dem du gehst, so weit gegangen, wie ich konnte, doch ich bin nicht sicher, ob ich dir noch weiter folgen kann. Ich habe die Hosen weggeschmissen, esse nicht mehr *treife*, habe angefangen, für dich *Schabbes* einzuhalten –«

»Für mich? Und was ist mit dir? Bedeutet dir das alles nichts, Becca? Ich dachte, das täte es. Ich dachte, dass du dich damit gut fühlst. Besser.« Jetzt klang seine Stimme fast flehentlich. Schmerz füllte seine Augen. Sie wünschte, sie wäre weniger direkt gewesen. Aber genau so war es: Sie hatte es für ihn getan.

»Tut es. Aber ich hätte nichts davon gemacht, wenn du mir nicht plötzlich so fromm gekommen wärst.«

Blitzende Zähne in der Dunkelheit. Er grinste über ihre Wortwahl.

»Ich werde nie wie einer dieser Pinguine sein. Komm, Becca, du kennst mich doch, ich bin nicht so wie die.«

»Chaim, ich weiß, wie du bist, und es spielt keine Rolle, wie deine persönliche Auslegung von fromm ist – du bist dort angekommen, und ich bin es nicht. Also sollten wir das Ganze vielleicht lassen.«

Sein Schweigen lastete schwer zwischen ihnen. Sie konnte nicht sagen, ob er wütend war oder nur verletzt. Sie hatte ihn aus der Reserve locken wollen, um ihm zu zeigen, dass er zu weit gegangen war. Jetzt fühlte sie sich, als hätte sie selbst eine Grenze überschritten. Sie wartete.

»Ich glaube dir nicht. Ich glaube nicht, dass du es beenden willst. Wenn du mehr Zeit brauchst, Becca, dann werde ich warten. Niemand drängt dich.« Seine Stimme war nur ein Krächzen, als hätte sie ihm die Luft genommen. Sie konnte ihn immer noch treffen, doch sie fühlte sich billig und gehässig dabei. Es war ein Test gewesen, obwohl sie ganz genau wusste, dass sie ihn nicht gehenlassen wollte.

»Du kannst glauben, was du willst. Aber du solltest dir eine andere Art Mädchen zur Frau nehmen. Eine von der ganz frommen Sorte, die von Geburt an fromm ist, die dir helfen und dich lenken kann …«

Er packte sie am Unterarm, so fest, dass es schmerzte. Sie riss ihren Arm zurück.

»Becca, hör auf! Es tut mir leid – habe ich dir weh getan?«

Sie schüttelte den Kopf und rieb sich den brennenden Arm.

»Ich will nur dich. Ich liebe dich. Ich will kein dummes, langweiliges Mädchen wie Shifra – nichts gegen Shifra. Ich möchte, dass wir uns gemeinsam auf diese Reise begeben. Ich will mit niemand anderem zusammen sein.«

Erleichterung flackerte wie ein winziges Licht in ihr auf. Er hatte sich nicht von ihr abgewandt. Aber sie konnte die Sache nicht auf sich beruhen lassen.

»Aber wir werden keinen Sex mehr haben? Wie kannst du das aufgeben?«

Er seufzte. »Weil ich weiß, dass es für uns sogar noch schöner wird, wenn wir den richtigen Pfad gehen.«

Rebecca sackte in sich zusammen. Sie fühlte sich vor Erschöpfung ganz leer. »Okay, Chaim – ich muss darüber nachdenken. Ich muss das alles erst mal verdauen.«

»Ich gebe dir alle Zeit, die du brauchst.« Er wollte sie umarmen, doch sie wich ihm aus. »Was ist?«

»Du willst doch nicht, dass wir miteinander schlafen. Du willst doch das *Schomer Negia* befolgen.«

Er schaute verwirrt, erwischt wie ein Kind, das versprochen hatte, artig zu sein. »Wir können uns immer noch berühren – nur nicht mehr …«

»Ficken?«

Er lachte nervös. Sie hatte dieses Wort noch nie benutzt, um zu beschreiben, was zwischen ihnen passierte. Nun schien es etwas Schmutziges zu sein.

»Mach es nicht schlecht, Becca.«

»Tue ich nicht. Du bist derjenige, der mir sagt, dass es falsch ist, schmutzig und unehrlich.« Sie merkte, wie die Wut in ihr aufstieg. Er sollte sich, verdammt noch mal, sicher sein, um was er sie da bat.

»Du weißt, dass ich es so nicht gemeint habe. Becca, bitte.« Er streckte seine Hand nach ihr aus, und diesmal ließ sie es geschehen.

»Okay, und was tun wir jetzt?«

»Wir machen weiter.«

»Genau wie vorher, nur ohne Sex?«

»Nein. Wir können noch nicht einmal im selben Bett schlafen, Becca. Es wird sehr schwer sein, dir zu widerstehen –, aber ich muss es tun. Ich habe mich entschieden.«

»Du kannst deine Meinung jederzeit ändern.« Sie rückte an ihn heran, in seine Arme.

»Aber das möchte ich nicht. Und du musst mir dabei helfen.«

»Wie?« Sie wusste, wie, doch sie musste es aus seinem Mund hören.

»Indem du mich nicht provozierst. Indem du mich nicht verführst.«

»Ha! Das klingt, als ob ich Lilith wäre!« Sie kuschelte sich an ihn und genoss ihre Macht.

»Ich meine das ernst, Becca.« Er schüttelte sie leicht, küsste ihr Haar, verbarg sein Gesicht darin und sog den Duft ihrer Kopfhaut ein.

Dann setzte er sich auf und löste sich sanft von ihr. Schweigend sah sie zu, wie er sich anzog.

»Wohin gehst du?«

»Zurück in mein Zimmer. Das macht es einfacher.«

»Du kannst hier schlafen. In meinem Bett. Ich schlafe in Kates.«

»Nein, Becca. Du weißt, dass das nicht funktioniert. Wir werden uns zu sehr vermissen. In Versuchung geraten.«

»In getrennten Zimmern vermissen wir uns noch mehr.«

»Na ja, vielleicht ist das eine gute Sache. So lernen wir, uns auf etwas in der Zukunft zu freuen.«

Er meinte es wirklich ernst. Er zog sich sein altes Kapuzenshirt über, kniete sich hin, um seine Turnschuhe unter dem Bett hervorzuziehen, und suchte nach seiner rechten Socke.

»Wie gesagt, ich brauche Zeit, um darüber nachzudenken«, erklärte sie. Aber sie hatte sich bereits entschieden.

»Okay, mach das. Ich laufe dir nicht weg.« Er schlurfte hinüber zum Bett, nahm sie fest in die Arme und schmiegte sein Gesicht in ihre Halsbeuge. »Ich werde dich so sehr vermissen«, murmelte er, und seine Bartstoppeln kratzten sie.

Ihr Herz fühlte sich an, als würde es jeden Moment zerspringen, als er zur Tür ging.

Dort blieb er einen Moment stehen, eingerahmt vom gelben Licht des Korridors. Rebecca kauerte im Bett, Knie, Knöchel und Füße waren taub geworden. Sie konnte nicht glauben, dass er wirklich ging.

»Wir sehen uns morgen, in der zweiten Pause im Humanities Café. Um drei habe ich eine Vorlesung.«

»Okay.«

»Bis dann. Schlaf gut.«

»Du auch. *Laila tov.*«

»*Laila tov.*«

Er schloss die Tür hinter sich und ließ sie allein in der Dunkelheit zurück.

# 10

# Baruch – Avromi
## Mai 2008 – London

Baruch warf einen Blick auf seine Uhr. Er hatte sich durch den Bereich der Frauen geschlichen, so dicht an der Wand entlang wie möglich. Seine Beine schienen ihren eigenen Rhythmus zu haben und machten große, ruckhafte Schritte. Seine Halbschuhe Größe 49 ähnelten Taucherflossen. Er konzentrierte sich darauf, sie vorsichtig zu platzieren. Bald hatte er die *Mechiza* erreicht, auf der anderen Seite der Abtrennung lag die Zuflucht: die Sektion der Männer.

Die Frauen schienen ihn zu ignorieren, doch Baruch wusste es besser. Er wurde beobachtet und gemustert. Ihre Augen verfolgten sein Vorwärtskommen durch ihr Territorium und speicherten die Informationen wie Überwachungskameras. Ihre weichen, parfümierten Gestalten waren nur Tarnung. Alle weiblichen Wesen waren eigentlich Geheimagenten auf der Mission, zu heiraten oder jemanden unter die Haube zu bringen. Dieses Wissen verunsicherte ihn physisch, er begann zu schwanken und verharrte mit einem Fuß in der Luft. Mit einem kurzen Seitenblick wollte er sich vergewissern, ob es jemandem aufgefallen war. Und da sah er sie.

Sie stand neben der Eisskulptur, am Rande einer kichernden Horde von Mädchen.

Chani war in den Anblick von Bitterschokoladen-Ganache, verziert mit Maraschinokirschen, versunken. Die Kirschen lagen in einer Mulde auf dem Rücken des Schwans aus klarem Eis. Sie hatte sich schon zweimal genommen, doch sie langweilte sich und musste irgendetwas tun, bevor das Tanzen begann. Also griff sie nach der silbernen Kelle und tauchte sie in den dampfenden Behälter. Sie rührte und hinterließ dicke, glänzende Wogen.

Das Geschnatter um sie herum ebbte ab und wallte dann wieder auf. Es war der übliche, müßige Unsinn junger, unverheirateter Frauen, die etwas aufgeschnappt hatten und weitererzählten. Und alle warteten sie darauf, dass sie an die Reihe kamen.

Es gab nur ein Thema: »Wie geht's dir?«

»Mit geht's gut, *Baruch HaSchem*.«

»Nein – wie *geht* es dir?«

»Mir geht's *gut*, *Baruch HaSchem*. Und dir?«

»*Baruch HaSchem*, gut.«

Dann kam man zur Sache:

»…und er studiert dann an der *Or Yeshiva* in Jerusalem – sie mieten eine Wohnung in Me'a She'arim…«

»Wann ist die Hochzeit?«

»Nächsten Dienstag im Watford Hilton.«

»Also, ich habe gehört, dass sein jüngerer Bruder auf der Suche ist, er ist so süß…«

»Dovid? Ich kenne die Familie seit Jahren, sie nehmen nur eine *Bobower*…«

»Na, dann komme ich nicht in Frage. Gibt viele *Bobo-wer*-Mädchen in New York – woher kommt Benjis *Kalla*?«

»Brooklyn.«

»Typisch. Diese amerikanischen Mädchen sahnen alles ab.«

»Na ja, ich habe gehört, dass ihre Eltern auf einen *Schidduch* mit dem Sohn eines alten Freundes der Familie gehofft hatten, aber daraus wurde nichts. Sie waren verlobt, aber er hat die Verlobung wieder gelöst.«

»Warum? War sie ihm nicht gut genug?«

»Scheint so. Und dann hat Benji sie gerettet.«

»*Nebbich!*«

Obwohl Klatsch und Tratsch zu verbreiten als ernstes Vergehen galt, war es wie eine Therapie für die Mädchen, die immer noch warteten. Für sie rückte die unerträgliche Realität, auf dem Abstellgleis zu landen, mit jedem Tag näher. Nicht die einzige Unverheiratete zu sein war ein kleiner Trost. Es war immer das Gleiche. Die gleichen Gespräche, das gleiche Essen, verzehrt von denselben Mädchen. Eine nach der anderen würde verschwinden und zu einer Geweihten werden, einer verheirateten Frau. Doch nun standen sie geduldig da, verlagerten ihr Gewicht ein ums andere Mal, weil die Füße in den eleganten Schuhen mit moderatem Absatz schmerzten. Scheinbar gleichgültig musterten sie einander, doch ihre Gedanken flatterten unruhig umher. Steife Röcke verbargen ihre Knie hinter Samt oder Wolle, doch die Strumpfhosen waren aus dünnstem Garn, genug, um als bedeckt zu gelten, aber dabei den Eindruck von

nackter Haut zu erwecken. Die Blazer waren fest zugeknöpft, obwohl im Raum eine tropische Hitze herrschte.

Einige Mädchen sahen bereits aus wie Fässchen;
Zucker lindert jede Enttäuschung. Das Angebot war
ausreichend, der Tisch mit den Desserts ächzte unter
seiner Last aus klebrigem Gebäck und kandierten Früchten. Sie griffen blindlings nach dem nächsten Schuss. Es
spielte keine Rolle, was es war, solange die Unterkiefer
malmten. Andere waren immer noch dürr wie Bohnenstangen; sie aßen mit den Augen und starrten wehmütig
auf die Braut in ihrer Pracht.

Jede Hochzeit, an der sie teilnahmen, rieb Salz in die
Wunden, und jede Braut, mit der sie tanzten, sah die
Sehnsucht in ihren Augen und stieß einen Seufzer der
Erleichterung aus. Die Jungfernschaft war die erklärte
Hölle und musste unter allen Umständen vermieden
werden.

Er sah, wie sich ihre schmalen Schulterblätter unter dem
schwarzen Kaschmirpullover bewegten. Die Ellbogen
mochten ein wenig abgenutzt und verblichen sein, und
wenn er dicht genug dran gewesen wäre, hätte Baruch
auch die Flusen bemerkt. Doch ihn interessierte das, was
der Pullover verbarg – ihr schlanker Rücken, die Kontur
ihrer Wirbelsäule unter der Wolle, die schmale Taille.
Das Mädchen beugte sich vor, um ein paar Kirschen
zu erbeuten. Ihr Haar war zu einer weichen schwarzen
Rolle gedreht. Sie bewegte sich anmutig und flink, ihre
ganze Gestalt zeugte von rastloser Energie.

Er wollte gern ihr Gesicht sehen. *Dreh dich um, dreh*

*dich um.* Doch er konnte nicht länger stehen bleiben. Er war ein Eindringling.

Ihre Freundin hatte sein Starren bemerkt. Sie schnellte herum und knuffte Chani. Die Kirschen kullerten vom Löffel und hinterließen Flecken auf dem weißen Tischtuch.

»Shulamis! Schau, was du angerichtet hast, du Trampel!«, rief Chani kichernd aus. Auf ihren weißen Manschetten waren Saftspritzer gelandet.

»Jemand beobachtet dich!«, zischte Shulamis.

»Wer? Ich kann mich nicht umdrehen, also musst du gucken – aber mach es nicht so offensichtlich –, versuch ein bisschen dezent zu sein.«

»Okay, okay, reg dich nicht auf – wer weiß, vielleicht guckt ja ausnahmsweise mal jemand nach mir.«

»Könnte sein, ist aber unwahrscheinlich.« Chani stieß ihren Ellbogen in Shulamis' gutgepolsterte Rippen. Shulamis machte ein langes Gesicht, und Chani bereute ihre Spöttelei sofort. Sie legte der Freundin liebevoll einen Arm um die Schultern. Unter der burschikosen Schale fehlte es ihr an Selbstvertrauen, und sie war empfindlich, wenn es um ihr Gewicht ging. Shulamis hatte nicht so viele *Schidduchim* wie Chani und wurde immer unruhiger. Chani liebte ihre Freundin und hasste es, sie leiden zu sehen. Sie waren Komplizinnen: Ihre unstillbare Neugier machte sie zu Außenseiterinnen, und es fehlte ihnen an der Gelassenheit und stillen Würde der anderen Mädchen. Trotzdem war es manchmal notwendig, sich den Mantel des Erwachsenseins anzuziehen, wenn sie nicht auf der Strecke bleiben wollten.

»Tut mir leid. Du hast recht, er könnte jede von uns meinen.«

Shulamis zuckte die Schultern. »Es sei dir vergeben! Genaugenommen ist es mir egal – lass ihn starren.«

Doch Chani hatte die Neugier gepackt. Sie wusste aus Erfahrung, dass die Aufmerksamkeit eines jungen Mannes etwas sehr Flüchtiges war. Es hatten sie schon einige angestarrt. Erkundigungen waren eingeholt worden, die Telefondrähte waren heiß gelaufen, doch dann passierte gar nichts mehr. Dem jungen Mann war zu Ohren gekommen, dass sie etwas lebhaft war, und sein Interesse war erloschen. Wahrscheinlich würde es auch diesmal darauf hinauslaufen, doch ein kleiner Funken Hoffnung blieb immer. Chani stellte sich gerade hin, hob den Kopf und trat einen Schritt von Shulamis weg. Es war Zeit für ein bisschen Sittsamkeit.

Baruch wusste, dass die Mädchen seinetwegen flüsterten. Das war typisch. Er hatte zwei Schwestern, und die meiste Zeit steckten sie in der Küche ihre Köpfe zusammen. Nichts entging ihrer Aufmerksamkeit, der Blick, der ein wenig zu lange verweilte, oder ein Erröten im unpassenden Moment. Er war jung, er war Single und wurde daher unauffällig gemustert, wohin er auch ging. Er hasste es: die ständige Beurteilung seiner Eignung, seiner Familie und seiner beruflichen Aussichten. Aber so war die Welt, in der er lebte und aus der es kein Entrinnen gab. Nur die Hochzeit. Es war an der Zeit.

Er war kein Adonis, und das wusste er. Sein Gesicht war lang und schmal, doch sein scheues Lächeln warm und offen. Dichtes, weiches Haar kaschierte seinen etwas kegelförmigen Kopf, wahrscheinlich hatte die Zange bei der Geburt etwas zu stark zugedrückt. Mit seiner Brille, durch die er kurzsichtig in die Welt linste, erinnerte er an eine Eule. Wahrscheinlich war Chani gar nicht so attraktiv, wie er meinte. Er brauchte eine zweite Meinung. Er würde Avromi fragen.

Die *Mechiza* überragte ihn. Der Paravent war von üppigem Efeu überzogen. Hier und da schmiegte sich eine Rose zwischen die glänzenden dunklen Blätter. Durch das üppige künstliche Grün blitzte Schwarz und Weiß, als die Männer auf der anderen Seite hin- und herschlurften.

Baruch drückte gegen das Ende des Paravents und schlüpfte hindurch. Die Farben verschwanden, das Gedränge begann, und mit ihm kam der säuerliche Geruch von Wollanzügen und Fellkappen. Der Gestank von Fischknödeln erfüllte den Raum. Avromi lauschte aufmerksam Rabbi Weisenhoff. Baruchs Stimmung sank.

Rabbi Weisenhoff sprach in heiserem Flüsterton, doch wenn es um Spirituelles ging, war seine Stimme kaum noch zu hören. Sein Zeigefinger stach in die Luft, der Nagel gelb und verhornt. Mit zunehmender Intensität seiner Worte riss er die Augen auf, was ihm die struppigen Brauen wie kleine Wolken in die Stirn schob. Der Rabbi war alt und allein. Seine Frau war vor vielen Jahren gestorben. Er lebte schon so lange, dass ihn nur noch die Liebe zur Lehre aufrecht hielt. Sein ausgezehrter Körper brauchte nur wenig; Nahrung reizte seine Speiseröhre und verursachte Husten und Spucken, also aß er nichts mehr in der Öffentlichkeit. Er bevorzugte es zu reden.

An jedem anderen Tag hätte Baruch den Rabbi begrüßt und sich an der Diskussion beteiligt. Er mochte den freundlichen, sanften Mann sehr. Rabbi Weisenhoff war ein großartiger Lehrer, leidenschaftlich, aber geduldig, und Baruch hörte ihm gerne zu. Doch die Zeit drängte. Das Mädchen könnte weggehen, und er würde nie erfahren, wer sie war oder ob sie so hübsch war, wie er dachte. Er stellte sich hinter den Rabbi und versuchte, Avromis Aufmerksamkeit auf sich zu lenken. Es hatte keinen Zweck. Rabbi Weisenhoffs Bart kitzelte Avromi beinahe im Gesicht, während sich der alte Mann auf ihn stützte. Avromi starrte zu Boden und nickte beipflichtend.

Baruch schlich sich zu einem ruhigeren Platz an der Mauer. Die Luft summte mit männlichen Stimmen, die Worte undeutlich, doch ein ständiger Geräuschpegel um ihn herum. Sie schienen »suh-suh-seh, suh-suh-seh« zu sagen, oder »wus-wus, wus-wus«; die Mischung von Jiddisch und Englisch erschuf eine Hybridsprache: Jidlisch.

Avromis Handy plärrte in seiner Brusttasche. Er ignorierte es, weil er den Rabbi nicht damit beleidigen wollte, dass er ranging. Der Rabbi hörte auf zu reden.

»Jemand ruft dich an, Avromi-leh, du solltest rangehen.«

»Danke, Rabbi – es tut mir leid, bitte entschuldigen Sie.«

»Bitte.« Der Rabbi machte eine einladende Geste mit seiner geöffneten Hand.

Avromi gab nach, obwohl er den alten Mann nicht

gern allein ließ. Er führte den Rabbi zu einem Stuhl, machte es ihm bequem und ignorierte dabei dessen schwachen Protest, als das Klingeln aufhörte. Beim Weggehen klappte er das Handy auf und rief den Anrufer zurück.

»B'ruch?«

»Schnell, komm rüber zur Wand, hinten, wo die Brötchen stehen, ich muss dir etwas zeigen.«

»Okey-dokey. Ich komme.«

Baruch wartete, bis sich sein Freund durch die Wand dunkler Schultern und Rücken geschoben hatte. Avromi sah sehr gut aus, und Baruch verspürte einen kurzen Anflug von Neid. Plötzlich war er erleichtert, dass es die *Mechiza* gab; er war sich sicher, dass das Mädchen Avromi den Vorzug geben würde. Baruch schämte sich für diese Gedanken. Avromi war sein bester Freund, sein Bruder in allem bis auf den Namen, und er sollte ihm sein Aussehen nicht verübeln: Er war groß, mit breiten Schultern, glatter olivbrauner Haut und dunklen, schimmernden Augen.

Wie üblich fühlte Baruch sich nicht wohl in seiner Haut. Er fand sich hässlich und war sich sehr bewusst, wie die Mädchen verstohlene Blicke auf seinen Freund warfen, ihn aber vollkommen ignorierten. Avromi schien die Diskrepanz zwischen ihrem Aussehen und dem Interesse der Mädchen nie zu bemerken. Zumindest kommentierte er es nie. Avromi war selbstbewusst und hatte, wichtiger noch, einen Hauch von Weltlichkeit. Er war Student an der Universität und traf regelmäßig Mädchen in seinen Seminaren, wenn auch nur *Gojete*. Er redete normalerweise gern mit Baruch über Mädchen. In letzter Zeit wirkte er allerdings abgelenkt und manchmal etwas abwesend. Baruch vermutete, dass ihm das Studium zusetzte.

»B'ruch!« Avromi umarmte Baruch fest. »Was ist los? Wo brennt's denn?«

»Es ist dieses Mädchen«, japste Baruch.

»Ach, ein Mädchen? Wo steckt denn dieses wunderbare Wesen? Kenne ich sie? Hattet ihr zwei schon einen *Schidduch*? Das hast du mir gar nicht erzählt, du Gauner –«

»Ich kenne sie nicht, noch nicht mal ihren Namen. Vielleicht weißt du, wer sie ist, du kennst ja so ziemlich jeden. Sie steht da drüben.« Baruch zeigte zur *Mechiza*.

»Oh, verstehe. Also, was machen wir? Rüberspringen?«

Baruch grinste verlegen. »Nein, nein, ich habe gehofft, wir könnten einfach da durchgucken, wenn niemand hersieht – sie war direkt da drüben.« Er zeigte auf den Punkt der *Mechiza*, hinter dem er Chani vermutete.

»Baruch, hier wimmelt es nur so von Rabbinern – wie um alles in der Welt sollen wir da gucken? Wenn wir erwischt werden, grillt mein Vater uns bei lebendigem Leib!«

Baruch machte ein langes Gesicht. Er starrte hinunter auf seine riesigen Füße.

»In Ordnung, steh nicht da wie ein begossener Pudel, zeig mir das Mädchen, und lass uns schnell machen! Jetzt ist unsere Chance, sie prosten alle dem Bräutigam zu!«

Die Männer hatten sich umgedreht. Jemand stotterte

etwas ins Mikrophon. Baruch und Avromi eilten zur *Mechiza.*

»Sie ist bestimmt längst weg, sie hat da mit ihrer Freundin gestanden und sich unterhalten. Dann haben sie gesehen, wie ich zu ihnen rübergestarrt habe –«

»Wie sieht ihre Freundin aus? Wäre sie was für mich?«

»Ähm, dick.« Baruch bereute seine Worte sofort; wie kam er dazu, so zu reden?

»Na, super. Hättest du nicht ein Mädchen mit einer zauberhaften Freundin für mich aussuchen können? Du denkst immer nur an dich, oder?«, witzelte Avromi.

»Na ja, vielleicht ist sie sehr nett.«

»Hör auf damit, sie anzupreisen, und zeig mir deine Prinzessin. Beeil dich.«

Sie sprachen im Flüsterton. Hinter ihnen riefen die Männer laut im Chor: »*L'chaim! L'chaim!*«

Baruch nutzte die Chance und linste durch ein Loch. Sie waren immer noch da. *Baruch HaSchem.* Sie schaute in seine Richtung, und ihm gefiel, was er sah: ihr schmales, intelligentes Gesicht, der weiche rosa Mund und der gerade Pony, der ihre Augen betonte.

Avromi stieß ihn in die Seite. »Rück rüber, und lass mich gucken – welche ist es?«

»Das Mädchen in dem schwarzen Pullover mit V-Ausschnitt, sie schaut in unsere Richtung, dunkles Haar, trägt einen Zopf, sie ist klein und schlank –«

»Oh ja, ich glaube, ich weiß, wen du meinst. Sehr gut, Baruch. Sie ist hübsch.«

»Echt? Glaubst du wirklich? Sei ehrlich, Vrom, ich muss das wissen, ich kann mich auf diese blöde Brille nicht immer verlassen, weißt du. Sag mir, was du wirklich siehst und denkst. Du kennst dich mit Mädchen besser aus als ich.«

»Tu ich nicht, aber meiner bescheidenen Meinung nach ist das eine nett aussehende junge Dame. Und sie hat schönes Haar. Nicht so kraus wie die meisten anderen. Reizendes Lächeln… und hübsche Beine. Schade um ihre Freundin, der schmeckt ihr *Lokschenkugel* eindeutig zu gut.«

»Stimmt, danke – danke. Jetzt lass mich gucken, schnell, sie sind gleich fertig.«

»War mir ein Vergnügen. Dann los, ich passe auf.«

Avromi gab das Guckloch frei. Baruch schaute noch mal durch. Sie hatte in der Tat hübsche Beine. Alles an ihr war hübsch. Zufrieden drehte er sich zu Avromi um.

»Aber wer ist sie?«

»Ich habe keinen Schimmer. Sie sieht aus wie eine Kaufman, die haben alle so schwarzes glattes Haar und diese blasse Haut. Aber es gibt jede Menge von ihnen, ich glaube, die Familie hat acht Töchter. Also müssen wir rausfinden, welche es ist –«

»*Acht* Töchter?«

»Pschscht!«

Acht Töchter. Baruch wusste, dass alles verloren war, wenn sie die falsche Tochter erwischten. Er musste ihren Namen herausfinden und sich sicher sein.

Avromi schaute sich um.

»Ich hab's! Wir fragen Shmuel. Sein älterer Bruder Eli hat eine der Kaufman-Töchter geheiratet – frag mich nicht, welche –«

Und bevor er ihn aufhalten konnte, war Avromi in der Menge verschwunden. Er kehrte mit einem jungen Mann im Schlepptau zurück. Avromi hatte ihn am Ärmel gepackt, und er grinste verlegen.

»Hallo, ich bin Shmuel«, sagte er.

»Hallo, nett, dich kennenzulernen.«

»Avromi hat gesagt, du hättest eine der Kaufman-Töchter gesehen – oder zumindest denkst du, dass sie eine Kaufman ist.«

Baruch deutete auf den Paravent. Shmuel schaute sich prüfend um und nahm seine Position ein. Baruch und Avromi schirmten ihn ab.

»Okay, es ist die im schwarzen V-Pullover.«

»Hab sie. Yep – das ist eine Kaufman. Ich weiß, dass vier von ihnen immer noch zu Hause wohnen, und sie muss die Älteste sein. Es gibt eine Rochele, und dann eine Sophie, denke ich …« Shmuel zählte an den Fingern ab.

»Das muss Chani sein. Devorah, meine Schwägerin, hat sie mir gegenüber mal erwähnt. Ich glaube, sie wollte uns –« Baruch starrte ihn an. Shmuel spürte, dass er ins Fettnäpfchen getreten war. »Ja, also, ähm, das ist Chani Kaufman.«

»Chani. Bist du sicher?«

»So ziemlich.«

»Chani Kaufman.« Er probierte den Namen aus.

»Kann ich noch etwas für euch zwei Gentlemen tun?«, fragte Shmuel.

Baruch schreckte aus seinen Gedanken auf. »Nein, super. Vielen Dank, Shmuel. Du warst eine echte Hilfe, und ich werde versuchen, mich zu revanchieren, obwohl ich gar keine Mädchen kenne … oder ihre Namen«, stotterte er.

Shmuel grinste. »Gerne wieder. Und, viel Glück mit Chani.«

»Danke. Werd ich brauchen.« Baruch wirkte grimmig entschlossen. Er war im Geiste bereits alle möglichen Hindernisse durchgegangen, die ihm wie Felsbrocken im Weg liegen würden. Avromi hieb ihm freundschaftlich auf die Schulter.

»Krieg dich wieder ein, B'ruch! Vielleicht wird es sowieso nichts. Vielleicht werdet ihr aber auch hundertzwanzig und habt hundert Enkelkinder.«

Was die hundert Enkelkinder anging, war sich Baruch nicht so sicher. Zumindest kannte er ihren Namen. Das war schon mal ein Anfang.

Avromis Handy trillerte in seiner Jackentasche. Er sah kurz auf den Bildschirm.

»Entschuldigt mich, Leute, ich muss da rangehen«, sagte er, bahnte sich einen Weg durch die schwarzen Anzüge, schlüpfte durch eine Nebentür hinaus und ließ Shmuel und Baruch einfach stehen. Neugierig sahen sie ihm hinterher.

Avromi betrat die geschäftige Küche, und sein Blick fiel auf einen jungen *Chassid*, der die Einhaltung des *Kaschrut* überwachte. Der *Chassid* – ganz in Schwarz – wirkte zwischen den makellos weißen Schürzen und dem glänzenden Chrom vollkommen fehl am Platz. Doch er steckte seine Nase weiter in Kühlschränke und Töpfe und beachtete Avromi gar nicht, als er hinüber zur Feuerleiter ging.

Draußen auf der Metallplattform rauchten zwei Kellner. Sie musterten Avromi, der ihnen freundlich zunickte und die Treppe nach unten ging.

»Hi, bist du noch dran?«

»Yep, bin immer noch hier und warte immer noch… Wo bist du?« Ihre Stimme klang gereizt. Er hatte gesagt, er würde sie um vier anrufen, aber er war durch Baruchs Mädchenjagd abgelenkt worden.

»Ich bin auf einer Hochzeit, du weißt doch, dass du mich nicht anrufen kannst.«

»Na ja, ich dachte, du würdest um vier Uhr anrufen. Jetzt ist es fünf.« Sie war gekränkt, und das war seine Schuld.

»Ich weiß, ich weiß, es tut mir leid, ich bin aufgehalten worden. Egal, wie geht's dir? Was machst du gerade?«

»Mir geht's gut, danke. Ich gucke Fernsehen und räume mein Zimmer auf, in der Hoffnung, dass mein süßer Prinz mich besucht.«

Avromi lachte leise. »Ich komme nachher am Abend vorbei, aber es wird spät werden. Ich werde mich während des Tanzens verziehen und die U-Bahn nach Euston nehmen. Aber ich glaube kaum, dass ich vor zehn Uhr da sein werde. Der Spaß hier geht bis in die Morgenstunden, also werden meine Eltern nichts merken. Ist das okay?«

Sie seufzte. »Ich denke schon. Bis dahin werde ich hier zwischen meiner Seidenbettwäsche schmachten und in Unterwäsche Feigen essen.«

Avromi wurde rot, lachte wieder und genoss ihre Flirterei. Und trotzdem war er unsicher, sein übliches

Selbstvertrauen schien sich in Luft aufzulösen, wann immer Shola in der Nähe war. Bei ihr fühlte er sich schüchtern, gehemmt und gleichzeitig aufgeregt. Diese Wirkung hatte bisher kein anderes Mädchen auf ihn gehabt. Die jungen, frommen Jungfern seiner Gemeinde nahm er kaum wahr, seine Augen glitten über sie hinweg, sittsam, ohne jede Eleganz, mit guten Manieren – und unsichtbar. Im Vergleich zu Shola war Chani nur die fade Imitation von Weiblichkeit.

»Nun, ich freue mich schon darauf, deine Unterwäsche zu sehen – ich meine, an dir – und dich mit Feigen zu füttern.«

Shola kicherte. »Okay, mein Prinz, bis später.«

»Tschüs.«

Er wusste nie, wie er das Gespräch beenden sollte. Er wollte einen Kosenamen benutzen, aber ›Schatz‹ oder ›Liebling‹ hörte sich so künstlich an, denn ein Liebespaar waren sie nun gerade nicht. Avromi seufzte, steckte das Telefon weg und trottete die Stufen wieder hinauf.

Jetzt war nicht der richtige Augenblick, um darüber nachzudenken. Er versuchte, den Klang ihrer Stimme aus seinem Kopf zu verbannen, als er sich durch die Küchentür schob. Durch das gläserne Bullauge erhaschte er einen Blick auf das Meer schwarzer Wolle. Er dachte an Sholas seidige Haut, die strahlenden Augen und das kätzchenhafte Lächeln. Was würde sie von dieser Hochzeit halten? Von den Männern, die alle gleich angezogen waren? Von den Bärten? Und den Rabbinern, zu denen sie gehörten? Die Trennung der Geschlechter? Er wagte es sich gar nicht vorzustellen.

Und es spielte auch keine Rolle. Sie würde es nie mit eigenen Augen sehen. Sie war Teil seines anderen Lebens, seines Uni-Daseins – ein delikates, verbotenes Geheimnis, das ihn zu gleichen Teilen mit Glück und mit Angst erfüllte. Doch er konnte es nicht aufgeben. Noch nicht, nicht jetzt.

Er stürzte sich in die Menge, vor lauter Aufregung schlug ihm das Herz bis zum Hals, als er Rabbi Weisenhoff entdeckte. Er saß noch immer dort, wo er ihn zurückgelassen hatte, und wirkte alt und verloren. Schuldgefühle stiegen in ihm auf, er bekam rote Ohren und schweißnasse Hände. Das konnte nicht so weitergehen. Die übliche Abscheu stellte sich ein. Er fühlte sich billig. Befleckt. Wie konnte er noch mit einem so wundervollen Weisen diskutieren, wenn er so frevelhaft gesündigt hatte? Er verdiente es nicht, dem Rabbi auch nur die Hand zu schütteln. Und er hatte Baruch vorsätzlich angelogen und so getan, als kenne er sich mit Mädchen nicht aus. Er schüttelte sich, um das Gefühl der Schande loszuwerden.

Und dann war da noch Shola selbst. Wenn er ein echter *Mentsch* gewesen wäre, hätte er sich nicht mit ihr eingelassen, hätte er standgehalten. Ihr konnte er keine Schuld geben; ihr stand frei zu tun, was sie wollte.

Avromi verdrängte diese Gedanken und ging zu dem zusammengesunkenen, müden Rabbi hinüber. Er beugte sich zu ihm hinunter, sprach laut in sein haariges, schmalziges Ohr, half ihm auf die Füße und stützte ihn, als der alte Mann zu stolpern drohte. Gemeinsam bahnten sie sich den Weg zum Seitenausgang, der zu den Fahrstühlen führte. Er würde dem Rabbi ein Taxi heranwinken, und sowie er sicher darin saß, würde er zurück zu seinen Freunden gehen und so tun, als sei nichts geschehen.

Er wusste, dass die Schuldgefühle sich in dem Moment in Luft auflösen würden, wenn er in Euston aus der U-Bahn stieg, nur um mit Macht wieder zurückzukehren, wenn er allein war, auf dem Weg nach Hause, wo er sich wie ein *Ganew* mitten in der Nacht in das Haus seiner Eltern schlich.

# 11

# Baruch

## Mai 2008 – London

Baruch wusste, dass er mit seiner Mutter sprechen musste, wenn er Chani Kaufman wiedersehen wollte, und ihm graute davor. Seine Mutter hatte ihre eigenen Vorstellungen davon, wen er treffen und heiraten sollte, und diese Vorstellungen deckten sich nicht mit seinen. Bisher hatte er sich immer gesträubt, wenn sie mit ihm die *Jente* treffen wollte, Mrs Gelbman, die Kupplerin der Gemeinde. Seine älteren Brüder hatten so ihre Frauen kennengelernt. Er wusste, welcher Horror ihn in Mrs Gelbmans stickigem Empfangszimmer erwartete, hinter fest zugezogenen blickdichten Gardinen. Er würde ausgefragt werden, bewertet, seine Angaben archiviert und wegsortiert in einen uralten, gigantischen Ringordner, seine ganze Existenz auf ein paar Seiten reduziert.

Doch es gab keinen anderen Weg. Selbst wenn er bereits ein Mädchen gesehen hatte, das ihm gefiel, musste er sich an die Regeln halten, wenn er sie kennenlernen wollte. Mrs Gelbman kannte jeden in der Gemeinde, und nur sie konnte das Mädchen anrufen und die Partie vorschlagen. Er stellte sich die *Jente* vor, wie sie ihren Ringordner an sich presste und ein hyänenhaftes Grinsen ihre spröden Lippen spannte, als sie lockend einen Finger krümmte.

Aber zuerst musste er seine Mutter davon überzeugen, dass Chani Kaufman ein Treffen wert war. Sie stand nicht auf der Liste passender Kandidatinnen, die sorgsam aus den Reichen und Wichtigen ihrer Gemeinde ausgewählt worden waren. Zweifelsohne hatte seine Mutter noch nie etwas von den Kaufmans gehört.

Sie telefonierte im Wohnzimmer. Sie lag auf dem Sofa, die Füße überkreuzt, ein Kissen stützte den Kopf. Ihre Stöckelschuhe lagen auf dem Boden, die grausamen Pfennigabsätze entschärft. Das Telefon ruhte auf ihrem Bauch und hob und senkte sich mit jedem Atemzug. Sie drehte die Schnur um ihre manikürten Finger, deren lange Nägel korallenrosa lackiert waren.

Seine Mutter lächelte ihn müde an, setzte aber ihr Gespräch fort.

»Ich weiß, Shoshi, es gibt nichts, was wir da tun können, wir müssen einfach abwarten.«

Seine Mutter schwieg. Undeutlich hörte er dringliches Geplätscher aus dem Hörer. Baruch setzte sich neben ihre Füße. Sie wackelte mit den Zehen und zog die Augenbrauen hoch. Er wartete und beobachtete ihr Gesicht.

»Es wird alles okay sein. Hör zu, es ist normal, dass das erste Baby sich Zeit lässt. Erinnerst du dich an meine Nichte Sora-Malka? Sie war zwei Wochen über dem Termin, und plötzlich beim Abendessen bekam sie Wehen, und ihr Mann half ihr, das Baby innerhalb von zehn Minuten direkt da auf dem Küchenfußboden zur Welt zu bringen, noch bevor der Rettungswagen eintraf!

*Baruch HaSchem* war alles in Ordnung. Die Sanitäter mussten sich nur noch um die Nachgeburt kümmern.«

»Mum… Mum…«, flüsterte er und stupste sie sanft.

»Shoshi-leh, ich muss jetzt aufhören. Baruch ist hier. Er muss etwas mit mir besprechen… Ja, werde ich… *Im jirtse HaSchem*, alles wird gut. Tschüs, Shoshi, tschüs… ja, werde ich… okay… tschüs.«

Seine Mutter ächzte, als sie sich aufsetzte, legte den Hörer auf und seufzte vernehmlich. Automatisch wanderten ihre Hände nach oben, um den Sitz ihrer Perücke zu kontrollieren. Es war ein kupferfarbenes Kunstwerk, das ihr in lockeren Wellen auf die Schultern fiel. Das Haar war dick und glänzend und wirkte absolut natürlich. Die Perücke stand seiner Mutter gut, und er wusste, dass sie seinen Vater eine Menge gekostet hatte.

»Diese Frau hört gar nicht wieder auf zu reden! So eine Klatschtante! Sie lässt dich übrigens grüßen. *Nu*, Baruch? Was kann ich für dich tun? Wie war es heute in der *Jeschiwa*? Hast du für Mrs Goldmeyer gebetet? Ihr Zustand ist wirklich ernst. Ihre Nachbarn zweifeln daran, dass sie es noch einmal schafft. Die arme Frau.«

Jetzt oder nie. »Mum, ich muss mit dir über ein Mädchen reden.«

Die Finger seiner Mutter erstarrten. Ihre Augen weiteten sich, die Wimpern von Mascara verklebt. »Ein Mädchen? Ich dachte, du wärst noch nicht bereit für Mädchen. *Das* sind ja mal interessante Neuigkeiten!… Was für ein Mädchen? Ist sie eine von uns? Jemand, den ich kenne? Ich hoffe doch. Kenne ich ihre Familie? *Nu?* Erzähl schon!« Seine Mutter boxte ihn ausgelassen.

Zögerlich begann Baruch. »Ähm, du hast wahrscheinlich noch nicht von ihr gehört, ich meine, ich kenne die Familie nicht…«

»Spuck's aus, Baruch! Wie heißt sie?«

»Chani Kaufman.« So. Er hatte es gesagt.

»Kaufman… Kaufman… hmmm… Ich kenne eine Mrs Haufman… nein, noch nie gehört… Sind sie aus Golders?«

»Mum, das weiß ich nicht. Ich kenne nur ihren Namen. Ich habe sie auf der Vishnevski-Hochzeit gesehen –«

»Du hast sie gesehen? Ich dachte, ein guter jiddischer Junge wie mein Sohn schaut keine Mädchen an…«, neckte ihn Mrs Levy.

»Na ja, ich war spät dran und musste mich durch den Frauenbereich schleichen. Es war ziemlich peinlich – alle diese Frauen, die so taten, als würden sie mich nicht sehen, dabei haben sie mich die ganze Zeit beobachtet –«

Seine Mutter prustete vor Lachen. »Du warst ja auch kaum zu übersehen, nicht wahr? Du bist also wie ein *Ganew* herumgeschlichen, und was dann? Erzähl weiter!«

»Ich versuch's ja, Mum, aber du unterbrichst mich die ganze Zeit.«

»Okay, okay, ich bin ja schon ruhig.« Seine Mutter machte eine Reißverschluss-Geste und presste die Lippen zusammen. Ihre Augen quollen fast über vor Neugier.

»Also, ich habe versucht, nicht hinzugucken, ehrlich, Mum, ich habe es wirklich versucht, aber es ging nicht anders, denn da stand sie, mit dem Rücken zu mir, und hat sich mit einer Freundin –«

»Du hast nur ihren Rücken gesehen?«

»*Mum!* Lass mich ausreden. Ich habe nur ihren Rücken gesehen, und, na ja, sie hat wirklich nett ausgesehen –«

»Einen netten *Tuches* wird sie gehabt haben!«

»*Mum!*« Baruch funkelte sie wütend an.

»Okay, okay – tut mir leid. Entschuldige.« Seine Mutter schaute in gespielter Reue zu Boden.

»Also, sie ist mir aufgefallen. Sie hatte irgendetwas an sich – ihr Haar –, ich weiß nicht …«

»Was hat sie denn für Haare?«

»Glänzend und schwarz … lang, denke ich. So weit ich mich erinnere, war es zusammengebunden zu einem dieser … weißt du, so wie Malka ihre Haare immer hat?«

»Einem Pferdeschwanz?«

»Ja – wie auch immer«, beeilte sich Baruch zu sagen, um nicht noch weiter abschweifen zu müssen. »Ich mochte einfach, wie sie aussah, wie sie dastand. Sie war schlank und zierlich. Aber ich konnte ja schlecht da stehen bleiben und warten, bis sie sich umdreht. Also bin ich weitergegangen zu den Männern, und als keiner hingesehen hat, haben Avromi, ich und ein Typ namens Shmuel durch ein Loch in der *Mechiza* geguckt –«

»Mein Sohn späht durch die *Mechiza*! Baruch! Na ja, zumindest ist sie schlank«, sagte seine Mutter, die sich köstlich amüsierte.

»Mum! Ach, komm, was hätte ich denn machen sollen, ich musste schließlich ihr Gesicht sehen und herausfinden, wer sie ist.«

»Natürlich. Und wie sah es aus, ihr Gesicht? War sich dieses Mädchen eigentlich dessen bewusst, dass ein paar Jungs sie beobachten?«

»Na ja, ihre Freundin hat mich dabei erwischt, wie ich sie angestarrt habe, und ich denke, sie hat ihr gesagt –«

»Und sie ist einfach stehen geblieben und hat dich gucken lassen? Das lässt ja tief blicken, Baruch …«

»So war es nicht, Mum. Es ging alles sehr schnell. Wie auch immer, ich war an einem Ort, an dem ich mich eigentlich nicht aufhalten sollte. Es war nicht ihre Schuld.«

»Und ihr Gesicht?«, insistierte seine Mutter.

»So weit ich es erkennen konnte, ist sie sehr hübsch. Das fand Avromi auch, und der andere Typ –«

»*Nu?* Details? Details, Baruch. Welche Farbe hatten ihre Augen? Die Nase – wie groß?«

»Mum, du bist unmöglich … Ich glaube, sie hat dunkle Augen, wahrscheinlich braun. Sie ist blass und, na ja, wirklich hübsch … klein. Ach, ich *weiß es nicht*. Sie gefiel mir einfach. Und Shmuel wusste, wer sie war, weil sein Bruder eine ihrer älteren Schwestern geheiratet hat.«

»Blass, hast du gesagt? Hört sich so an, als wäre sie eine *Aschkenasin*. *Baruch HaSchem* – ich will keine *Sephardin* als Schwiegertochter, die machen nichts als Ärger. Wer ist dieser Shmuel?«

»Irgendein Typ. Er war sehr nett. Ein richtiger *Mentsch*. Aber ich kenne ihn nicht näher – er ist ein Bekannter von Avromi.«

Er beobachtete seine Mutter, während sie über die spärlichen Fakten grübelte, und wartete auf ihr Urteil. Er hatte das Gefühl, dass es nicht besonders günstig ausfallen würde.

»Baruch, ich kenne die Familie nicht, und du weißt, wie ich über Familien denke. Sie müssen vom richtigen

Schlag sein. Ich bin nicht gerade glücklich darüber, dass ich noch nie von diesem Mädchen gehört habe.«

»Ich wusste es! Die Erste, für die ich mich ernsthaft interessiere, und schon gibt es ein Problem.«

»Baruch, du kennst die Regeln. Dein Vater und ich müssen dem Treffen zustimmen. Was ist mit der Tochter der Rosens, die wir dir vorgeschlagen haben? Oder Libby Zuckerman? Beide sind reizende *heimische* Mädchen – intelligent, hübsch, fromm und beide dünn wie Bohnenstangen. Was gibt es da auszusetzen?«

»Ich will sie mir selbst aussuchen. Ich mag die Rosens nicht, sie sind arrogant, und was Libby angeht, ich bin nicht ihr Typ – ich weiß, dass ich es nicht bin.«

»Nicht ihr Typ? Schau dich an, groß, gutaussehend, ein *Jeschiwa*-Schüler, ein *Mentsch*. Du bist mein Sohn, was soll sie an dir nicht mögen? Libby und du, ihr seid praktisch miteinander aufgewachsen – wir kennen die Familie seit einer Ewigkeit. Mrs Zuckerman sagt, sie wäre entzückt, wenn ihr beiden ein Paar würdet.«

Enttäuscht starrte Baruch auf den Tisch. Er hatte gewusst, dass seine Mutter es nicht gutheißen würde.

»Gib Chani eine Chance, Mum – das ist unfair. Ich mag sie und möchte sie kennenlernen. Bitte, hilf mir doch«, murmelte er.

Mrs Levy lenkte ein. »Okay, Baruch. Ich will, dass du glücklich wirst. Es ist meine Pflicht, eine Frau für dich zu finden, die du magst. Ich spreche zuerst mit deinem Vater und hole mir seine Zustimmung. Dann gehe ich zu Mrs Gelbman und frage sie, ob sie Chani Kaufman kennt. Sie steht vielleicht auf ihrer Liste.«

»Danke, Mum. Echt, vielen Dank.« Baruch drückte die Hand seiner Mutter.

Mrs Levy lächelte gewinnend. »Unter einer Bedingung.«

»Ja? Welche?«

»Sollte sie aus keiner akzeptablen Familie kommen, wirst du ein passenderes Mädchen treffen.«

»Okay. Aber bitte, gib ihr eine Chance«, drängte Baruch.

»Eine Chance. Wenn dein Vater zugestimmt hat, rufe ich Mrs Gelbman an und arrangiere so schnell wie möglich ein Treffen.« Seine Mutter griff zum Telefon.

»Danke, Mum.« Er umarmte seine Mutter und küsste ihre Wange.

Baruch konnte förmlich spüren, dass es Probleme geben würde.

## 12

# Avromi.

## September 2007 – London

Sie hatten sich in Avromis Jura-Tutorium kennengelernt, gleich am ersten Tag. Sie hatte sich neben ihn gesetzt, dichter, als ihm lieb war, doch um den Tisch war es eng. Avromi hatte sich bewusst den Platz neben einem männlichen Studenten ausgesucht, doch der Raum füllte sich schnell, und zu seinem Entsetzen bestand die Hälfte der Gruppe aus jungen Frauen. Er hatte nicht mit so vielen Jurastudentinnen gerechnet. Genaugenommen hatte er nicht erwartet, dass es an der Universität überhaupt so viele Mädchen gab.

Sie waren einfach überall. Er war von einer Fülle weiblichen Fleisches umgeben, und manchmal war der unbekümmerte Überfluss von Beinen, Armen, Hüften und Brüsten mehr, als er ertragen konnte. Der Anblick schien ihn zu verspotten. Er schaute fort, doch dann tänzelte vor ihm im Korridor ein entzückender runder *Tuches*, eingepackt in eine hautenge Jeans.

Inzwischen verstand Avromi, warum sein Vater ihn nicht an die Uni hatte gehen lassen wollen. Wenn seine Mutter nicht darauf bestanden hätte, nachdem er die Schule in allen Fächern mit Bestnoten abgeschlossen hatte, wäre er nicht hier. Es war ihr Wunsch gewesen, sollte ihm das Gehalt eines Rabbis einmal nicht ausreichen. Sein Vater hatte zähneknirschend zugestimmt, wenn Avromi direkt nach dem Examen zur *Jeschiwa* überwechselte. Es war schwer vorstellbar, dass seine Eltern auch einmal Studenten gewesen waren. Sie hatten sich sogar an der Universität kennengelernt.

Als das Mädchen neben ihm sich vorbeugte, um zu schreiben, fiel ihm die weiche Haut direkt unter dem Kieferknochen auf, unter der er den Puls pochen sah. Das dunkle Haar war zu einem schicken Bob geschnitten, und die glänzenden Locken umgaben ihre hohen Wangenknochen und verliehen ihrem Gesicht etwas Sanftes. Ihr Teint war milchkaffeebraun, und sie war schlank, doch unter ihrer Weiblichkeit lauerte etwas unbestreitbar Rauhes. Sie trug eine abgewetzte Lederjacke, und unter dem Tisch erspähte er einen kurzen, engen Rock und lange Beine in schwarzen Strumpfhosen. Er wich ihrem Blick aus und sortierte konzentriert seine Unterlagen.

Jedes Mal, wenn sie sich bewegte, nahm er einen frischen, fruchtigen Duft wahr. Avromi zog seinen Stuhl einige Zentimeter von ihr weg. Das Mädchen warf ihm einen Blick zu und lächelte warm und offen.

»Entschuldige, habe ich dich eingequetscht?«, flüsterte sie.

»Nein, gar nicht, es ist nur ein bisschen eng hier drinnen.«

»Ja, nicht wahr? Hi, ich heiße übrigens Shola.«

»Ich bin Avromi.«

»Avromi? Ungewöhnlicher Name, woher kommt er?«

»Oh, das ist jiddisch, eine Kurzform von Abraham. Woher kommt Shola?«

»Shola ist nigerianisch, mein Dad ist Nigerianer und meine Mum Engländerin.«

»Verstehe. Schöner Name.«

»Jiddisch hast du gesagt? Heißt das, du bist...«

»Jüdisch?«

»Ja. Ich wohne in Stoke Newington, dort gibt es einige orthodoxe Juden. Dein Anzug und die kleine schwarze Kappe kommen mir bekannt vor.«

»Ja, ich bin einer von denen – na ja, nicht *genau* wie sie, sie sind ultrafromm, ich meine ultrareligiös. Ich wohne in Golders Green, und wir sind ein bisschen anders. Andere Gemeinde, dieselbe Religion – so ungefähr.« Er hatte das Gefühl, dummes Zeug zu reden, aber Shola starrte ihn an, mit leicht geöffnetem Mund.

»Wow – ich habe eigentlich noch nie mit einem von euch gesprochen. Ihr scheint sehr, na ja, abgeschieden zu leben.«

»Ja. Das stimmt leider. Aber wenn ich darüber nachdenke, habe ich auch noch nie jemanden wie dich näher kennengelernt.«

Um ihre Augen bildeten sich Lachfältchen, und sie schnaubte kurz.

»Jemanden wie mich? Und wie genau bin ich?«, neckte sie ihn mit schiefgelegtem Kopf. Während sie auf Antwort wartete, kaute sie auf ihrem Bleistift.

Zu allem Überfluss begann sein Gesicht zu glühen. Shola hob fragend eine perfekte Augenbraue.

»Ich meine, weißt du, du bist, du bist…« Er hob die Hände in einer hilflosen Geste.

»Schwarz? Oder weiblich? Was davon?«

»Genaugenommen beides«, murmelte er.

»Na, dann ist es ja für uns beide das erste Mal. Freut mich, dich kennenzulernen, Avromi«, sagte sie und streckte ihm eine Hand hin.

Avromi betrachtete die kleine braune Handfläche, und die Röte breitete sich bis über seine Ohren aus. Er versuchte zu lächeln.

»Shola, es tut mir total leid, ich würde dir wirklich gern die Hand schütteln, aber mir ist es nicht erlaubt, Mädchen zu berühren.«

Ungläubig klappte Sholas Mund auf. Blitzartig zog sie die Hand zurück.

»Du meinst, du kannst noch nicht mal meine Hand schütteln, weil ich ein Mädchen bin?«

Avromi nickte traurig.

»Wow, das ist ziemlich *hardcore*. Gilt diese Regel für dein ganzes Leben oder nur im Moment?«

»Bis ich verheiratet bin.«

»Verdammt«, sagte Shola, »das ist sicher nicht einfach.«

»Stimmt«, seufzte Avromi. »Ich meine, ich kann meine Schwester umarmen und meine Mum…«

»Uh-uh«, Shola kaute weiter nachdenklich an ihrem Stift und schaute ihn an.

In diesem Augenblick betrat der Tutor den Raum und begrüßte die Studenten. Avromi dankte *HaSchem* für diese Ablenkung. Er war aufgewühlt und haderte mit sich. So hatte er sich noch nie gefühlt, aber er war auch noch nie zuvor einer *Gojete* so nahe gekommen, noch dazu einer, die so direkte Fragen stellte. Ihre offene und freimütige Art gefiel ihm, obwohl sie ihn total verunsicherte. Stärker jedoch verunsicherte ihn ihre unbestreitbare Schönheit.

# 13

# Die Rebbetzin

## August 1982 – Jerusalem

»Komm, und schau dir die *Schul* an. Es sind nur ein paar Gehminuten von hier.« Er zog an ihrer Hand, doch sie blieb stehen. Sie wollte nach Hause. Die Einkäufe vom Mahane-Yehuda-Markt, die sie gerade in langwieriger Prozedur ausgesucht hatten, waren schwer. Es war heiß, und sie sehnte sich nach der schattigen Kühle ihres Zimmers.

Obwohl sie nicht länger das Bett teilten, sahen sich Rebecca und Chaim weiterhin jeden Tag. Auch ohne die physische Intimität vertiefte sich ihre Beziehung. Chaim betete inzwischen täglich in einer Synagoge des Viertels. Oft tauchte er erst Stunden später wieder auf, mit einem ekstatischen Lächeln im Gesicht, leuchtenden Augen und heiserer Stimme. Rebecca zog es vor, an die Klagemauer zu gehen. Shifra musste sie nicht länger begleiten. Sie genoss die wechselnden Lichtverhältnisse und unterschiedlichen Stimmungen zu den verschiedenen Tageszeiten. Zu den Gebetsstunden pulsierte der Ort vor Lebendigkeit, und sie wurde ständig von Gottesfürchtigen angerempelt. Zu anderen Zeiten war der Hof fast leer, und es lag ein leiser Frieden über der heiligen Stätte.

Um die Mittagszeit reinigte das Sonnenlicht das Gemäuer, und der einzige Schatten war in den Rissen der Steine zu finden. Es war ein Ort der Verehrung und der Gebete, fest verbunden mit Zeit und Raum.

»Chaim, hör auf zu nerven. Ich schaue es mir an, wenn ich so weit bin.«

»Das sagst du ständig. Bitte. Nur dieses eine Mal. Es liegt auf dem Weg zur Bushaltestelle. Nur für fünf Minuten.«

»Okay, weil du es bist«, seufzte sie.

Er lächelte strahlend und begann, sie immer schneller durch das Gewirr sich windender Straßen zu führen. Schon bald erreichten sie eine geschäftige Hauptstraße, an der sich graue heruntergekommene Gebäude reihten. Vor einer Metalltür mit Vorhängeschloss blieb Chaim stehen. Sie war schmal und schief. Es gab keine Fenster. Es war der Eingang zu einem Bunker.

»Hier?«

»Yep.« Liebevoll tätschelte er die Tür.

»Du willst mich wohl auf den Arm nehmen. Eine *Schul* in einem alten Bunker?«

»Ergibt doch irgendwie einen Sinn, oder? An einem Ort zu *HaSchem* zu beten, an dem die Menschen Schutz vor Raketen suchen – etwas Negatives in etwas Positives verwandeln.«

»Aber was, wenn es einen Angriff gibt? Wo gehen die Leute aus dieser Gegend dann hin?«

»Er wird immer noch als Bunker benutzt. Da passen eine Menge Menschen rein, glaub mir. Und er ist tief.«

»Bekommt man da keine Platzangst?«

Er lächelte und schüttelte den Kopf. »Becca, es ist großartig. Die Atmosphäre wird dadurch nur noch besser. Bitte, komm heute Abend mit. Bitte.«

Plötzlich war sie neugierig. Sie war noch nie in einem Bunker gewesen.

Noch vor Sonnenuntergang kehrten sie zurück. Ein paar Männer mit gehäkelten weißen *Kippot* und in lockeren weißen Hemden hatten sich vor der Metalltür versammelt, die nun offen stand und von einem Ziegelstein gehalten wurde. Ihr Blick fiel auf eine lange Reihe Betonstufen, die in die Finsternis hinunterführten. Eine einzelne nackte Glühbirne erleuchtete die ersten zehn oder zwölf Stufen. Nirgendwo befand sich ein Hinweis, dass hier eine *Schul* war, kein Schild, kein Zeichen. Es hätte ebenso gut der Eingang einer Kellerbar oder eines Nachtclubs sein können, nur dass das Publikum merkwürdig freundlich und harmlos wirkte, in seiner weiten Kleidung mit den baumelnden *Tallit*-Fransen. Sie begrüßten Chaim mit warmem Lächeln; einer umarmte ihn sogar. Ihre Stimmen waren sanft, ihr Singsang schwingend und fremd. Zu ihren Füßen lagen diverse Musikinstrumente. Einer trug eine Gitarre auf dem Rücken.

Chaim stellte Rebecca vor, und sie lächelten und nickten, doch sie schüttelten ihr nicht die Hand. Derjenige, der Chaim umarmt hatte, stellte sich als Yossi vor. Er war klein, strohblond und trug eine Brille. Seine Augen leuchteten vor Freundlichkeit und Fröhlichkeit. Er erinnerte Rebecca an einen Hobbit.

»Meine Schwester kommt noch mit einigen ihrer Freundinnen, und ich werde sie dir vorstellen«, sagte Yossi strahlend. »Mach dir keine Sorgen, du wirst dich hier nicht einsam fühlen.«

»Danke. Das ist sehr aufmerksam von dir.«

»Kein Problem. Amüsier dich gut. Entschuldige, aber wir müssen jetzt aufbauen. Wir sehen uns später, Chaim.«

Er wandte sich zum Gehen, unter jedem Arm eine Bongotrommel. Langsam lösten sich noch andere aus der Gruppe und folgten ihm. Chaim wartete schweigend an ihrer Seite. Sie drehte sich zu ihm um und hob eine Augenbraue.

»Bongos?«

Chaim grinste geheimnisvoll. »Du wirst schon sehen. Lass uns reingehen. Yossis Schwester wird dich schon finden.«

Die Tür zum Bereich der Frauen war nicht zu verfehlen. Drinnen waren die Stufen gut beleuchtet, das Neonlicht wurde von den dicken, glatten Betonwänden zurückgeworfen. Moskitos und Motten bewegten sich in einem verrückten, schwirrenden Tanz um die Lampen. Sie tauchte ein und stützte sich beim Gehen tastend an der Wand ab.

Der Raum war lang und nicht besonders hoch und wurde von Paravents aus weißem Stoff unterteilt, durch die sie das Donnern männlichen Gelächters hören konnte. Sie versuchte vergeblich, Chaims Stimme auszumachen.

Der Raum für die Frauen war noch fast leer. Er war nicht besonders schön, die Ausstattung schlicht und funktional, und betonte die nackte Betonhülle. Der oliv-grüne Teppich war schmutzig. Es roch ein wenig nach Schimmel, und wo die verputzten Wände auf die Decke trafen, schimmerten eigenartige feuchte Stellen.

Weiße Plastikstühle waren zu ordentlichen Reihen angeordnet, die auf der Hälfte aufhörten und vor dem *Tora*-Schrein eine große Fläche frei ließen. Passend zum Rest handelte es sich dabei nur um eine schlichte Nische in der Mauer, die von einem dunkelblauen, mit goldenen hebräischen Buchstaben bestickten Samtvorhang verdeckt wurde. Ein paar Frauen lehnten an den Wänden, schwatzten und lächelten. Einige waren jung und unverheiratet und trugen wie Rebecca keine Kopfbedeckung. Andere verbargen ihr Haar unter einem Barett oder Kopftuch. Es war keine Perücke zu sehen, doch sie war sich sicher, dass noch einige auftauchen würden.

Nach und nach füllte sich der Raum, und es wurde warm. Alleine oder in Grüppchen kamen Frauen die Treppe herunter und begrüßten einander warmherzig. Kinder rutschten auf dem Boden herum, kreischten und rannten hin und her. Der Geräuschpegel stieg.

Rebeccas spürte den Schweiß im Gesicht und im Nacken, ihr Haar fühlte sich schwer an. Sie rutschte unbehaglich auf dem Stuhl umher. Selbst die Wände schienen zu schwitzen. Sie fragte sich, wie lange sie es noch aushielt.

Jemand berührte sie an der Schulter, und Rebecca fuhr herum. Vor ihr stand eine stämmige Frau. Blonde Locken hatten sich aus ihrem Zopf gelöst und umrahmten ihr pausbäckiges Gesicht wie ein Heiligenschein. Zwei haselnussbraune Augen sahen sie an.

»Bist du Becca?« Der Akzent klang leicht amerikanisch.

»Ja, du musst Yossis Schwester sein.«

Sie grinste. »Genau die bin ich – die Strafe für meine Sünden. Ich heiße Tovah. Komm, setz dich zu uns. Ich habe gehört, du bist zum ersten Mal hier, richtig?«

»Ja. Wird es hier drinnen noch wärmer?«

»Ja, es ist warm, aber wenn es so weit ist, merkst du die Hitze gar nicht mehr. Gehört dazu, wenn man einen Gottesdienst in einem überfüllten Bunker abhält. Die Klimaanlage ist kaputt, und wir sammeln immer noch Geld, um sie zu reparieren. Aber was ist schon ein bisschen Schweiß unter Freunden?«

»Stimmt«, pflichtete Rebecca bei und dachte sehnsüchtig an den oberirdischen kühlen Jerusalemer Abend. Sie könnte jetzt mit Shifra durch die Straßen und die frische Brise laufen.

Tovah führte sie hinüber zu drei jungen Frauen, die ganz in der Nähe der Heiligen Lade an der Wand lehnten. Hier lief ein großer Ventilator, und sie schob sich so dicht heran, wie es ging, ohne unhöflich zu erscheinen. Die Mädchen schienen in ihrem Alter zu sein. Als Kopftuch trugen zwei von ihnen leuchtend bunte, lange Schals. Ihre Beine waren nackt, und unter ihren langen Zigeunerröcken lugten braune Füße in Sandalen hervor. Bereits verheiratet. Sie war überrascht, wie jung sie waren.

»Das ist Becca. Becca, das sind Marty, Rahel und Suri.«

Eine nach der anderen lächelte, nickte freundlich und vergrößerte den kleinen Kreis, um sie einzubeziehen.

Bevor sie Zeit hatten, Höflichkeiten auszutauschen, ging ein dicker, untersetzter Mann mit einem Vogelnest-Bart auf eine kleine Plattform zu.

Der Rabbi breitete die Hände weit aus, und alle verstummten.

»Freunde, es ist wunderbar, so viele von euch hier zu sehen. Kümmert euch bitte um die Neuankömmlinge, sorgt dafür, dass keiner allein ist. Es wird ein phantastischer Gottesdienst werden, das spüre ich jetzt schon. Die von euch, die freundlicherweise ihre Instrumente mitgebracht haben –« Das Flirren eines Tamburins unterbrach den Rabbi, der gluckste und mit einer Hand wieder um Ruhe bat.

»Sieht so aus, als könnten es einige gar nicht erwarten, dass ich aufhöre. Also, stimmt mit ein, wann immer ihr mögt. Ihr kennt die Melodie, und selbst wenn nicht, werdet ihr sie schnell lernen.«

Die tiefe, volle Stimme des Kantors wogte durch den Raum. Plötzlich nahmen ihr sich wiegende Frauen die Sicht. Zu ihrer Rechten spielte irgendwo eine Violine. Die Männer antworteten wie ein Echo und folgten der Leitstimme des Kantors. Jemand begann, eine Trommel zu schlagen, und dann antwortete eine andere Trommel. Und noch eine. Und noch eine. Der Bunker erbebte in ihrem Rhythmus. Schon bald war die Luft erfüllt mit einer klangvollen Melodie und unwiderstehlicher Energie.

Die Psalmen wurden auf Hebräisch gesungen. Sie kannte weder den Wortlaut noch die Bedeutung, doch das spielte keine Rolle. Ihre Füße klopften im Takt. Einige der Frauen hielten ihr Gebetbuch fest an sich gepresst und sangen mit geschlossenen Augen, das Gesicht der Decke zugewandt.

Tovah stupste sie leicht und zeigte auf die Seitenzahl in ihrem Gebetbuch. Auf der gegenüberliegenden Seite war eine Übersetzung abgedruckt. Rebecca begann zu lesen, doch sie wurde von beiden Seiten angerempelt. Tovah grinste entschuldigend. »Mach dir keine Gedanken über die Worte oder darüber, dem *Siddur* zu folgen, du kannst auch summen, wenn du willst. Es spielt keine Rolle.« Rebecca klappte das Buch zu und überließ es ihren Füßen, sich den Weg durch den Psalm selbst zu suchen.

Dann veränderte sich die Melodie, und aufgeregt erkannte sie eines der Lieder wieder, die freitags abends an der Mauer gesungen wurden. Der Refrain war ihr vertraut. Sie sang die Worte nur flüsternd mit, um nicht auf sich aufmerksam zu machen. Sie liebte dieses Lied. Es war wunderschön, mystisch und bedeutungsvoll, ja sogar sinnlich.

*»Komm, mein Geliebter, um die Braut zu begrüßen – Der Ankunft des Sabbat lasst uns freudig entgegensehen!«*

Der *Schabbes* wurde mit einer jungen Frau verglichen, und obwohl die Identität des mysteriösen »Geliebten« ein Geheimnis blieb, berührte sie die Vorstellung eines Bräutigams, der unter dem Baldachin wartete, während seine prächtig gekleidete Braut sich ihm näherte.

In der schweißnassen Menge spürte sie, wie die Musik sie hochhob. Ihre Füße stampften und trampelten im

Takt. Ihre Kleidung klebte an ihrem Körper, doch sie konnte nicht aufhören. Sie tanzte und wiegte sich und sang. Ein Lied folgte auf das andere, und der Rhythmus wirbelte durch den Raum, die Männer wurden lauter und ausgelassener, und schon bald sangen auch die Frauen ohne Hemmungen.

Tovah ergriff ihre Hand und zerrte sie mit nach hinten. Kichernd folgte Rebecca.

»Wohin gehen wir?«, rief sie.

»Die Männer beobachten. Los, komm.«

Sie gingen um die *Mechiza* herum und sahen die Männer in einer langen, sich windenden Reihe tanzen, die sich um sich selbst schlängelte, angeführt von dem sich fieberhaft bewegenden Rabbi. Sie schüttelten die Tamburine über ihren Köpfen und schlugen auf Trommeln, die ihnen um die Hälse hingen. Chaim tanzte auf der anderen Seite des Raumes, den Kopf zurückgeworfen, die Augen geschlossen, mit weit geöffnetem Mund singend, vollkommen im Moment versunken. Ein kleines Mädchen saß lachend auf den Schultern seines Vaters, während dieser durch den Raum galoppierte, und krallte sich an ihm fest, die kleinen Füße wippten in der Luft auf und ab.

Die Nacht wurde länger, und der Bunker vibrierte von spiritueller Energie, bis die Gläubigen erschöpft und schwindelig vor Glück in die frische Nachtluft hinausstolperten und sich auf den Heimweg machten.

Rebecca und Chaim gingen in einvernehmlichem Schweigen durch die mondbeschienenen engen Straßen. Es war nach Mitternacht.

»Also, wie hat es dir gefallen?«, fragte er und spähte verstohlen in ihr grinsendes Gesicht.

»Ich fand es großartig. Ich hatte einen tollen Abend.« Sie blieb stehen und wandte sich ihm zu. »Danke.«

Im Dunkeln sah sie seine Zähne schimmern.

»War es das also wert?«

»Definitiv. Chaim«, sagte sie, »ich glaube, ich bin so weit. Lass uns heiraten.«

Schweigend gingen sie ein paar Schritte weiter. Ihr Geständnis ließ ihr Herz schwerelos werden.


Am Spätnachmittag, als die Schatten länger wurden und zu einer vielversprechenden kühlen Dunkelheit verblassten, eilte Rebecca von der *Mikwe* nach Hause. Sie trippelte durch die engen Gassen, die Steinwände glühten noch immer von der Hitze des Tages. Unter ihrem noch feuchten Kopftuch rann das Wasser hervor und zwischen ihren Schulterblättern hinunter und sorgte für eine willkommene Abkühlung.

Ihre Haut glühte, jede Pore sauber und rein. Sie hatte sich eingecremt, in die Kniekehlen, hinter die Ohren und in die Armbeugen Parfum getupft. Ihre Beine waren glatt und weich. Sie hatte mit einem Rasierer über ihre Achseln geschabt, bis es weh tat, doch sie wollte perfekt sein. Chaim hatte sie vierzehn Tage nicht berührt, ihre Periode hatte länger gedauert als gewöhnlich. Der Gedanke, endlich wieder nackt, Haut an Haut mit ihrem Ehemann zu liegen, ließ ihren Unterleib sich vor Verlangen zusammenziehen. Sie dachte an das Lachen und die leise Unterhaltung hinterher und seufzte voller Ungeduld. Seit fünf Monaten waren sie verheiratet, doch noch immer war sie nach jedem *Mikwe*-Besuch aufgeregt. Sie liebte das ganze Ritual; Ebbe und Flut ihrer Beziehung, die von ihren Zyklen bestimmt wurde, hatten an Bedeutung gewonnen. Ihre Blutungen waren nicht länger etwas Lästiges, sondern standen für die Möglichkeit, mit ihrem Mann neues Leben zu erschaffen oder sich nach einer Zeit der Enthaltsamkeit gegenseitig Glück zu schenken.

Über ihr zogen Möwen vor dem dunkler werdenden türkisfarbenen Himmel mühelos ihre Kreise. Sie konnte in den Innenhöfen der kleinen Häuser Kinder spielen hören – ein Ball prallte irgendwo dagegen, und eine Frauenstimme schimpfte. Vielleicht würde *HaSchem* diesmal auf ihre Gebete antworten, und sie würde endlich schwanger werden. Sie hob den Rock und sprang die Stufen zu ihrer Wohnung hoch, immer zwei auf einmal.

Drinnen war es kühl und schummrig. Sie schaltete das Licht an. Die Jalousien klapperten in der abendlichen Brise, und Motten warfen sich gegen das Küchenfenster. In dem staubigen, vernachlässigten Garten unten schlossen sich scharlachrote Hibiskusblüten zur Nacht, und Dattelpalmen zitterten und schwankten.

Rebecca liebte es, wenn sich so wie jetzt die Sehnsucht nach Intimität mit süßer Vorfreude mischte. Sie musste noch das Abendessen zubereiten. Sie rührte, schnippelte, zerstieß, mischte und briet, jede Zutat brachte ihn näher zu ihr, jeder Handgriff war voller Liebe. An diesen Abenden kochte sie besonders sorgfältig, die Speisen waren fein gewürzt und auf den Punkt gegart, als könnte man ihr Verlangen schmecken.

Sie deckte den Tisch und summte, als sie die Weingläser polierte und in Töpfen rührte. Dann drehte sie die Gasflamme herunter und ließ die Suppe und die Saucen leise vor sich hin köcheln. Sie musterte sich im Spiegel und bemerkte die geröteten Wangen und die großen glänzenden Augen. Schließlich nahm sie die Brosche ab, die sie seit Beginn ihrer Periode als Warnung für Chaim getragen hatte, damit er vermied, sie zu berühren. Sie legte sie auf den Tisch, in die Mitte zwischen ihre Teller.

Sein Schlüssel drehte sich im Schloss, und sie hastete zur Tür, um ihm zu öffnen. Ein Blick in ihr glückliches Gesicht genügte, dann nahm er sie in die Arme und drückte sie so fest, dass sie kaum noch atmen konnte. Er ging mit ihr rückwärts, bis sie an den Tisch stießen und die Weingläser umwarfen. Er begann, ihren Hals zu küssen, und seine Hand glitt über ihren Po. Sie lachte und verbarg ihren Kopf an seiner Brust und versteckte ein Grinsen. Dann wich sie zurück und schob ihn sanft in einen Sessel, gerade noch rechtzeitig, um die Suppe zu retten.

# 14

# Baruch. Chani.
## Mai 2008 – London

Mrs Levy musterte ihr Gesicht im Rückspiegel. Sie legte noch eine Schicht Lippenstift auf, zog eine Mascarabürste durch ihre bereits verklebten Wimpern und zupfte ihre Perücke zurecht. Sie tauschte ihre flachen Schuhe gegen hochhackige, schnappte sich ihre Handtasche und stieg aus dem Wagen, nur um ihre Eleganz in einer öligen Pfütze zu versenken. Sie hatte schon wieder zu weit vom Bürgersteig entfernt geparkt.

*»Feh!«*, rief sie angeekelt. Das Wasser war in ihre Schuhe geschwappt, hatte ihre Strumpfhose durchweicht und einen schmierigen Rand unterhalb ihres Fußknöchels hinterlassen.

Sie war spät dran und konnte nicht noch einmal umparken, also rutschte sie hinüber zur Beifahrertür. Nicht so schlimm. Es war eine ruhige Straße, und ihren Saab würde hoffentlich niemand anfahren.

Mrs Levy öffnete das kleine Holztor und klackerte den Zuweg hoch, ihr nasser Strumpf rieb unangenehm in ihrem Schuh. Gerade als sie klingeln wollte, schwang die Tür auf, und Mrs Gelbman lächelte sie huldvoll an.

Die beiden Frauen musterten sich. *Wie immer zu viel*

*Lippenstift*, dachte Mrs Gelbman. *So eine reizlose Frau*, dachte Mrs Levy zum x-ten Mal. *Und doch besitzt sie so viel Macht. Warum schafft sie sich nicht zumindest einen neuen* Scheitel *an?* Mrs Gelbman war wie immer in Schwarz gekleidet und erinnerte Mrs Levy an eine gigantische Kakerlake.

Sie umarmten sich nicht und schüttelten sich noch nicht einmal die Hände. Stattdessen nickten sie sich höflich zu und lächelten sich weiter an.

»Hallo, Mrs Gelbman. Wie geht es Ihnen?«

»*Baruch HaSchem*, Mrs Levy. Und Ihnen?«

»*Baruch HaSchem*, alles in bester Ordnung, Mrs Gelbman.«

»Wie kommen Yisroel und Tali zurecht? Ich habe gehört, sie ist wieder guter Hoffnung.«

»*Baruch HaSchem*, alles ist gut – danke, Mrs Gelbman. Und, ja, das Nächste ist auf dem Weg.«

»Das ist schön zu hören. Wunderbare Neuigkeiten. *Baruch HaSchem*.«

Mrs Gelbmans Blick glitt an Mrs Levy hinunter. Sie bemerkte den nassen Schuh und das verschmutzte Nylon.

»Ach, das ist nicht der Rede wert! Ich bin so ein Trampel und beim Aussteigen mitten in eine Pfütze getreten!«, schwatzte Mrs Levy.

Mrs Gelbman lächelte weiter, neigte jedoch verständnisvoll den Kopf und bat ihren beschmutzten Gast mit einer Geste herein. Mrs Levy berührte die *Mesusa*, küsste ihre Finger und trat über die Türschwelle.

»Kommen Sie herein, drinnen ist es warm, da trocknet das schnell. Darf ich Ihnen den Mantel abnehmen?«

»Ja, bitte.« Mit einer fließenden Bewegung streifte sie den bodenlangen Nerz ab und stöckelte ins Wohnzimmer.

Hier hatte sich seit dem letzten Mal nichts verändert. Das war vor zwei Jahren gewesen, als sie eine Braut für ihren zweitältesten Sohn Ilan gesucht hatte. Die elektrischen Kohlen glühten noch immer hinter ihrem Eisengitter. Über dem Kaminsims erinnerte die Ormolu-Uhr die unverheirateten Klienten daran, dass mit jedem sanften Ticken die Zeit verging und mit ihr ihr jugendlicher Charme. Auf jeder Seite der Uhr standen gerahmte Fotografien, Legionen von Gelbman-Sprösslingen, die von den Früchten einer erfolgreichen Verkupplung Zeugnis ablegten. Mr Gelbman war auf ewig in Schwarzweiß eingefroren. Ein guter Ehemann, geliebt, aber tot.

Vier kleine, schrumpelige Satsumas schmiegten sich an den Boden einer riesigen, venezianischen Glasschale. Mrs Levy beäugte sie misstrauisch. Sie lagen wahrscheinlich auch schon seit dem letzten Mal dort.

Mrs Gelbman schloss behutsam die Tür und ließ sich direkt gegenüber ihrer Besucherin in einem Chintzsessel nieder. Sie hielt sich aufrecht wie ein Stock und faltete die Hände im Schoß. Instinktiv setzte auch Mrs Levy sich gerade hin und hielt ihre Handtasche auf den Knien fest.

»Und was kann ich heute für Sie tun, Mrs Levy?«

Sie hatte den Fehdehandschuh geworfen. Der Kampf konnte beginnen. Erfrischungen wurden erst angeboten, wenn das Geschäftliche geklärt war. Mrs Gelbman hatte für Zeitverschwender nichts übrig, und da Mrs

Levy sich nach einer Tasse Tee sehnte, entschied sie, sich nicht mit Nebensächlichkeiten aufzuhalten.

»Nur eine Kleinigkeit, Mrs Gelbman. Eine, bei der Sie mir vielleicht helfen könnten.«

»Baruch, nehme ich an?«

»Ja-aah. Es handelt sich um Baruch.«

»Da kommen mir ein paar reizende Mädchen in den Sinn. Alle aus exzellenten *chassidischen* Familien mit den besten Referenzen –«

»Genau genommen, Mrs Gelbman, hat er jemanden gesehen, und ich frage mich, ob Sie das Mädchen oder die Familie kennen.«

»Jemanden gesehen?« Mrs Gelbman spähte an ihrer Adlernase vorbei in Mrs Levys Richtung. Ihre rechte Augenbraue hob sich in einem eleganten, einstudierten Bogen. Die Frau vor ihr fing an zu flattern wie ein Singvogel, gefangen in seinem goldenen Käfig.

»Ja, es ist etwas peinlich, aber er kam zu spät zum Tanz der Vishnevski-Hochzeit und musste durch den Bereich der Frauen schlüpfen, und, na ja, da war sie dann…« Dass ihr Sohn durch ein Loch in der *Mechiza* gelinst hatte, würde sie nicht erzählen.

Mrs Gelbman neigte ihren Kopf ein wenig. Mrs Levy fuhr eilig fort.

»Sie gefiel ihm. Ihr Name ist wohl Chani Kaufman. Kennen Sie die Familie?«

»Aber sicher kenne ich die Kaufmans. Eine gute Familie, sehr fromm. Sie wohnen in Hendon. Es sind einfache, anständige Leute. Tadelloser Stammbaum.«

»Aber einfach, sagten Sie?«

»Ihr Vater ist der Rabbi dieser winzigen *Schul* in der Bell Lane. Er lebt ausschließlich von seinen Bezügen und hat es geschafft, davon acht Töchter aufzuziehen.«

»Ist die Familie solvent?«

»Nun, Mrs Levy, wie soll ich es ausdrücken? Die Kaufmans sind nicht so, na ja ...«, Mrs Gelbman lachte kurz auf, »so solvent wie Sie und Ihr Mann.«

Sie wusste es. Baruch war einer mittellosen Schönheit verfallen.

Mrs Gelbman betrachtete die geknickte Mrs Levy. Es herrschte Stille im Zimmer, während jede Frau über ihren nächsten Schachzug nachdachte. Baruchs Interesse musste groß sein; groß genug, damit Mrs Levy sitzen blieb. Vielleicht kam ja doch eine Verbindung zustande. Langsam, aber sicher würde sie Mrs Levy ködern. Die Levys hatten sich in der Vergangenheit nicht lumpen lassen, solange ihren Söhnen nur die beliebtesten und respektabelsten Jungfrauen vorgestellt wurden, die die Gemeinde zu bieten hatte. Obwohl Chani nicht ganz diesen Vorgaben entsprach, wäre es dumm, einem geschenkten Gaul ins Maul zu sehen.

»Tee, Mrs Levy?«

»Oh, ja gerne, Mrs Gelbman. Zwei Stück Zucker. Aber keine Milch, ich habe zum Mittag ein Sandwich mit gepökeltem Rindfleisch gegessen.«

»Kein Problem. Wenn Sie mich kurz entschuldigen ...«

»Oh, ja, ja.«


Es war weder so, dass Mrs Levy ein hochnäsiger Snob war, noch Mrs Gelbman ausschließlich auf ihren Gewinn bedacht. Jede hatte eine Rolle zu spielen, und Vermählungen waren eine ernste Angelegenheit. Damit eine erfolgreiche Verbindung zustande kommen konnte, mussten beide Familien sich auf Augenhöhe begegnen. Sollte ein Korb voller sein als der andere, trat ein Ungleichgewicht auf, das eine ganze Reihe heikler Situationen nach sich zog, angefangen mit der Bezahlung der Hochzeit selbst. Normalerweise übernahmen das die Eltern der Braut, wobei die Seite des Bräutigams wenn nötig die Räder der Finanzierung schmierte. Da sich eine Seite dabei schnell der anderen verpflichtet fühlen könnte, wurden derart ungleiche Partien selten weiter verfolgt.

Mrs Levy schmeckte die Vorstellung gar nicht, sich über eine andere Familie zu stellen. Sie wünschte sich ein erfreuliches und warmherziges Verhältnis zu ihrer angeheirateten Familie. Ungleiche Güterverteilung führte zu unterschwelliger Ablehnung und nicht zu einer Einheit. Ein schlechter Start. Und was würden die Nachbarn sagen?

Doch das Wichtigste war das Glück ihres Sohnes. Baruch war immer so verlässlich, gehorsam und entgegenkommend und hatte selten eine Bitte geäußert. Sie konnte seine Hoffnungen nicht einfach so zerschmettern. Er hatte sie nie enttäuscht. Natürlich hatte er auch seine Macken, seine Liebe zur Kunst und Literatur (sie hatte die Romane unter seiner Matratze gefunden und sie dort gelassen), seine Unbeholfenheit und übergroße Sensibilität, doch er war ihr Sohn, und Mrs Levy liebte ihn sehr.

Was Mrs Gelbman anging, so verdiente sie sich mit der Eheanbahnung ihren Lebensunterhalt. Obwohl sie verwitwet war, verschaffte ihr der Beruf finanzielle Unabhängigkeit, eine Seltenheit bei alleinstehenden Frauen. Mehr noch, sie wurde nicht vergessen oder links liegengelassen. Mrs Gelbman war ein wichtiger Bestandteil der Gemeinde, der hart für deren Fortbestand arbeitete. Daher sollte man sie tunlichst gut behandeln.

Natürlich war sie eine Opportunistin. Eheanbahnungen waren ein anspruchsvolles und erschöpfendes Gewerbe. Über die eigene Mittelmäßigkeit sahen junge Leute gern hinweg, verlangten aber Perfektion von einem Ehepartner.

Meistens kannten sich der Junge und das Mädchen bis zum *Schidduch* nicht. Folglich waren Äußerlichkeiten der häufigste Grund für eine Ablehnung. Zu klein! Zu fett! Wo ist sein Haar? Oder die unterschiedlichen Grade von Religiosität. Zu fromm! Nicht fromm genug! Das Gemecker war endlos und verursachte Mrs Gelbman Kopfschmerzen.

Aber in diesem Fall hatte Baruch das Mädchen schon gesehen und wollte sie unbedingt treffen. Die halbe Arbeit war schon erledigt. Es blieb nur noch, dass Chani das Kompliment zurückgab. Die Anziehungskraft musste auf Gegenseitigkeit beruhen. Bisher hatte Chani einige der ihr vorgeschlagenen Partner abgelehnt und war im Gegenzug mehrere Male abgelehnt worden. Das Mädchen musste langsam verzweifeln. Selbst wenn Baruch nicht alle ihre Erwartungen erfüllte, standen die Chancen gut, dass sie trotzdem einwilligen würde, ihn zu heiraten. Er war ein ausgezeichneter Fang, besser als alle bisherigen Kandidaten. Das Mädchen wäre dumm, ihn abzulehnen.

Mrs Gelbman holte tief Luft. Sie lockerte die Bremsen und karrte den Teewagen herein.

Das Klirren des Porzellans unterbrach Mrs Levys Grübeleien. Sie hob den Kopf und sah zu, wie Mrs Gelbman den glänzenden Wagen vor ihr parkte. Ein Teller mit hauchdünnen Mandelplätzchen stand neben einem dicken Strudel, bestäubt mit Puderzucker. Goldener Honigkuchen spiegelte sich in der Silberkanne.

Mrs Levy leckte sich die Lippen. Ihre Augen folgten den flinken Bewegungen von Mrs Gelbmans Händen.

»Kuchen oder ein paar Kekse, Mrs Levy? Oder beides?«, bot sie an. Ihr Lächeln war freundlich, neutral, doch sie wusste genau, dass Mrs Levy den Köder geschluckt hatte.

»Oh, Mrs Gelbman, das sollte ich wirklich nicht! Ich bin auf Diät«, protestierte sie.

»Auf Diät? Warum? Sie sind doch gertenschlank! Sie haben nicht ein Gramm zugelegt. Ein Stückchen Honigkuchen kann nicht schaden. Oder ein Scheibchen Strudel? Ich habe ihn heute Morgen gebacken«, schnurrte Mrs Gelbman. Bei sich dachte sie, dass Mrs Levy recht mollig wirkte, wie eine saftige Rosine. Aber mit Komplimenten kam man überallhin. Was den Strudel anging, so wussten beide Frauen nur zu genau, dass er an diesem Morgen bei Canelli gekauft worden war. Kleine, harmlose Lügen – die Währung der Diplomatie.

»Ahh, wenn Sie darauf bestehen, dann bitte ein Scheibchen Strudel, Mrs Gelbman.« Widerstand war zwecklos. Schon beim Duft von Zimt war ihr das Wasser im Mund zusammengelaufen.

Als beide Frauen damit fertig waren, sich gabelweise schwer verdauliche Süßigkeiten in den Mund zu schaufeln, kehrten sie zum geschäftlichen Teil zurück.

»Also«, begann Mrs Gelbman mit zuckersüßer Stimme, »erzählen Sie mir ein bisschen über Baruch.«

Welche Mutter lässt schon die Gelegenheit verstreichen, mit ihrem geliebten Sohn zu prahlen? Mrs Gelbman lehnte sich zurück und wartete auf die Lobpreisung Baruchs. Weil sie ahnte, dass es dauern könnte, nahm sie sich noch ein Stückchen Honigkuchen.

Mrs Levy schien vor Stolz anzuschwellen. Sie holte tief Luft und begann. »Mein Baruch ist etwas ganz Besonderes, ein sehr kluger junger Mann. Er ist anders als die anderen … sensibler. Er ist tiefsinniger und religiöser. Und ein *sehr* guter Schüler, Mrs Gelbman! Bestnoten in jedem Fach. Der Direktor hat ihm ein begeistertes Empfehlungsschreiben für die *Jeschiwa* in Gateshead ausgestellt, und auch da hat er sich hervorragend gemacht … Also hoffen mein Mann und ich, also, wir hoffen … Nun, wir würden uns freuen, wenn er, *im jirtse HaSchem,* ein Rabbi wird …«

Sie kam ins Stocken und hörte schließlich ganz auf zu reden. Mrs Gelbmans wachsame Augen fixierten sie. Sie fühlte sich unwohl, dumm, dass sie den letzten Gedanken geäußert hatte. Die Levys brachten in der Regel keine Rabbi-Schüler hervor, und einen Rabbi schon gar nicht.

»Ein Rabbi? Ein sehr ungewöhnlicher Weg für einen Ihrer Söhne, Mrs Levy, wenn ich das so sagen darf. Bis jetzt waren sie alle so, so … Wie soll ich es nennen?« Mrs Gelbman tastete nach dem richtigen Wort. ›Materialistisch‹ konnte sie sich nicht erlauben.

»Geschäftstüchtig?«, bot Mrs Levy an, mit etwas schneller schlagendem Herzen.

»Jaaa-aaah, genau. Sie sind alle sehr erfolgreiche Geschäftsleute. Geboren mit einem ausgezeichneten Sinn fürs Finanzielle.« Bauernfänger, jeder Einzelne von ihnen, und der Vater war der Schlimmste! Der Apfel fällt nicht weit vom Stamm.

Aber dieser dritte Sohn war offensichtlich anders, möglicherweise ein zukünftiger Rabbi.

»Erzählen Sie mir mehr von Ihren Zukunftsplänen für Baruch, wenn Sie mögen, Mrs Levy. Wie alt ist er genau?«

Schon war ihr komplizierter, brillanter, aber unsicherer Sohn zu einer Handelsware geworden, bereit, eingetauscht zu werden. Mit seinen Brüdern hatte sie es da einfacher gehabt. Sie waren aus einem anderen, weniger spröden Material geschmiedet.

»Er ist gerade zwanzig geworden. Momentan lebt er zu Hause, weil er gerade das Studium an der Gateshead abgeschlossen hat. Er ist an der *Or Yerushaliyim* angenommen worden, und wir hoffen, dass er noch vor *Pessach* dort anfängt.« Schlucken Sie das, Mrs Gelbman! *Or Yerushaliyim* war *die Jeschiwa*; nur die Elite wurde dort zugelassen. Und ihr Baruch war einer von ihnen!

»*Baruch HaSchem! Or Yerushaliyim …* Wie wunderbar für Sie, Mrs Levy! Er muss wirklich ein echter *Jeschiwa Bocher* sein. Sie sind bestimmt sehr stolz«, trällerte Mrs Gelbman. Aber irgendwo gab es immer einen Haken. Ansonsten wären ihr die Neuigkeiten über dieses Levy-Wunderkind bereits zu Ohren gekommen.

»Oh, das sind wir, Mrs Gelbman, das sind wir. Mr Levy war begeistert, als ihn der Brief mit der Zusage erreichte.«

»Und wie sieht Baruch aus? Wie groß ist er? Haben Sie ein Foto?«

Mit groß konnte sie dienen. »Er ist ungefähr einsneunzig. Ganz schön groß, was?«

»Das stimmt. Besonders für einen jüdischen Jungen. Ist er ein dunklerer Typ wie Mr Levy oder eher hellhäutig, so wie Sie?«

»Er kommt nach mir. Ich habe ein einigermaßen aktuelles Foto dabei, aufgenommen vor ungefähr einem Jahr auf der Hochzeit seiner Cousine Bochele.« Mrs Levy wühlte in ihrer Handtasche und zog eine etwas zerknitterte Aufnahme aus einem Fach ihres Portemonnaies. Sie zögerte kurz und wünschte, sie könnte ihren armen Sohn vor den abschätzenden Blicken der *Jente* bewahren. Sie wusste, dass Baruch ganz gewöhnlich aussah.

Mrs Gelbman musterte das Foto. Eindeutig älter als ein Jahr. Der abgebildete Junge war höchstens sechzehn, die Gesichtszüge kaum zu erkennen. Das vorspringende Kinn und die dicke Brille fielen ihr auf – nichts Ungewöhnliches, sie sahen alle so aus. Seine Haut schien an manchen Stellen fleckig zu sein, oder war das nur unregelmäßiger Bartwuchs? Er hatte keine Ähnlichkeit mit den ebenmäßigeren dunklen Gesichtern seiner Brüder, die ihm in Sachen Aussehen eindeutig voraus waren.

Sie wartete noch einen Moment, bevor sie ihr Urteil abgab. »Sehr hübsch, Mrs Levy. Ein reizender jiddischer Junge. Er sieht gut aus. Hat er irgendwelche Krankheiten oder gesundheitlichen Probleme?«

»Ein wenig Asthma, doch das bekommt er nur im Sommer, wenn die Luftverschmutzung hoch ist, Mrs Gelbman. Wir sind die Krankengeschichte unserer Familie doch schon beim letzten Mal durchgegangen. Da hat sich nichts geändert, der Diabetes meines Schwiegervaters ist etwas stärker geworden, doch er hat ihn unter Kontrolle – er benutzt jetzt diese Injektionsstifte. Er ist sehr stolz und will unabhängig sein, also ist uns das recht. Und meine Eltern leben beide noch, und es geht ihnen gut, *Baruch HaSchem*.« Nicht nötig, Baruchs hartnäckigen Fußpilz zu erwähnen, oder seine Knoblauchallergie.

»*Baruch HaSchem*. Wunderbar. Ich nehme an, Sie wüssten gern mehr über Chani?«

Chani. Der Name war gewöhnlich genug. War es das Mädchen auch?

»Jaaah, deswegen bin ich hier, Mrs Gelbman. Wie ist sie, diese Chani? Erzählen Sie mir alles, was Sie wissen – natürlich nur, so weit es Ihnen möglich ist.«

Jetzt war Mrs Levy an der Reihe, das Gesicht der anderen Frau zu beobachten. Doch die *Jente* verbarg jede Gefühlsregung. Ihre Züge wurden zu einer Maske der Unparteilichkeit, als sie der Bitte mit festem Blick nachkam. Und als sie sprach, bewegten sich nur ihre Lippen, ihre Ausdrucksweise war makellos. Sie ließ sich Zeit und genoss ihre Überlegenheit.

»Ahh, Chani. Ein feines jiddisches Mädchen. Sie ist neunzehn. Eine intelligente, angenehme, fröhliche junge Frau. Praktisch veranlagt, hilfsbereit und zugänglich. Ausgezeichnete Manieren. Sie ist ungefähr einssechzig groß. Hat ein hübsches Lächeln. Schlank. Dunkles, glattes Haar. Man kann sie ohne weiteres hübsch nennen.«

*Sie waren alle hübsch, selbst diejenigen, die einfach nur hässlich waren*, dachte Mrs Levy. Aber wenn sie Baruch aufgefallen war, musste sie attraktiv sein. Bis jetzt hatte er nicht das geringste Interesse am anderen Geschlecht gezeigt, und wenn sie ihm eine *Schidduch* vorschlug, hatte er sich angewidert geschüttelt. Mrs Levy hatte begonnen, sich Sorgen zu machen; ihr war sogar der schreckliche Gedanke gekommen, ihr Sohn könnte – Gott behüte –, könnte, könnte… Erleichtert schob sie diese unaussprechliche Angst beiseite. In ihrer Welt war für solche Neigungen kein Platz. Ihr Baruch war einfach wählerisch. Er hatte sich Zeit genommen, das war alles. Richtig so.

Aber war er wählerisch genug gewesen?

»Wie ich schon sagte, ist der Vater Rabbi. Seine Familie kam ursprünglich aus Vilnius und kann ihre Ahnen bis in die Zeit des großen Rabbis zurückverfolgen. Auf Mrs Kaufmans Seite gibt es viele berühmte Rabbiner, einschließlich Rabbi Shmuel Ben Tsvi. Ihre Familie stammt aus Kiew.«

Mrs Levy nippte an ihrem kalten Tee. Das Mädchen

war also aus einer Familie voller Rabbiner. Es änderte jedoch nichts an der Tatsache, dass sie bettelarm war.

»Auf welche Schule ist Chani denn gegangen, und wie waren ihre Noten? Und welche *Sem* hat sie besucht?«

Die *Jente* wand sich auf ihrem Sessel. Sie begaben sich auf gefährliches Territorium.

»Nun, Chani hat die Queen Esther besucht. Sie war eine exzellente Schülerin, genau wie Baruch, Bestnoten in allen Abschlussprüfungen, und hat auch noch in zwei Zusatzfächern mit der besten Note abgeschlossen, wenn ich mich recht erinnere. Im Moment unterrichtet sie – na ja, assistiert sie – dort im Kunstunterricht.«

Mrs Levy roch den Braten. Mrs Gelbman hatte nicht alle ihre Fragen beantwortet. Sie bohrte nach.

»Baruch braucht ein cleveres Mädchen, aber sie darf auch nicht zu clever sein – diese Intelligenzbestien können anstrengend sein … Aber, Mrs Gelbman, Sie haben ihre *Sem*-Erfahrung ausgelassen …«

»Chani hat keine *Sem* besucht. Darf ich Ihnen noch eine Scheibe Strudel anbieten, Mrs Levy?«

Alles, nur um die Klientin abzulenken. Mrs Gelbman hatte plötzlich eine Vision von sich, wie sie auf dem Couchtisch einen Stepptanz aufführte, einen Gehstock herumwirbelte und den Zylinder lupfte.

»Was? Was für eine Art jüdisches Mädchen mit solchen Noten geht nicht auf die *Sem*?«, heulte Mrs Levy voller Schadenfreude auf. Da war Licht am Ende des Tunnels, *Baruch HaSchem*.

Mit einem Plumps landete Mrs Gelbman wieder auf der Erde.

»Mrs Levy, Chani wollte gern unterrichten, sie hat auf Bitten von Mrs Sisselbaum an der Queen Esther mit der Oberstufe weitergemacht.«

»Mrs Sisselbaum hat sie gebeten zu bleiben? Weswegen? Normalerweise drängt sie jede, nach Gateshead zu gehen. Das ist doch ihr Job, oder? Kommen Sie, Mrs Gelbman, lassen wir diese Heuchelei. Sagen Sie mir die Wahrheit. Wenn dieses Mädchen Baruch kennenlernen soll, brauche ich einen sehr guten Grund, warum sie nicht auf der *Sem* war.«

»Nun, Mrs Sisselbaum hielt es für besser, wenn sie bliebe, dass es besser zu ihr passte, wenn sie – sie – nun, Chani ist eher der aufgeweckte Typ …«, stotterte Mrs Gelbman.

»Der aufgeweckte Typ?« Mrs Levy verengte die Augen. Die *Jente* kam ins Wanken.

»Mrs Levy, Chani ist ein reizendes Mädchen, ich meine, aufgeweckt im Sinne von freundlich und warmherzig – vielleicht ein bisschen anders …«

»Mrs Gelbman, Sie und ich, wir wissen beide, was das eigentlich heißt.«

Die *Jente* setzte zu einer Erklärung an, aber Mrs Levy hob die Hand.

»Nein, Mrs Gelbman, bitte sagen Sie nichts mehr. Sie ist nicht die Richtige für meinen Baruch. Dass sie arm ist, könnte ich gerade noch so akzeptieren.« Beide Frauen wussten, dass das eine Lüge war. Mrs Levy zögerte, doch kam dann wieder in Fahrt. »Aber dass sie nicht auf der *Sem* war, ist eine ganz andere Geschichte. Wenn Baruch Rabbi wird, braucht er die richtige Frau, gebildet, gutherzig, ruhig, eine Frau, die ihn unterstützt. Keinen Querkopf, der auf der Queen Esther bleibt, um Kunst zu unterrichten, Verzeihung, ich meine, im Unterricht zu assistieren! Sie und ich wissen ganz genau, dass Mädchen, die nicht an der *Sem* angenommen werden, nichts als Ärger bedeuten. Ich will keine problematische Schwiegertochter. Baruch ist zu sensibel, um mit einem starrköpfigen Mädchen zurechtzukommen. Ich habe genug gehört, sie ist nicht die Richtige für ihn. Lassen Sie uns weitersuchen und eine finden, die zu ihm passt.«

Nun, dieser Vogel war auf und davon! Niedergeschlagen begann Mrs Gelbman, den Tisch abzuräumen.

»Also gut, Mrs Levy«, seufzte sie, als sie die Teller stapelte, »ich werde nach einem passenderen *Schidduch* für Baruch Ausschau halten. Es ist trotzdem ein Jammer, denn Chani ist ein wirklich entzückendes Mädchen …«

»Das mag sein! Aber sie soll jemand anderen entzücken – nicht meinen Baruch«, blaffte Mrs Levy. Es reichte. Sie wollte nach Hause.

»Wie Sie wünschen, ich werde mich umhören …«, murmelte Mrs Gelbman.

»Danke, das weiß ich zu schätzen.« Mrs Levy stand auf und fegte sich die Krümel vom Rock.

»Wir werden das richtige Mädchen für Baruch finden, *im jirtse HaSchem.*«

»*Im jirtse HaSchem.*«

Mrs Gelbman begleitete ihren Gast zur Tür.

»Einen guten *Schabbes*, Mrs Gelbman.«

»Ihnen auch einen guten *Schabbes*, Mrs Levy. Ich melde mich.«

»Danke noch mal, Mrs Gelbman.«

»Danke, dass Sie da waren, Mrs Levy.«

Mrs Gelbman schloss die Haustür. Sie blieb dahinter stehen und lauschte auf das sich entfernende Klack-klack von Mrs Levys Schritten. Mit einem Seufzer kehrte sie zurück in ihr gemütliches Wohnzimmer und verputzte den Rest des Strudels.

# 15

# Avromi

## April 2008 – London

»Ich kann nicht, Shola, es ist einfach – ich kann nicht«, seufzte Avromi.

»Aber alle werden da sein, unsere ganze Tutoren-gruppe, und du wirst uns fehlen.« Sie stand ihm auf dem Bürgersteig gegenüber, draußen vor der juristischen Fakultät, und balancierte ihren Aktenordner und die Bücher auf der Hüfte. Der Wind pustete ihr das Haar ins Gesicht, doch sie blieb, wo sie war, und versperrte ihm den Heimweg.

»Shola, du weißt, dass ich nicht zu solchen Sachen gehe. Meine Eltern erwarten von mir, dass ich abends zu Hause bin. Und mein Dad reißt mir dafür den Kopf ab.«

Flehend sah sie ihn an, ihre tiefbraunen Augen groß und unschuldig. Ihre Fußknöchel waren nach außen geknickt, und die langen, eleganten Beine drückten sich gegen das Leder ihrer klobigen Boots. Sie erinnerte ihn an Bambi. »Nur ein Drink. Für mich.«

Mit einem Seufzer gab er nach. »In Ordnung, Shola, nur für dich. Aber ich bleibe nur eine halbe Stunde, län-ger nicht.«

Sowie er eingewilligt hatte, bedauerte er es, doch Shola

schenkte ihm ein so sonniges, süßes Lächeln, dass er das Gefühl hatte, sein Magen schlüge einen Purzelbaum. Auf dem Heimweg dachte Avromi über die ihm zur Verfügung stehenden Ausreden nach, um im Anschluss an das Abendessen nicht zu Hause bleiben zu müssen. Er konnte seinen Eltern immer erzählen, er würde sich in Golders Green mit Baruch auf einen Kaffee treffen.

Die Bar des Studentenwerks war nur halb voll, doch auf der kleinen Tanzfläche war bereits eine Bierpfütze. Das Lokal stank nach schalem Alkohol vergangener Studentenabende. Poster kündigten Gigs an, die bereits vorüber waren. Das Licht war schmutziggelb, dazwischen funkelten Regenbogenfragmente, während eine einsame Discokugel sich traurig um die eigene Achse drehte.

Avromi trug seine übliche schwarzweiße Tracht, komplett mit diskretem schwarzen Samtkäppi, hatte jedoch seine Jacke in der Garderobe aufgehängt und die Hemdsärmel hochgekrempelt, um weniger aufzufallen. Während der ersten Wochen an der Universität hatte er gelernt, die Fransen seines Gebetsmantels in die Hose zu stecken, um den Schwall an Fragen zu vermeiden, den sie provozierten.

Shola war nirgends zu sehen.

Der Barkeeper lehnte sich über den Tresen und brüllte ihm etwas ins Ohr. Er hatte eine gepiercte Augenbraue, und eine Seite seines Kopfes war rasiert. Ein Tribal-Tattoo prangte auf der nackten Haut. Avromi starrte ihn fasziniert an. Die *Tora* verbot es, Zeichen auf dem Körper zu tragen.

»Was kriegste, Kumpel?«

Er ging kurz seine Möglichkeiten durch. Wein und Bier würden nicht *koscher* sein. Aber es gab Whisky. Am Ende eines langen *Schabbes*-Essens genehmigte sich sein Vater jeweils ein Schlückchen, und obwohl es Avromi überhaupt nicht schmeckte, wenn er es mit Cola mischte – auch *koscher* –, bekäme er vielleicht ein halbes Glas runter. Es würde seinen Zweck erfüllen. Er wusste sehr gut, dass er den Abend unerträglich finden würde, wenn er versuchte, stocknüchtern zu bleiben. So weit, so gut. Er würde keine Regeln überschreiten.

»Einen Jack Daniels und eine Cola bitte. Mit viel Eis.«

»Einfach, oder einen Doppelten? Es ist Happy Hour, zwei zum Preis von einem, Kumpel.«

»In Ordnung, dann einen Doppelten.« Er bezahlte, nahm einen vorsichtigen Schluck und verzog das Gesicht bei dem medizinischen Geschmack.

»Avromi!«

Shola war aus dem Nichts aufgetaucht und grinste ihn entzückt an.

»Ich freue mich so, dass du hier bist!« Sie trat einen Schritt vor, als wollte sie ihn umarmen, besann sich dann eines Besseren und blieb, wo sie war. Sie starrten sich an und lächelten verlegen. Avromi hatte keine Ahnung, wie er sich verhalten sollte. Küssen konnte er sie nicht, und ein Geschenk hatte er auch nicht für sie.

»Na ja, es ist dein Geburtstag, und du siehst großartig aus!« Shola kicherte nervös. Er spürte, wie er rot wurde. Um es zu überspielen, verneigte er sich tief vor ihr und hatte plötzlich ihre nackten Knie genau vor sich. Ihre

Füße steckten wie immer in Bikerboots, doch der Rest von ihr war Neuland. Sie trug ein blassrosa Kleid, das ihre schlanke Taille betonte; der Chiffonrock reichte ihr gerade bis auf die Oberschenkel. An den Schultern wurde es von zwei hauchdünnen Trägern gehalten; die Schlichtheit und der fließende Stoff unterstrichen Sholas zierliche Figur, sie wirkte unschuldig und fast zerbrechlich. Ihre Haut schimmerte ockerfarben, und er beobachtete fasziniert, wie sich die Kuhle an ihrem Schlüsselbein hob und senkte, wenn sie sprach. Dann fielen ihm seine Manieren wieder ein.

»Kann ich dir etwas zu trinken holen?«

»Das wäre wunderbar. Was trinkst du denn?« Sie spähte in das Glas, an dem er sich festhielt.

»Einen doppelten Whisky mit Cola.«

»Oh, das Gleiche bitte!«

Nach und nach tauchten ihre Kommilitonen auf und bildeten einen lärmenden Kreis um Shola. Einige brachten Geschenke, andere umarmten sie. Der Trubel forderte ihre ganze Aufmerksamkeit, doch Avromi konnte die Augen nicht von ihr abwenden. Er lehnte sich gegen die Bar, nippte an seinem Drink und wünschte sich, er könnte sich weiter mit ihr unterhalten.

»Hey, Avromi! Wie geht's, Alter? Soll ich dir einen Drink mitbringen?«

»Nein, Mike, ehrlich, danke – ich hab noch.«

Mike schnüffelte an Avromis Glas und drückte ihm eine weitere Whisky-Cola in die Hand. Warum meinten diese *Gojim*, einen immer abfüllen zu müssen? Langsam wurde es warm; Gesichter versammelten sich um ihn, und schon bald war er in eine laute Unterhaltung verwickelt. Er verstand nur die Hälfte von dem, was gesagt wurde, doch er entspannte sich zusehends. Ein dümmliches Grinsen breitete sich auf seinem Gesicht aus, und er beteiligte sich an den allgemeinen Scherzen und genoss die gelöste Stimmung. Zu seiner Überraschung begann er, sich zu amüsieren.

In der Bar wurde es immer voller. Avromi griff nach seinem zweiten Drink, der keinen Nachgeschmack mehr hatte, sondern erfrischend kalt war. Ihm stand der Schweiß auf der Stirn, und sein Hemd fühlte sich plötzlich eng an. Er öffnete die obersten beiden Knöpfe. Aus der *Kehillo* war ja niemand da, der ihn sehen könnte.

Avromi hatte sich an eine Wand gelehnt und sah zu, wie die Tanzenden sich wanden. Der Raum drehte sich um ihn, es war stickig, und der Boden vibrierte unter seinen Füßen zum Hämmern des Basses. Mädchen, mit nackten Armen und Beinen und fliegendem Haar, rotierten in einer Folge von bebenden Brüsten, wackelnden Hintern und ruckelnden Hüften an ihm vorbei. Er starrte unverhohlen und stürzte einen weiteren Drink hinunter. Plötzlich glitt die Wand hinter ihm weg, und er sackte zu Boden.

Hände hievten ihn hoch, und er wurde trotz seines Protestes auf die Tanzfläche geschoben, wo er mit den anderen torkelte und sich wiegte.

»Avromi! Mit dir alles okay?«

Er öffnete die Augen und wurde von der Glitzerkugel geblendet. Er lag. Auf einer Bank, wie es schien. Ein

Gesicht schob sich vor die Lichter, die ihn schwindelig machten, eingerahmt von vertrauten, wuscheligen Locken. Sie kniete neben ihm und hielt ihm ein Glas Wasser hin.

Er stützte sich auf und versuchte zu sprechen, doch seine Lippen funktionierten nicht. Er legte sich wieder hin.

Kalte Nachtluft brachte ihn wieder zur Besinnung. Seine Kommilitonen steuerten ihn zu einem Taxi. Shola diskutierte mit dem Fahrer.

»Er kotzt nicht, ich versprech's!« Ihre Stimme klang hartnäckig und besorgt.

»Das letzte Mal hatte ich schon mal so einen Alkoholisierten hier drinnen. Ich habe zwei Wochen gebraucht, bis ich den Gestank von Erbrochenem wieder draußen hatte. Also lautet die Antwort nein.«

»Bitte… Ich bezahle auch das Doppelte. Ich muss ihn unbedingt nach Hause schaffen.«

Der Taxifahrer seufzte. »In Ordnung, Kleine, doppelt geht klar, aber wenn ihm übel wird, zahlst du auch die Rechnung für die Reinigung.«

Das Taxi schlingerte. Er lag auf dem Rücksitz und klammerte sich an den Lederrand des Sitzes, als der Wagen eine Kurve nahm. Shola beobachtete ihn nervös. Sie lehnte sich vor und nahm seine Hand, doch Avromi war wieder eingeschlafen und bekam von dieser Unanständigkeit nichts mit.

Als das Taxi anhielt, wachte er wieder auf. Er musste sich dringend übergeben und fummelte hektisch am

Türgriff, während Shola den Fahrer bezahlte. Sie stützte ihn auf dem Weg zu ihrer Wohnung.

»Wo ist dein Klo?«, stöhnte er.

»Die Treppe hoch und dann die Erste links.«

Er beugte sich über die Toilettenschüssel, hielt sich am Rand fest und gab eine dunkle Sturzflut von sich. Dann stand er wackelig auf, angewidert von sich selbst, aber überraschenderweise fühlte er sich deutlich besser.

Shola klopfte schüchtern an die Tür. »Alles okay da drin, Avromi?«

»Ja, mir geht's gut. Bin in einer Minute wieder unten«, murmelte er.

»Okay, ich mache uns einen Tee.«

»Danke.«

Er trat ans Waschbecken und spritzte sich Wasser ins Gesicht. Den Blick in den Spiegel vermied er. Stattdessen tastete er auf seinem Hinterkopf nach dem Käppi. Es war nicht mehr da. Er seufzte. Es war seine eigene verdammte Schuld. Das war die Strafe dafür, sich mit den Ungläubigen einzulassen. Irgendwie würde er das seinen Eltern erklären müssen. Er hätte schon vor Stunden zu Hause sein sollen.

Vorsichtig öffnete er die Tür und ging die Stufen hinunter.

Sie saßen nebeneinander an dem kleinen Kieferntisch in der Küche. Shola hatte sich eine graue Strickjacke übergezogen und wärmte sich die Hände an ihrem Teebecher. Ihre Mitbewohner waren nicht da, und in der Wohnung war es still und dunkel. Avromi stützte seinen Kopf mit den Händen. Er fühlte sich immer noch zittrig und wollte nur schlafen. Er hatte seinen Tee nicht angerührt.

»Was soll ich bloß meinen Eltern sagen? Mein Dad wird das niemals durchgehen lassen. Es wird ihn darin bestätigen, dass ich nie an die Uni hätte gehen sollen.«

»Kannst du dir keine Entschuldigung ausdenken?«

»Was denn?«

»Dass du bei einem Freund zu Hause gewesen wärst und die Zeit vergessen hättest und dann den letzten Bus verpasst und deshalb dort übernachtet hast.«

»Aber das bedeutet doch zu lügen, oder?«

»Na ja, schon, aber es gibt Lügen und Lügen. Damit tust du niemandem weh. Genaugenommen schützt du deine Eltern vor der Wahrheit, die sie nur verärgern würde. So leidet niemand. Sieh es als eine Notlüge an. Und du solltest ihnen jetzt eine SMS schicken, damit sie sich nicht länger Sorgen machen, wo du bleibst.«

Avromi pustete nachdenklich auf seinen Tee. Shola hatte recht. Er würde die Regeln übertreten, doch das war einladender, als sich an die Wahrheit zu halten. Er würde einfach besonders intensiv um Vergebung beten müssen. Seine Eltern anzulügen widerstrebte ihm. Aber er hatte ja schon verschwiegen, wo er heute Abend hingegangen war. Noch eine Lüge spielte da auch keine Rolle mehr.

»Ich könnte sagen, dass ich bei Baruch übernachtet habe. Oder vielleicht einem anderen Freund, der in Edgware wohnt – das ist ein bisschen weiter weg und macht die Ausrede mit dem verpassten letzten Bus plausibler.«

»Na also! Ist doch alles gar nicht so schlimm. Denk daran, deinen Freund zu warnen, falls sie nachfragen.«

»Die Mühe machen sie sich nicht. Sie sind viel zu beschäftigt.« Er seufzte in seinen Becher. »Es ist nicht nur das Lügen, Shola, es ist mir alles so peinlich.« Er zog eine Grimasse und vermied es, sie anzusehen.

»Was denn genau?«

»Mich so zu betrinken und mich vor allen Leuten zum Affen zu machen. Und vor dir.«

Sie lachte. »Sei nicht albern! Jedem sacken das erste Mal irgendwann die Beine weg. Das ist uns allen passiert. Ich denke sogar, dass die anderen dich jetzt für ein bisschen normaler halten, für jemanden, der zu uns Sündern passt.«

»Wirklich?«

»Als hättest du dir deine Säufer-Sporen abverdient. So krass sich das auch anhört.«

Er dachte über ihr Urteil nach. »Stimmt. Ich bin dir was schuldig.«

»Wofür?«

»Weil du auf mich aufgepasst hast.«

»Wir sind Freunde. Schließlich habe ich dich doch zu meiner Party eingeladen.«

»Es ist dein Geburtstag, und ich habe ihn total vermasselt. Ich bin so ein Trampel!«

»Mein Geburtstag ist vorbei, also hör auf, dir Vorwürfe zu machen, Avromi. Du bist doch hier, oder nicht?«

»Was meinst du?«

»Mit mir. Jetzt.«

Sie griff nach seiner Hand und drückte sie. Er ließ sie

nicht mehr los. Avromi lehnte sich langsam vor und küsste sie. Sie schmeckte nach heißem, süßem Tee. Shola wickelte ein Bein um seines und zog ihn an sich. Seine Hände fassten nach ihrer Taille und glitten dann über ihre Hüften, angetrieben von einem Instinkt, den er zu unterdrücken versuchte, seit er sie das erste Mal gesehen hatte.

# 16

# Baruch
## Mai 2008 – London

Als Baruch nach Hause kam, warteten seine Eltern bereits im Wohnzimmer auf ihn. Sie saßen nebeneinander auf dem cremefarbenen Ledersofa, zwei mächtige Konsuln, eingehüllt vom goldenen Licht der Stehlampe.

»Komm, Baruch, setz dich zu uns«, grunzte sein Vater. Er saß vornübergebeugt, in Hemdsärmeln, seine Hosenträger unterteilten das weiße Hemd, das sich über seinen breiten Rücken spannte.

Baruch betrat die Arena und ließ sich im Sessel ihnen gegenüber nieder. Zwischen ihnen stand ein gläserner Couchtisch.

»Baruch, deine Mutter war heute bei Mrs Gelbman, und nachdem wir die Sache besprochen haben, sind wir der Ansicht, dass Chani nichts für dich ist.«

Baruch starrte erst seinen Vater an und dann seine Mutter. Mrs Levy wich seinem Blick aus. Stattdessen griff sie nach der Hand ihres Mannes.

»Aber – warum? Was stimmt denn nicht mit ihr?« Die Worte platzten nur so heraus.

Mr Levy warf einen Seitenblick auf seine Frau. Sie inspizierte noch immer den Teppich. Er stupste sie an.

»Baruch«, begann sie zögerlich, »ich weiß, wie gern du sie treffen möchtest. Aber, Liebling, sie ist nichts für dich. Ich habe lange mit Mrs Gelbman gesprochen, und es hat sich herausgestellt, dass Chani aus irgendwelchen Gründen nicht auf der *Sem* war. Du kannst kein Mädchen heiraten, das nicht zu einer ordentlichen Jüdin erzogen wurde. Wir wissen nicht, ob sie nicht angenommen wurde oder aus einem anderen fragwürdigen Grund nicht dort war. Aber diejenigen, die abgelehnt wurden, sind immer problematisch. Liebling, du wirst ein Rabbi, und du brauchst eine dir angemessene Frau. Eine, die dir ebenbürtig ist, die dich und deine Bedürfnisse versteht, die deine Lebensgefährtin ist, deine –«

Mrs Levy brach ab. Sie konnte die Verzweiflung in den Augen ihres Sohnes nicht ertragen. Baruch sagte kein Wort.

Mr Levy übernahm. »Baruch, wir wollen, dass du auf lange Sicht glücklich wirst. Wenn du das falsche Mädchen heiratest, endet das nur in einem Desaster für uns alle. Für sie und ihre Familie und für uns. Es gibt so viele wunderbare Mädchen, und ich verspreche dir, eine davon ist für dich bestimmt. Aber Chani ist es nicht. Vergiss sie, sieh nach vorn. Wie ich höre, hat Mrs Gelbman ein paar bezaubernde junge Damen an der Hand, mit denen du dich treffen könntest. Das wird das Beste sein.«

Er hielt es nicht länger aus. In diesem Augenblick hasste er sie alle, einschließlich Mrs Gelbman. Alle waren gegen ihn. Baruch hatte auf die Ausgaben von *Good Housekeeping* gestarrt, die sich auf dem Couchtisch stapelten. Sie waren seit Ewigkeiten nicht angefasst worden, die Ecken noch immer perfekt ausgerichtet. Aus irgendeinem Grund machten ihn diese Zeitschriften noch wütender: Die leeren Versprechungen vom perfekten Leben in perfekten Häusern mit unendlichen Möglichkeiten hatten nichts mit der Enge seines eigenen Alltags zu tun.

Das Schweigen zog sich hin. Mr Levy starrte hinunter auf seine makellosen Halbschuhe und suchte nach abgestoßenen Stellen, während Mrs Levy ihren Sohn musterte.

Schließlich fing er an zu reden, so leise und ruhig, dass seine Eltern die Hälse recken mussten, um ihn zu verstehen.

»Es ist nicht fair. Nichts in meinem Leben ist fair. Ich kann mich noch nicht mal mit dem Mädchen treffen, das mir gefällt. Alles wird immer für mich entschieden. Ich beschwere mich nie, ich mache das, was man mir sagt… und jetzt, wo ich einmal um etwas bitte, ein einziges Mal – wird es mir verwehrt.«

Mr Levy rutschte unbehaglich hin und her. Er mochte keine öffentlichen Gefühlsausbrüche; er war ein zurückhaltender Mann, der diese Dinge am liebsten den Frauen überließ. Er wünschte, sein Sohn würde aufhören, sich wie eine Heulsuse zu benehmen.

»Baruch, beruhige dich und denk an deine Manieren«, sagte er.

»Ich bin ruhig!« Baruch sprang von seinem Sessel auf und entfaltete sich in einer fließenden Bewegung zu seiner vollen Größe. Er ragte über seinen Eltern empor und wedelte mit seinen langen Armen, als wolle er ein Flugzeug in die Landeposition lotsen.

»Setz dich, Baruch! So benimmt man sich nicht«, bellte Mr Levy.

»Mich setzen? Warum denn? Ich benehme mich immer, denke immer an meine Manieren. Und jetzt darf ich Chani nicht kennenlernen, weil sie nicht auf der *Sem* war! Massenweise Mädchen gehen da nicht hin – das ist doch kein Problem!« Inzwischen krächzte er. Er wusste, dass er sich lächerlich machte, aber es war ihm egal. Die Worte sprudelten aus seinem Mund und brannten in seinem Kehlkopf.

Mrs Levy umklammerte den Arm ihres Mannes. Sie versuchte zu sprechen, doch alles, was herauskam, war ein Quieken.

»Bitte, Baruch, ich weiß, dass du wütend bist, aber versuch doch zu verstehen – wir wollen dein Bestes, wir wollen dir nicht weh tun –«

»Mein Bestes? Und das wäre? Ein Rabbi zu sein und irgendein Mädchen zu heiraten, das ich noch nicht mal mag? Ich weiß ja noch nicht mal, ob ich überhaupt Rabbi werden will.«

Der Kopf seines Vaters schnellte zurück wie an einer Reißleine.

»Du willst nicht? *Du willst nicht?* Was genau willst du nicht? Dein ganzes Leben habe ich für dich gesorgt, dich gekleidet, dich ernährt, *dich geliebt*! Und das ist der Dank dafür?«

Seine Mutter schaltete sich wieder ein. »Liebling, ich verstehe, wie frustriert du jetzt bist – und wie enttäuscht.

Aber manchmal müssen wir im Leben Dinge tun, die uns nicht gefallen –«

»Wie zum Beispiel jemanden zu heiraten, den du magst und ich nicht?«

»Baruch! Jetzt reicht's!«, brüllte Mr Levy. Die Zeitschriften rauschten zu Boden, als sein Vater den Tisch aus dem Weg stieß. Angriffslustig stand er Baruch gegenüber. Er deutete mit dem Zeigefinger auf seinen Sohn.

»Setz. Dich. Hin.«

Baruch hatte den Punkt, an dem er Befehlen gehorchte, bereits überschritten, doch er trat zur Sicherheit einen Schritt zurück und senkte die Stimme.

»Nein danke, Dad. Ich stehe hier gerade gut. Hör zu, ich liebe und respektiere euch beide – aber manchmal habe ich einfach das Gefühl, dass ich nie gefragt werde, was ich eigentlich möchte.«

»Was möchtest du denn?«, fragte seine Mutter sanft.

Mr Levy spürte, dass sich der Sturm legte, und sank zurück auf das Sofa.

Baruch ließ den Kopf hängen, die Arme baumelten schlaff herab. »Ich weiß es wirklich nicht«, sagte er traurig. »Aber ich weiß, dass ich, wenn ich Chani nicht treffen kann, auch niemand anderen treffen werde.«

Mr und Mrs Levy waren mit ihrem Latein am Ende. Ihr Goldjunge stellte sich quer, und sie hatten keine Ahnung, was sie nun tun sollten. Also gaben sie sich gegenseitig die Schuld.

»Ich hätte ihn das Mädchen ja treffen lassen, wenn du nicht die ganze Zeit so rumgenörgelt hättest.«

»Ich habe rumgenörgelt? Dovid, wir waren uns einig. Sie ist nicht die Richtige – warum schiebst du mir jetzt die Schuld in die Schuhe? Typisch, es ist immer das Gleiche, irgendwas geht schief, und ich bin's gewesen. Warum kannst du bei Entscheidungen nicht ein einziges Mal zu mir stehen?«

»Ich stehe immer zu dir, aber vielleicht waren wir vorschnell – vielleicht hätten wir dem Treffen zustimmen sollen. Was für eine Rolle spielt das – *Sem* oder keine *Sem*, Geld, kein Geld?« Mr Levy wedelte beide Hindernisse mit den Händen fort.

»Das sagst du jetzt! Jetzt, nachdem er nicht mehr mit uns spricht.«

»Wie lange kann ein Junge denn schon *broiges* sein?«

»Wer weiß? Und was spielt das für eine Rolle?«, gab Mrs Levy ungehalten zurück. Eine Migräne war im Anmarsch; eine magentarote Wolke des Schmerzes schwebte über ihrem linken Auge. Sie scheuchte sie fort.

»Ich denke, wir sollten es ihm erlauben«, murmelte Mr Levy, mehr zu sich selbst. Er suchte Zuflucht hinter der Tageszeitung. Seine Frau starrte ihn an; jeden Moment würde die Zeitung unter ihrem Blick Feuer fangen. Er räusperte sich, schüttelte seine Armbanduhr, vermied, sie anzusehen, und stand auf.

»Zeit fürs Gebet…«

»Ein bisschen früh, oder, Liebling?«

Er knurrte und ging hinüber zur Tür.

»Dovid?«

»Ja, Liebes?« Er zupfte am Rand seines Hutes und zog ein Gebetbuch aus dem Regal.

»Die Unterhaltung ist noch nicht zu Ende.«

»Ich kann *HaSchem* nicht warten lassen.« Er zog am Türknauf.

Unerwartet flink und geschmeidig bewegte sich Mrs Levy auf ihren Mann zu und sorgte mit einem entschiedenen Schubs ihres Hinterteils dafür, dass die Tür geschlossen blieb. Sie verschränkte die Arme vor der Brust und funkelte ihn zornig an.

»Ich denke, *HaSchem* wird Verständnis für deine Verspätung haben. Warum mit einer alten Gewohnheit brechen? Also, wo waren wir? Du hast gesagt, wir hätten zulassen sollen, dass die beiden sich kennenlernen.«

»Berenice, wirst du wohl aufhören? Der kommt schneller wieder aus seinem Zimmer, als du gucken kannst.« Mr Levy sehnte sich nach dem Gemurmel anderer Männerstimmen und nach der Privatsphäre unter seinem Gebetsmantel, doch seine Frau hatte sich in eine Medusa verwandelt, und er hütete sich davor, ihr in die Augen zu sehen.

»Dovid, willst du, dass unser Sohn unter seinem Niveau heiratet?«

»Alles, was ich sage, ist –«

»Ich habe Zeit.« Seine Frau kickte ihre Stöckelschuhe von den Füßen, lehnte sich gegen die Tür und stemmte die Beine in den Teppich.

»Es ist doch halb so wild. Sie ist wahrscheinlich ein reizendes Mädchen – und woher sollen wir wissen, ob sie unseren langen Lulatsch von einem Sohn überhaupt will?«

»Natürlich will sie ihn! Wer würde ihn nicht wollen?«, zischte Mrs Levy.

Mr Levy hielt seinen Hut in den Händen und streichelte liebevoll den Rand. »Na ja, wenn ich mich recht erinnere, warst du bei unserem ersten *Schidduch* nicht gerade überwältigt von mir…«

»Stimmt, aber schließlich hast du mich überzeugt…«

»Durch meinen ritterlichen Charme?« Er schielte zu seiner Frau hinüber. Ein Lächeln huschte über ihr Gesicht. Sie tat so, als unterdrücke sie ein Gähnen. Er wackelte mit seinen buschigen Augenbrauen. Mrs Levy kicherte.

»Oder durch die Größe meiner Brieftasche?«

»Hör auf, Dovid. Bleib ernst.«

»Ich versuche es ja, aber du bist keine große Hilfe dabei. Gib dem Jungen eine Chance. Es wird sowieso nichts – je mehr du dich dagegen sträubst, desto attraktiver erscheint ihm das Mädchen. Ich schlage vor, wir kontaktieren Mrs Gelbman, bitten sie, mit der Mutter des Mädchens zu sprechen, und schauen, was passiert. Wahrscheinlich passiert gar nichts. Und dann können wir weitersehen.«

»Und wenn sie sich mögen?«

»Dann mögen sie sich.«

»Dovid, wenn sie entscheiden zu heiraten und der Rabbiner einverstanden ist, können wir sie nicht aufhalten. Überleg doch mal.«

»Das habe ich. Kein Mädchen wird in deinen Augen gut genug für ihn sein. Du bist eine sehr wählerische Frau.«

»Und das sollte ich auch sein.«

»Genau so ist es. Aber erinnerst du dich, wie es bei

Ilan war? Du hast alle Vorschläge von Mrs Gelbman abgelehnt, und das war nicht besonders klug. Die Leute haben angefangen zu reden.«

»Und?«

»Und früher oder später hätte sich kein Mädchen mehr mit ihm treffen wollen. *Baruch HaSchem* hat er gerade noch rechtzeitig Dafna kennengelernt. Unsere Möglichkeiten sind nicht endlos. Es ist eine kleine Gemeinde.«

»Aber es ist sein allererster *Schidduch*. Er muss da nicht hingehen.«

»Aber es ist der erste, zu dem er hingehen möchte.«

»Stimmt.«

»Er ist genauso wählerisch wie seine Mutter.«

»Und guck, bei wem ich gelandet bin.«

Mr Levy schob seine Unterlippe vor, als wäre er beleidigt. »Du bist nicht die Einzige, die leidet. Würdest du mich jetzt bitte zum Beten gehen lassen?«

Mit einem Seufzer gab Mrs Levy die Tür frei. Mr Levy setzte sich seinen Hut wieder auf den Kopf und schlüpfte hinaus.

Er trottete den Flur hinunter, plötzlich erschöpft.

»Okay, ich bin einverstanden. Sollen sie sich treffen«, rief ihm Mrs Levy aus dem Wohnzimmer hinterher.

Mr Levy grinste. Er würde für sie alle beten.

Die Küchentür war zugeschoben worden, und Chani lungerte davor herum. Sie lauschte, etwas, worin sie es zur Meisterschaft gebracht hatte. Die Erwachsenengespräche versorgten sie häufig mit Informationsbröckchen, über die sie dann in ruhigeren Stunden nachgrübelte. Am ergiebigsten war es, wenn ihre Mutter sich mit einer anderen Frau aus der Gemeinde unterhielt. Nachdem sie hinausgescheucht worden war, stampfte Chani den Flur hinunter, nur um kurz darauf zurückgeschlichen zu kommen und sich gegen den Türrahmen zu lehnen.

In dieser Position hatte sie eine Menge gelernt – über Zurückweisungen, Enttäuschungen und stille Rebellionen, so subtil, dass man sie kaum bemerkte. Wie sie aufgenommen, verarbeitet und unterdrückt wurden. Welcher geschätzte Sohn in Ungnade gefallen war; wessen Tochter sich über ihre unglückliche Ehe beklagte; welcher Rabbiner mit seinen offenen Worten einen Aufruhr provoziert hatte.

Die Menschen, in deren Mitte sie lebte, waren von einem weichen, tröstlichen Mantel der Konformität umgeben. Niemand schien gegen die Regeln zu verstoßen. Stattdessen machten sie das, was ihre Nachbarn taten, und hofften auf Wohlwollen, besonders natürlich von *HaSchem*. Doch ab und zu wurde dieser still ruhende See von etwas Dunklem und Unerwünschtem aufgewühlt, das sich unter der Oberfläche wand und krümmte.

Die Unterhaltung in der Küche drehte sich um sie. Chani hatte gerade müßig auf dem Sofa im Wohnzimmer herumgelegen, als das Telefon die Stille zerriss. Sie raffte sich auf, in der Hoffnung, es wäre für sie, doch die Küchentür blieb geschlossen. Also drückte sie sich wie üblich davor herum. Ihre Mutter begrüßte den Anrufer enthusiastisch, und Chani wurde vor Aufregung ganz kribbelig, denn am anderen Ende war Mrs Gelbman.

Ein *Schidduch*. Das musste es sein. Aus keinem anderen Grund würde Mrs Gelbman anrufen. Chani spitzte die Ohren, um jedes Wort zu verstehen.

»Ja, Mrs Gelbman, sie ist immer noch zu haben.«

Ihre Mutter schwieg. Chanis Herz klopfte wie eine Trommel.

»Aber bitte, sprechen Sie weiter... mhmmm... mhmmm... Nein, ich habe noch nie von ihnen gehört. Wo wohnen sie?«

»Das Haus an der Ecke? Sie müssen gut situiert sein.« Ihre Mutter schnaubte. »Und was macht dieser Junge? Und was planen die Eltern für seine Zukunft?« Es entstand eine Pause. »Okay, das hört sich vielversprechend an. Groß, haben Sie gesagt. Ich hoffe, nicht zu groß! Niemand will einen Riesen in der Familie! Wie alt, sagten Sie? Vielleicht ein bisschen jung, aber wenn er so weit ist, dann ist er so weit, *Besrat HaSchem*. Und wie hat er denn –«
Ihre Mutter verstummte. Chani juckte es, nach oben zu rasen und leise den Nebenanschluss im Zimmer ihrer Eltern abzuheben, doch sie stand da wie angenagelt, um bloß keinen lebenswichtigen Fetzen zu verpassen.

»*Wo* hat er sie gesehen?« Die laute Stimme ihrer Mutter erschreckte Chani so sehr, dass sie fast durch die Tür gefallen wäre.

»Mrs Gelbman, ganz im Ernst, Jungen, die so schamlos Mädchen anstarren, sind nichts für meine Tochter.«

Schlagartig wusste Chani Bescheid. Es war der Junge von der Hochzeit. Shulamis hatte recht gehabt! Wenn sie sich nur umgedreht und geguckt hätte! Doch es blieb keine Zeit fürs Bedauern, ihre Mutter sprach weiter.

»Na gut, Mrs Gelbman, ich verstehe. Natürlich gucken junge Männer, aber doch nicht so direkt, *nu*? Mhmm… wirklich? Das macht natürlich einen Unterschied. *Or Yerushaliyim* sagten Sie?«

*Or Yerushaliyim*. Ihre Stimmung sank. Die meisten Mädchen sahen es als einen Coup an, den Studenten einer Top-*Jeschiwa* umgarnt zu haben. Chani hingegen sah den klaffenden Abgrund von Wissen und Erfahrung, der sich unweigerlich zwischen ihnen auftun würde. Warum sollte ein *Jeschiwa Bocher* ein Mädchen wie sie wollen? Sie würde sich verloren fühlen. Oder sich langweilen. Oder beides. Und er genauso.

»Ja, aber Mrs Gelbman, wir wissen beide, dass Chani nicht auf der *Sem* war. Ist ihm das klar? Oder besser gesagt, seinen Eltern. Oh. Wirklich?« Ihre Mutter hörte wieder zu. »Gut. Ja. Sehr gut. Okay, okay, ich werde mit ihr sprechen und Ihnen dann Bescheid geben. Vielen Dank, Mrs Gelbman. Ja, Ihnen auch, ja, *im jirtse Ha-Schem*. Auf Wiederhören.« Ihre Mutter legte auf.

Chani schoss zurück ins Wohnzimmer.

»Chani-leh, ich weiß, dass du gelauscht hast!«, schimpfte Mrs Kaufman.

Chani versuchte gar nicht erst, es abzustreiten. Sie fing emsig an, die Kissen aufzuschütteln. Ihre Mutter schlurfte hinter ihr heran.

»Na, zumindest wirst du rot! Es gehört sich nicht zu lauschen, junge Dame.«

Chani verdrehte die Augen. Dann fuhr sie herum und schaute ihre Mutter an. »Mum, bitte nicht jetzt! Sag's mir einfach! Wer ist es?«

Mrs Kaufman ließ sich auf das Sofa fallen und klopfte auf den Platz neben sich. Folgsam setzte sich Chani zu ihr.

»Er heißt Baruch Levy. Er kommt aus einer reichen Familie, wie es scheint, obwohl ich noch nie von ihnen gehört habe. Die *Schtiebel* deines Vaters besuchen sie jedenfalls nicht.« Sie schniefte. »Er ist ein *Jeschiwa Bocher* mit einem Platz an der *Or Yerushaliyim*, aber ich möchte mal wissen, welcher *Jeschiwa Bocher* zu spät zu einer Hochzeit kommt und sich dann erst einmal Mädchen anschaut?«, fragte Mrs Kaufman. Sie wandte sich Chani zu, den Mund angewidert verzogen. »Und ich wage gar nicht, daran zu denken, was du getan haben könntest, damit er dich bemerkt!«

»Mum! Alle Jungs gucken, selbst die frommen. Dad hat dich doch sicher auch angeguckt, oder? Ich habe *überhaupt nichts* gemacht. Ehrenwort. Ich habe mich gut benommen. Mir ist noch nicht mal aufgefallen, dass jemand geguckt hat.« Sie biss sich auf die Zunge, bevor sie ausplaudern konnte, dass Shulamis ihn sehr wohl hatte starren sehen.

Plötzlich brannte sie darauf, ihn kennenzulernen. Was waren schon die paar Unterschiede. Er war jung, hatte Shulamis gesagt. Und groß. Und er hatte sich die Mühe gemacht, sie aufzuspüren. Wenn sie nicht schnell etwas unternahm, könnte er das Interesse verlieren und sich anderswo umsehen.

»Mum, ist das denn wirklich so ein Drama? Ich würde ihn gern kennenlernen.«

Um nicht übereifrig zu erscheinen, wollte Mrs Kaufman lieber etwas Zeit vergehen lassen, bevor sie die *Jente* zurückrief.

»Also gut, ich werde mit deinem Vater reden und Mrs Gelbman dann nach *Schabbes* anrufen«, seufzte sie. »Aber mach dir keine allzu großen Hoffnungen. Du weißt, wie es mit diesen *Schidduchim* ist, Chani-leh. Da stehen so viele Mädchen in der Schlange, dass diese dummen Jungs gar nicht wissen, wo sie anfangen sollen, *nu*? Kein wirklicher *Mentsch* unter ihnen! Vielleicht bist du ein bisschen vorlaut, aber wer würde so ein hübsches, intelligentes Mädchen wie dich nicht wollen?« Sie strich Chani über das Haar.

»Ich weiß, Mum. Kannst du sie nicht schon heute Abend zurückrufen?«

»Tss-tss-tss«, schalt ihre Mutter. »Chani, wie wäre es mit ein bisschen Stolz und Anstand?«

»Oh, Mum! Was macht das schon? Am Ende wird es sowieso nichts. Bringen wir es besser hinter uns. Oder er wird … wird …«

Mrs Kaufman schenkte ihrer Tochter ein mattes Lächeln. Sie konnte ihre Panik förmlich spüren, und ihr Magen krampfte sich voller Verständnis zusammen. Was, wenn keiner sie wollte? Mit den anderen war es einfacher gewesen. Vielleicht hatte *HaSchem* seine Gründe. Sie wünschte dennoch, er würde sich etwas beeilen. Bald hätte Chani keine Hoffnung mehr, wenn die Kandidaten von Mal zu Mal unattraktiver würden. Dann wäre der Weg in die ewige Jungfernschaft nicht mehr weit, abgestumpft von unzähligen Enttäuschungen. Mrs Kaufman konnte den Gedanken nicht ertragen, dass Chani allein alt werden sollte. Als wäre sie verflucht. Und es würde auch auf ihre jüngeren Töchter abfärben. Erst wenn Chani verheiratet war, konnte die nächste Suche beginnen.

17

# Die Rebbetzin
## November 2008 – London

Die Rebbetzin ging zügig, ihre Füße schlugen einen schnellen Takt auf dem rutschigen Bürgersteig. Sie kam an dem geheimnisvollen Christian Centre an der Ecke hinter der Bahnstation vorbei. Heute drängten sich keine Afrikaner vor den Türen, in ihre Sonntagssachen gekleidet, die Frauen mit ihren gemusterten Turbanen und in dazu passenden Kleidern regelrecht majestätisch. Das Gebäude war groß, quadratisch und grau und gehörte mal zur BBC. Es wirkte überhaupt nicht wie ein Gotteshaus. Mit den vergitterten Schwingtüren aus Glas und den Anschlagtafeln haftete ihm immer noch der Nachgeschmack einer staatlichen Einrichtung an. Sie hatte sich oft gefragt, wie es wohl wäre, dort einen Gottesdienst zu besuchen. Sie hätte den Gesang gern gehört. Als sie das Christian Centre hinter sich gelassen hatte, wanderten ihre Gedanken zurück in die Vergangenheit. Sie waren einmal so glücklich gewesen.

Die Veränderungen begannen, kurz nachdem sie Israel verlassen hatten, als die Kinder noch klein waren, und dauerten seitdem an. Das meiste davon hatte die Rebbetzin bereitwillig hingenommen. Sie hatte kaum eine Wahl – Golders Green war nicht Nachla'ot.

Chaim hatte sich reinknien müssen, hatte studieren und hart arbeiten müssen, um als Rabbi akzeptiert zu werden. Er hatte auf die gehäkelte weiße Kappe und die lockere, helle Kleidung verzichtet, die er in Jerusalem getragen hatte. Hier begrüßte die Gemeinde *Schabbes* nicht fieberhaft mit Tanz und Gesang, und in Folge neigten die Gottesdienste dazu, wesentlich biederer zu sein.

Alles wurde nach und nach starrer und konservativer, einschließlich ihres Mannes. Er schmiss alle alten Pop-Schallplatten raus und ersetzte Elvis Costello und The Jam durch die Aufnahmen berühmter Kantoren, die Psalmen und Liturgien sangen.

Sie ging dazu über, dunkle Farben zu tragen, winterliche, neutrale Töne, in denen sie sich alt und bieder fühlte. Ihre unzähligen bunten Kopftücher wurden durch wischmoppartige *Scheitel* ersetzt. Sie streifte ihre Armreife ab, schwerer Ethno-Silberschmuck, und ihre Ringe, überreich verziert mit Türkis und Malachit, und trug nur noch ihren Ehering. Nach außen hin wurde sie zur mustergültigen Rabbiner-Frau, Inbegriff von Tugend, Bescheidenheit und Freundlichkeit. Sie besuchte die Kranken, sie nahm an *Rosh-Chodesch*-Treffen teil, sie betete und buk und machte sauber und hieß willkommen und zog ihre Kinder groß – alles in bester jiddischer Tradition. Sie lächelte, obwohl ihr die Wangen von der Anstrengung schmerzten.

Sie vermisste Jerusalem, doch sie wusste, dass sie niemals zurückgehen konnte. Ihr betriebsames neues

Leben ließ ihr wenig Zeit zum Nachdenken. Sie wollte nicht nachdenken. Es war besser, einfach weiterzumachen, dankbar für die tägliche Routine zu sein, für den endlosen Reigen von Feiertagen und Festen, das einzige Anzeichen dafür, dass die Zeit verging. Ihre Kinder aufwachsen zu sehen und Teil einer warmen, sicheren, wenn auch manchmal etwas erdrückenden Gemeinde zu sein. Die Rebbetzin war eingelullt in eine dumpfe Zufriedenheit.

Chaim wurde in seinen Ansichten immer strenger und formeller, und die meiste Zeit machte sie Zugeständnisse und unterstützte ihn als seine Ehefrau. Sie hatte kaum eine andere Wahl. Je mehr sie sich anpassten, desto erfolgreicher wurde Chaim. Er unterrichtete mehr und mehr Stunden, die von mehr und mehr Schülern besucht wurden. Mehr Leute wohnten seinem Gottesdienst in der örtlichen *Schul* bei. Er war nicht länger ein Junior-Rabbi; er war der Nächste in der Reihe. Rabbi Rubowski konnte nicht ewig weitermachen.


Eines Tages kam Chaim nach Hause und fand ein glänzendes grünes Fahrrad im Flur vor. Es war ein Damenrad und hatte einen großen Weidenkorb am Lenker. Er probierte die Klingel aus, und sie gab ein keckes Läuten von sich.

Die Rebbetzin kam und rieb sich die Hände an der Schürze ab. Die Kinder aßen ein frühes Mittagessen in der Küche. Sie beobachtete ihren Mann. Er probierte die Bremsen aus und befühlte die Reifen.

»Na, wie findest du es? Das habe ich heute gekauft.«

»Wo hast du es her?«

»Es gibt in Hampstead einen kleinen Fahrradladen.«

»War bestimmt teuer, oder?«

»Es ist gebraucht.«

»Sieht aus wie neu.« Er klingelte noch einmal, packte den Lenker und drehte das Rad in der Luft, um das Schwirren der Speichen zu hören.

»Und wo beabsichtigst du, damit zu fahren?«

Sie hielt argwöhnisch inne, alarmiert durch seinen Sarkasmus. »Ich dachte, ich könnte es für Krankenbesuche benutzen. Der Korb ist praktisch, wenn ich ihnen Suppe oder frischgebackene *Challa* bringe, oder wenn ich einkaufen gehe. Ich wäre viel schneller, und es hält mich fit.«

Chaim gab einen langen, müden Seufzer von sich. Dann sah er seine Frau an.

»Rivka, es ist ein wunderschönes Fahrrad, und ich wünschte, du könntest damit fahren, aber du weißt, dass das nicht geht. Es ist einfach nicht angemessen, und mit ›angemessen‹ meine ich, es schickt sich nicht für eine erwachsene Frau, und noch dazu die Frau eines Rabbis, mit einem Fahrrad durch die Stadt zu radeln.«

Die Rebbetzin biss die Zähne zusammen und zwang sich zu flüstern, damit die Kinder es nicht hörten. »Chaim, ich werde dieses Fahrrad fahren. Ob es nun angemessen ist oder nicht. Es tut mir leid, aber die Gemeinde kann denken, was sie will.«

Er starrte sie an. »Und was ist damit, was ich denke? Ich bin dein Mann, und mir gefällt die Vorstellung nicht, dass du auf einem Fahrrad gesehen wirst. Es ist einfach nicht richtig.«

Zornig sah sie ihn an. Sie konnte den Drang, ihn anzubrüllen, kaum unterdrücken, doch das führte zu nichts. »Also befiehlst du mir, es nicht zu fahren?«

»Ich bitte dich höflich und freundlich. Bitte, tue es nicht.«

»Ich verstehe … Wir leben also jetzt nur nach deinen Regeln.«

»Nein, du weißt, dass das nicht stimmt – du entscheidest im Haus. *HaSchem* entscheidet über uns alle.«

»Nun, ich glaube kaum, dass *HaSchem* daran Anstoß nimmt, wenn eine Frau Fahrrad fährt.«

»Nein, aber möglicherweise Rabbi Rubowski … und er wird nach *Jamin Towim* pensioniert. Hör zu, fahr das Fahrrad sonntags im Heath Park, dann sieht dich keiner. Wir können es hinten im Auto mitnehmen. Ich bleibe mit den Kindern bei den Schaukeln.«

Rivka lehnte sich an die Wand und musterte ihren Mann. Sein Bart war länger und wirrer denn je. Unter den Augen lagen dunkle Schatten. Seine Aktentasche war zerschrammt und seine Schuhe abgewetzt. Die Müdigkeit hing über ihm wie eine graue Wolke.

Trotzdem gab sie nicht nach. Sie liebte ihr neues Fahrrad, und die Freiheit, die es versprach, war zu verlockend, als dass sie kampflos aufgeben würde.

»Ich verstehe. Wenn ich also nicht mit diesem Fahrrad fahre, dann hörst du damit auf, sonntags Fußball im Fernsehen zu gucken.«

Der Fernseher war ihr kleines Geheimnis. Er war in

ihrem Schlafzimmer in einen schweren Kiefernschrank weggeschlossen, und selbst die Kinder waren gewarnt worden, ihn niemals in der Schule gegenüber ihren Freunden zu erwähnen. Manchmal lümmelten Chaim und die Jungs abends auf dem Bett, wenn ein wichtiges Spiel stattfand.

Chaim machte ein langes Gesicht. Er liebte Fußball. Und Rivka liebte *Eastenders*, ihr heimliches Laster. Sie rechnete immer noch damit, dass ihr Mann nachgab.

»Es ist nicht dasselbe. Keiner weiß von dem Fernseher. Wir schauen *Schabbes* nicht fern, und wir schauen nichts Unangemessenes.«

»Ah, aber wir alle wissen, was Rabbi Rubowski vom Fernsehen hält, oder? Es ist *ain Fäänsterrr derr Süündää, es ist Sodom und Gomorrha in den Häusärrn*!« Sie imitierte das Zetern des Rabbis.

Chaim lächelte sie schief an. »Rivka, bitte, ich flehe dich an. Fahr mit dem Rad nicht hier in der Gegend. Bitte, tu es für mich, für uns.«

Ihr Mann sah sie mit traurigen, ernsten Augen an. Sie brachte es nicht über sich, ihn durch Ungehorsam zu verletzen. Er veränderte sich. Sie beide veränderten sich. In Nachla'ot wäre es ihm sogar egal gewesen, wenn sie auf einem Esel durch die Stadt geritten wäre.

Sie starrte auf ihr Fahrrad; ihre Hand schwebte über dem schmalen Ledersitz. Sie zog sie fort.

»Okay. Du hast gewonnen. Ich bringe das Fahrrad morgen zurück.«

Er drückte ihren Arm. »Ich danke dir. Es tut mir leid. Aber das hier bedeutet mir viel.«

Am nächsten Tag brachte sie es nicht über sich, das Fahrrad zurückzugeben. Stattdessen blieb es an die Wand gelehnt stehen und staubte ein. Sie würde es am Sonntag im Park fahren. Doch der Sonntag verging, wie auch der folgende, und der danach; angefüllt mit Verpflichtungen und Besuchen, *Simchas* und Gebeten.

Irgendwann nahm sie das Fahrrad gar nicht mehr wahr. Es war zu einem Teil der Einrichtung geworden. Bis heute. Und heute fiel ihr wieder ein, was sie aufgegeben hatte und was aus ihr geworden war.

Grübelnd ging die Rebbetzin weiter. Gegenüber der Bahnstation hatten die Läden in den letzten Jahren in schneller Folge ihre Besitzer gewechselt. Diverse hell erleuchtete Sushi-Restaurants, Cafés und ein kleiner Supermarkt waren eingezogen und bedienten die Bedürfnisse der wachsenden japanischen Gemeinschaft. Neugierig spähte sie in das kindliche, pastellfarben eingerichtete Café. Alles sah hell und sauber aus – fast wie in einem Raumschiff. An einer Wand flackerte ein Fernseher.

Einige Monate nach dem Vorfall mit dem Fahrrad war die Rebbetzin nach oben gegangen, um *Eastenders* zu sehen. Sie hatte nach dem Schlüssel getastet. Er war nicht da. Vielleicht war er hinten hinuntergefallen. Der Schrank war zu schwer, um ihn allein beiseitezuschieben.

Sie marschierte aus dem Schlafzimmer, ungehalten darüber, dass sie bereits die ersten fünf Minuten verpasst hatte.

»Chaim!«

Keine Antwort. Sie lehnte sich über das Geländer.

»Chaim!«, rief sie lauter.

Sein Bart und die Brille tauchten auf. Er trug eine Schürze, die Hemdsärmel waren aufgerollt. In der linken Hand schwang er einen Pfannenwender.

»Ja?«

»Kannst du kurz eine Minute hochkommen?«

»Ich brate mit den Kindern gerade *Latkes* – kann das nicht warten?«

»Wo ist der Schlüssel zum Fernsehschrank?«

»Ich habe ihn weggeschmissen.«

»Was? Wann denn?«

»Gestern.«

Sie starrten einander an. Chaim senkte zuerst den Blick und rieb sich den schmerzenden Nacken. Die Rebbetzin stürmte die Treppe hinunter und stand ihm dann gegenüber, die Hände in die Hüften gestemmt.

»Du hast den Schlüssel weggeworfen, ohne vorher mit mir darüber zu reden? Weswegen?«, zischte sie.

Chaim blickte sie reuig an. Er kratzte sich den Kopf, zupfte an seinem Bart und wedelte mit dem Pfannenwender herum.

»Ich bin jetzt der leitende Rabbi unserer *Schul*. Ich kann anderen Leuten nicht verbieten fernzusehen, wenn ich selbst einen zu Hause habe, oder? Das ist Heuchelei.«

»Was ist mit uns – deinen Kindern? Mit mir? Dürfen wir gar keinen Spaß haben? Wir sind immer *schtumm* geblieben, die Kinder wissen, dass sie nichts sagen dürfen.«

Ihre Stimme war ein zorniges Flüstern.

»Ich weiß, ich weiß. Aber nächstes Jahr wird Michal

elf Jahre alt, und wir wollen, dass sie auf die Queen Esther geht, oder?«

»*Nu*? Sie brauchen es doch nicht zu wissen!«

»Ach komm, wir müssen bei der Bewerbung schriftlich versichern, dass wir keinen Fernseher im Haus haben. Ich bin ein Rabbi. Ich kann nicht lügen! Wir müssen ihn loswerden. Tzaki soll morgen mit seinem Van vorbeikommen.«

»Wir machen also das, was alle anderen machen – wir stellen den Fernseher ins Gartenhäuschen, wenn wir das Formular unterschreiben, und holen ihn wieder rein, wenn sie an der Schule angenommen ist! Rein technisch gesehen lügen wir nicht, denn er ist ja nicht im Haus, wenn wir unterschreiben!«

Chaim schob seine Brille höher die Nase hinauf. Er seufzte.

»Nein, das kann ich nicht machen. Ich kann so nicht lügen. Es tut mir leid. Der Fernseher muss weg. Er hat in diesem Haus keinen Platz mehr.«

»Gut! Dann erklärst du das den Kindern. Die Jungs sollen von dir hören, dass sie kein Fußball mehr gucken können.«

Sie drehte sich um und stampfte die Treppe hinauf.

»Ich werde das genauso vermissen wie sie«, rief Chaim ihr hinterher.

Die Tür zum Schlafzimmer knallte mit einer solchen Wucht zu, dass das gerahmte Foto des Lubavitscher Rebben verrutschte. Der Rebbe schenkte ihm ein schiefes Lächeln, und sein erhobener Finger zeigte jetzt in Richtung ihres Schlafzimmers anstatt in den Himmel.

Chaim nickte ihm zu, rückte das Bild zurecht und trottete zurück in die Küche.

Während der nächsten Wochen rächte die Rebbetzin sich, indem sie das Bahnhofscafé besuchte, wo auf einem Regal in der Ecke ein kleiner Fernseher stand. Am frühen Nachmittag, bevor die Kinder aus der Schule kamen, machte sie es sich mit einer dampfenden Tasse Tee gemütlich, so weit vom Fenster entfernt wie möglich.

Sie guckte, was immer gerade lief; auf die Tat selbst kam es an. Ihr tägliches Menü bestand aus Nachrichten, zweitklassigen Soaps, dem Aufspüren von zweifelhaften Antiquitäten oder dem Stumpfsinnigsten von allem, Dart-Meisterschaften.

Die kleine Rebellion gab ihr das Gefühl, für etwas einzutreten. Der Besitzer des Cafés begann, ihren Platz frei zu halten. Schon bald grüßte sie die anderen Stammgäste mit einem Nicken, die freundliche alte Dame, die an ihrem Obstplunder knabberte, die Schulkinder, die die Nachmittagsstunden schwänzten, um sich nach einem Teller Fritten eine heimliche Zigarette zu teilen, und die Busfahrer, die in ihrer Männerrunde im hinteren Teil des Cafés saßen.

Ihre Kleider stanken nach gebratenem Speck und Frittenfett, doch sie verstieß beharrlich weiter gegen die Regeln und genoss jede Minute. Bis Mrs Gottleib, ihre wichtigtuerische Nachbarin von gegenüber, sie durch das Fenster entdeckte und hereinmarschierte, um sie zu grüßen.

Die Rebbetzin klebte am Bildschirm und wartete

gespannt auf den Ausgang der Gameshow, als eine breite, bekannte weibliche Gestalt ihr den Blick versperrte.

»Ahh, meine liebe Rebbetzin Zilberman, was für eine Überraschung, Sie in diesem …«, Mrs Gottlieb rümpfte angewidert die Nase und wedelte mit der Hand abwertend über das Café und seine Gäste, »… ungewöhnlichen Etablissement zu treffen.«

Die Rebbetzin blieb sitzen und versuchte, an Mrs Gottliebs voluminösem *Scheitel* vorbeizusehen. Doch Mrs Gottlieb rührte sich nicht. Ihre stämmigen Beine schienen an den klebrigen Fliesen des Cafés festgewachsen zu sein.

»Oh, ich komme nur her, um mich ein bisschen zu entspannen, einen Moment für mich zu haben – ab und an muss man schließlich seine Batterie wieder aufladen, Mrs Gottlieb.«

»Wirklich, Rebbetzin Zilberman, also ich kann das ganz ausgezeichnet zu Hause. Ein Zehnminutenschläfchen ist alles, was ich brauche – doch wann hat man dazu schon mal die Gelegenheit? Aber ich sehe, dass Sie beschäftigt sind, meine liebe Rebbetzin. Ich möchte Sie nicht stören.«

Mrs Gottlieb hatte sich nicht einmal umgedreht, um auf den Bildschirm zu schauen. Stattdessen ließ sie die böse Strahlung an ihrem breiten Rücken abprallen.

Die Rebbetzin lachte schwach. »Ganz und gar nicht, Mrs Gottlieb, ganz und gar nicht. Wie geht es Mr Gottlieb? Und Ihren Kindern?«

»*Baruch HaSchem*, danke, allen geht es gut. Also, ich

muss los, ich habe keine Zeit zu verschwenden, meine Schwiegertochter kommt mit ihrem Neugeborenen zum Abendessen, meinem sechsten Enkelkind! Man sollte dankbar sein für das, was man hat, Rebbetzin!«

»*Baruch HaSchem*, Mrs Gottlieb! Richten Sie meine besten Wünsche aus!«

Mrs Gottlieb schenkte ihr ein teuflisches, selbstzufriedenes Lächeln und schlenderte hinaus. Die Tür des Cafés erzitterte, als sie sie hinter sich zufallen ließ. Draußen winkte sie der Rebbetzin kurz durch das Fenster zu, und dann war sie fort.

Die Rebbetzin seufzte. Ihr Tee war kalt geworden. Sie hatte den finalen Punktestand verpasst. Der Bildschirm flimmerte und sprach zu ihr, doch sie konnte sich nicht konzentrieren. Jetzt war sie fällig. Mrs Gottlieb war der verlässlichste Informationskanal, den die Gemeinde besaß. Ihr Geheimnis würde Chaim noch vor dem Mittagessen zu Ohren kommen, dessen war sie sich sicher.

Sie kratzte gerade die Reste des Mittagessens in den Treteimer, als Chaim in die Küche kam. Michal stand neben ihr und räumte die Geschirrspülmaschine ein, während Avromi Moishe mit einem nassen Spüllappen rund um den Tisch jagte.

»Rivka, kann ich nebenan kurz mit dir reden?«

Sie spielte auf Zeit. »Kann das nicht warten? Ich räume gerade auf!«

»Jetzt, bitte.« Seine Stimme klang nachdrücklich und streng. Sie ließ das schmutzige Besteck und die Teller scheppernd in das Spülbecken gleiten. Dann folgte sie ihrem Ehemann ins Wohnzimmer. Er schloss die Tür, drehte sich um und sah sie an, auf seinem Gesicht lag der grimmige Ausdruck biblischer Verdammnis.

»Bitte setz dich.« Er zeigte auf das Sofa, doch sie blieb stehen.

»Nein, ich bin keiner deiner *Tora*-Schüler, Chaim. Sag mir, was los ist.« Sie blieb, wo sie war, ein Geschirrtuch in der rechten Hand.

»Ich habe heute einen Anruf von Mrs Gottleib erhalten. Ihr habt euch zufällig in dem Café an der Bahnstation getroffen, wo du ferngesehen hast.«

Er verstummte, um sie böse anzufunkeln.

»Und? Was jetzt? Du hast den Fernseher abgeschafft, ich bin erwachsen, ich entscheide selbst, was ich mit der wenigen Freizeit anstelle, die ich habe. Davon abgesehen hast du nie gesagt, dass ich kein Fernsehen gucken soll. Es ging nur darum, ihn aus unserem Haus zu entfernen. Das bedeutet nicht, dass ich nicht woanders gucken kann.«

Sie wusste, dass es genau das bedeutete. Doch sie wollte ihn provozieren, diesen heiligen Ehegatten an ihrer Seite. Die Rebbetzin schaute zu, wie sein Gesicht sich verzerrte, während er versuchte, seiner Wut Herr zu werden.

»Du weißt *ganz genau*, dass du nicht woanders Fernsehen gucken sollst! Wie konntest du mir das antun? Uns das antun? Ist dir unser Ruf egal? Dein Ruf? Das ist so unverantwortlich von dir, so selbstsüchtig.«

»*Selbstsüchtig*? Von wegen, selbstsüchtig! Du bist hier der Selbstsüchtige! Ich bin dir blind in die *Jiddisch-*

*kait* gefolgt, habe getan, worum du mich gebeten hast, habe viele Dinge aufgegeben, die mir Spaß gemacht haben. Ich habe es *satt,* so kontrolliert zu werden! So haben wir nicht gewettet!«

Sie spuckte die Worte aus, ohne darüber nachzudenken. Sie stiegen aus ihrem tiefsten Inneren auf, und ihre Verbitterung trug sie davon.

Chaim entglitten die Gesichtszüge. Er ließ die Schultern hängen. »Ich dachte, wir hätten einen Pakt besiegelt, gemeinsam durch dieses Leben zu gehen. Warum wendest du dich jetzt dagegen? Nach all den Jahren.«

»Ich wende mich nicht dagegen! Es ist nur überhaupt nicht mehr so wie zu Anfang – in Jerusalem –, wo sich alles so lebendig anfühlte, so bedeutungsvoll. Hier geht es nur um den äußeren Schein, darum, gesehen zu werden, wie wir die richtigen Dinge tun. Ich hasse es. Es fühlt sich an, als wäre ich bei *Big Brother.* Warum kann ich nicht ab und zu ein bisschen fernsehen? Ich bin eine erwachsene Frau, Himmel noch mal!«

»Rivka!«

»Tut mir leid, Chaim – nein, es tut mir nicht leid! Ich glaube nicht, dass *HaSchem* sich an ein paar Blockbustern stößt, oder? Komm, das ist alles so trivial! Ich tue die Dinge, die wirklich wichtig sind. Ich bin ein guter Mensch, eine gute Jüdin! Ich befolge meine *Mizwot,* ich *dawene.* Ich gehe in die *Mikwe,* zur *Schul* – was soll ich denn noch tun?«

Draußen auf dem Flur knarrte es. Chaim schlich sich an und riss die Tür auf. Die Kinder stürzten die Treppe hoch, stolperten übereinander und kicherten.

»Ihr solltet längst auf euren Zimmern sein und Hausaufgaben machen!«, rief er ihnen hinterher. Er schloss die Tür und wandte sich wieder ihr zu.

»Tolles Beispiel, das du da für die Kinder abgibst. Sagst das eine, aber tust das andere. Du musst vorsichtiger sein. Geh in ein anderes Café, wenn du musst, eines weiter weg von der Finchley Road.«

»Nein, ich bin das Versteckspiel und die Heuchelei gründlich satt. Ich werde nichts sagen oder tun. Ich werde nur versuchen, ein bisschen zu leben. Warum können wir nicht wieder wir selbst sein? So, wie wir es in Jerusalem waren, bevor – vor allem anderen …«

Chaim seufzte. Er wandte sich ab, die Hände in den Hosentaschen. »Ich weiß, dass es schwer für dich war, aber wir haben unsere Entscheidung gefällt, und jetzt müssen wir dabei bleiben.«

»Na, das ist leicht gesagt, jetzt, wo du der Mitarbeiter des Monats bist.«

Er zuckte zusammen. Es war gemein von ihr, ihn so zu demütigen, sie brodelte noch immer vor Bitterkeit.

»Nun, es tut mir leid, dass du so denkst. Ich habe immer auf deine Unterstützung und deine Liebe gebaut. Ich habe versucht, für dich und die Kinder mein Bestes zu geben. Schade, dass das Leben, das ich dir geboten habe, nicht deinen Vorstellungen entspricht.«

Er drehte sich um und ging. Die Rebbetzin sank auf das Sofa und rieb sich die Augen fest mit den Handballen. Sie fühlte sich gehässig und kleinkariert, doch das hier war die harte Wahrheit. Sie waren schon so lange drum herum geschlichen.

18

# Chani – Baruch
## Juni 2008 – London

Chani lungerte an der Rezeption herum und kam sich lächerlich vor. Der Herr am Empfang hatte ihr im neutralen Ton seine Hilfe angeboten, doch seine Augen hatten ihr schlichtes, formloses Outfit auf eine Weise überflogen, die erkennen ließ, dass ihm ihresgleichen schon häufiger über den Weg gelaufen war. Ihre Unruhe und Nervosität hatten verraten, weshalb sie hier war. Danach hatte er sie in Ruhe gelassen. Und sie hatte weiter am Empfangstresen gestanden, ihre Handtasche umklammert, und war bei jedem Zischen der aufgleitenden Türen zusammengefahren.

Das Dröhnen der Autobahn direkt hinter dem Parkplatz brachte das Hotelfoyer zum Summen. Die dicken Glasfenster dämmten den Lärm, doch sie konnte immer noch ein leichtes Vibrieren unter ihren Schuhsohlen spüren. Der glänzende Boden reflektierte die Halogenstrahler. Sie befand sich auf einer Insel aus glänzendem Chrom und Resopal, einer Kombination so weiß und klinisch, dass sie sich vorkam wie in einem Krankenhaus.

Er kam zu spät. Chani warf alle paar Sekunden einen

Blick auf ihre Uhr. Aus dem Augenwinkel nahm sie Bewegung in der Bar wahr. Ein Mann stand am dunklen Holztresen und sprach mit dem Barkeeper. Ihr Herz machte einen Satz. Sie schlich sich näher heran und versteckte sich hinter einer gigantischen Fensterblattpflanze. Zu ihrem Entsetzen stellte sie fest, dass sie den Mann kannte – es war der widerwärtige Witwer ihres letzten *Schidduch*. Er war zwanzig Jahre älter als sie und hatte sie mit der Begründung abgelehnt, dass sie zu jung und flatterhaft sei, obwohl ihre jugendlichen Reize für sein Interesse sicher nicht unwesentlich gewesen waren.

Auf einem Barhocker an einem kleinen runden Tisch saß ein Mädchen. Sie war nicht besonders groß, rundlich, und ihre fetten, kurzen Beine baumelten in der Luft. Sie hatte eine dichte Mähne kastanienbrauner Ringellöckchen. Dinah Kahn, eine frühere Klassenkameradin von Chani. Dinah spürte, dass sie beobachtet wurde, und drehte sich um. Chani floh auf die Damentoilette. Wo blieb Baruch? Sie wusste, dass sie nicht ewig hier drin bleiben konnte, doch das Alleinsein war wie Balsam. Sie musterte ihr Spiegelbild und entschied, dass sie zu viel Lipgloss aufgetragen hatte. Sie wischte den Überschuss mit einen Taschentuch ab. Danach fühlte sie sich nackt und trug eine frische Schicht auf. Ihre Augen schienen mehr denn je zu strahlen, doch ihr Gesicht war gerötet, also feuchtete sie ein Tuch mit kaltem Wasser an und kühlte damit ihre Haut. Sie warf einen Blick auf die Uhr und bekam einen Schreck. Sie musste zurück ins Foyer.

Sie zwang sich, die Toilette in aller Ruhe zu verlassen, und blinzelte, bis ihre Augen sich wieder an das grelle

Licht gewöhnt hatten. Er war da. Ein hochgewachsener, dünner junger Mann lehnte am Empfangstresen, gekleidet in den schwarzen Einheitsanzug mit weißem Hemd. Er zog seinen Ärmelaufschlag zurück und warf einen Blick auf die Uhr. Chani konnte sein Gesicht nicht erkennen. Es lag verborgen unter dem Hutrand.

Sie ging auf ihn zu. Durch das Klappern ihrer sittsamen Absätze aufmerksam geworden, drehte er sich um. Er versuchte zu lächeln, doch es geriet zu einer grinsenden Grimasse. Chani blieb in respektvollem Abstand vor ihm stehen. Sie schaute zu ihm hoch und dann hinunter auf den Boden. Baruch schämte sich seiner riesigen Füße, die Halbschuhe bedeckten die Hälfte des Abstands zwischen ihnen.

»Hi, ich bin Baruch –«

»Hallo, bist du Baruch?« Ihre Stimmen prallten aneinander, seine hoch und fistelig. Chani grub die Nägel in ihre Handfläche, um nicht laut aufzulachen.

»Tut mir leid, dass ich zu spät bin – ich bin nur –«, fuhr er fort.

»Oh nein, überhaupt nicht, alles in Ordnung – ich war nur –«, ratterte Chani.

»– im Verkehr steckengeblieben –«

»– auf der Toilette –« Sie wurde knallrot. Über Körperfunktionen sprach man nicht und schon gar nicht bei einem *Schidduch*. Wie peinlich.

Baruch strahlte. »Oh, macht doch nichts«, sagte er. »Jetzt sind wir ja beide hier.«

»Ja, *Baruch HaSchem*«, sagte Chani eilig.

Sie standen sich einige Sekunden lang gegenüber.

Erleichtert stellte Baruch fest, dass sie tatsächlich das Mädchen von der Hochzeit war. Er hatte sich schon den Kopf darüber zerbrochen, was er tun würde, wenn die Falsche auftauchen würde. Seine Ängste zerstreuten sich; er musterte sie so eingehend, wie die guten Manieren es erlaubten. Er hätte gerne mehr als nur ihr Gesicht betrachtet, doch er riss sich am Riemen. Ihre Figur verbarg sich unter Schichten von weitem Stoff. Sie war außerordentlich hübsch. Baruch bewunderte Chanis durchscheinende Haut und den vollen rosa Mund. Aber was klebte da an ihrer linken Wange? Es sah aus wie ein Stückchen Taschentuch.

*Sehr groß*, dachte Chani. Möglicherweise ein wenig zu groß. Es war, als stünde man im Schatten einer dünnen, struppigen Palme. Sie beäugte die drei Pickel, die an seiner Kinnpartie klebten wie Napfschnecken auf einem moosigen Stein. Wenn er seinen Bart wachsen ließe, wäre das vielleicht eine gute Tarnung.

Sie lächelte zu ihm auf, den Nacken in einem unnatürlichen Winkel verrenkt, und gab die kleine Lücke zwischen ihren Vorderzähnen preis. Der Makel verwirrte Baruch, obwohl er sich seiner eigenen Unzulänglichkeiten sehr wohl bewusst war, denn in seinen Träumen war sie perfekt und makellos gewesen. Doch immerhin war sie echt. Er entschied, ihre schiefen Zähne charmant zu finden.

»Sollen wir uns irgendwo hinsetzen?«, schlug er vor.

Chani nickte, plötzlich stumm. Ihr Rücken prickelte in dem Bewusstsein, dass ihre Ankunft bemerkt worden war. Sie bedachte Dinah mit einem majestätischen Nicken und trippelte erhobenen Hauptes hinter Baruch her, entzückt darüber, dass das andere Pärchen trostloser wirkte als eine Platte kalter *Schabbes*-Reste.

Als sie sich verabschiedet hatten, wusste Baruch, dass er sie wiedersehen wollte. Sie war intelligent und vorwitzig, was sie hinter einem ruhigen Lächeln zu verbergen suchte. Manchmal brach es aus ihr heraus, und er sah den Schalk in ihren Augen blitzen, bevor der Vorhang der Sittsamkeit wieder fiel. Sie begannen mit den üblichen Themen: Familie, Grad der Religiosität, *Jeschiwa*, Schule und sprachen selbst über ihre engsten Freunde. Sie unterhielten sich angeregt, anfangs etwas zögerlich, aber mit der Zeit legte sich die Unsicherheit. Er merkte, dass Chani sich zurückhielt, ein Thema fallenließ, das sie gerade vertiefen wollte.

Er jedoch wollte alles von ihr wissen. Auf dem Nachhauseweg im Taxi starrte er mit leerem Blick auf die flackernden Neonlichter und die Werbetafeln, die das Blaue vom Himmel versprachen. Eingelullt vom Dröhnen der North Circular ließ er jede Nuance ihres Gesprächs Revue passieren, um weitere Informationskrümel zu sammeln. Er versuchte, jeden Blick und jedes Lächeln zu entschlüsseln. Mochte sie ihn? Beim Abschied hatte sie nichts preisgegeben. Er hatte mit sich gerungen, sie gleich um ein neues Date zu bitten, doch das gehörte sich nicht. Aber sie hatte eingewilligt, dass er sie anrief. Das war doch schon was.

Ehe er sich's versah, hatte das Taxi ihn zu Hause abgesetzt. Licht flutete die Auffahrt, als er knirschend über den Kies lief. Er hatte die Sicherheitsbeleuchtung ganz vergessen. Jetzt bekämen seine Eltern mit, dass er wieder zurück war, und er musste ihnen Rede und Antwort stehen. Er schloss die Tür auf.

»Baruch, bist du das?«, rief seine Mutter.

»Ja, Mum.«

»*Nu*, wie war es?«

Er betrat das Wohnzimmer. Seine Eltern saßen dicht nebeneinander auf dem Sofa und schauten ihn erwartungsvoll an.

»Es war großartig«, sagte Baruch strahlend. Und dabei würde er es belassen.

Seine Eltern tauschten Blicke aus. Seine Mutter zuckte zusammen. Mr Levy legte ihr beruhigend eine Hand auf den Arm, die sie prompt entfernte. Sie fing an zu zittern.

»Heißt das, dass du sie wiedersehen wirst?«, fragte sie.

»Wenn sie mich wiedersehen will, ja.« Baruch verlagerte sein Gewicht von einem Fuß auf den anderen. Er hatte sich gegen den üblichen Schwall an Fragen gewappnet, aber er würde nicht zulassen, dass jemand sich in seine Erinnerungen an den Abend einmischte oder sie ihm verdarb.

Sein Vater knurrte. »Wie ist sie denn? Ist sie ein nettes Mädchen?«

Seine Mutter beäugte ihn wie ein Habicht. Er setzte einen nichtssagenden, neutralen Ausdruck auf.

»Ja, sie ist ein nettes Mädchen. Wirklich sehr nett.«

Das war alles, was sie bekommen würden. Er drehte sich zur Tür um. »Also dann, gute Nacht.«

»Aber, wirst du –«, platzte es aus seiner Mutter heraus.

»Genug, Berenice, lass ihn ins Bett gehen. Der Junge braucht jetzt seine Ruhe. Morgen können wir darüber reden. Ja, Baruch?«

»Ja, Dad.« Die Lüge ging ihm leicht über die Lippen. Er hatte nicht die Absicht, Chani *en détail* mit ihnen zu diskutieren. Sie gehörte ihm oder war zumindest seine Wahl gewesen, und er hatte nicht das Bedürfnis, sich seinen Eindruck von ihnen beschmutzen zu lassen.

Als er die Tür leise hinter sich schloss, hörte er das besorgte Gemurmel ihrer Stimmen. Er sprang die Stufen hoch. In der willkommenen Privatsphäre seines Zimmers warf er sich aufs Bett, wo er die Hände hinter dem Kopf verschränkte, zur Zimmerdecke hochschaute und grinste.

Chani war sich nicht so sicher. Baruch schien ausgesprochen angenehm, freundlich und interessiert zu sein. Aber fühlte sie sich zu ihm hingezogen? Die Pickel und die Nerd-Brille störten sie immer noch, genau wie der erschreckende Größenunterschied. Zugutehalten musste man ihm, dass er für sie den Stuhl zurückgezogen, aufmerksam zugehört und über ihre laschen Witzchen warmherzig gelächelt hatte. Nach einer Weile war es ganz einfach gewesen, mit ihm zu reden. Sie hatte sich in seiner Gesellschaft wohl gefühlt. Wenn er nur besser aussähe.

Sie betrat die Küche, wo ihre Eltern saßen. Die Überbleibsel des Abendessens lagen über die Plastiktischdecke verstreut. Ihr Vater war über ein Buch gebeugt und bemerkte ihr Hereinkommen gar nicht. Ihre Mutter hatte Yona auf dem Schoß und blätterte durch ein Kochbuch. Yona blinzelte sie müde an.

»Wie war es?«, fragte ihre Mutter.

»Ähm, es war gut. Denke ich. Ich bin nicht sicher.«

»Nicht sicher? Yankel, Chani war bei einem *Schidduch* und ist sich nicht sicher.« Ihre Mutter stieß ihrem Vater einen Ellenbogen in die Seite. Er blickte von seinem Buch auf und schaute sie wie von weit her an.

»Ah ja, und, Glück gehabt? Netter Junge? Kennen wir ihn?«

»Die *Jente* kennt die Familie«, sagte Mrs Kaufman.

»Gut, gut, die unermüdliche Mrs Gelbman, he? Was würden wir ohne sie tun?« Nachdem er gesagt hatte, was von ihm verlangt wurde, vertiefte er sich wieder in sein Buch.

»Warum bist du nicht sicher, Chani-leh? Mag er dich denn?«

»Ich denke schon. Er hat gefragt, ob er mich anrufen dürfe.« Es war *schon* ein bisschen aufregend, wenn ein Junge hinter einem her war.

»Dann gib dem armen Jungen eine Chance. Ist er ein *Mentsch*?«

»Woher soll ich das wissen, Mum? Ich kenne ihn doch erst fünf Minuten.«

»Dass dein Vater ein *Mentsch* war, wusste ich in dem Augenblick, als ich ihn das erste Mal gesehen habe.«

Rabbi Kaufman beugte sich tiefer über das Buch. Seine Nase berührte fast die Seiten. Chani wusste, dass er sich taub stellte, um nicht in das Gespräch hineingezerrt zu werden.

»Yankel!« Mrs Kaufmans Ellbogen kam wieder zum Einsatz.

Verwirrt blickte ihr Ehemann auf.

»Yankel, deine Tochter, sie ist sich nicht sicher. Sag doch was.«

»Worüber ist sie sich nicht sicher?«

»Über den Jungen, den sie gerade getroffen hat! Ach, Yankel! Warum kannst du nicht zuhören? Deine Tochter war bei einem *Schidduch,* und der Junge möchte sie anrufen, aber sie ist sich nicht sicher.« Yona wand sich auf dem Schoß ihrer Mutter, wurde runtergelassen und tapste zu Chani. Sie zog ihre Schwester am Rock, um hochgehoben zu werden.

Ihr Vater strich sich gedankenverloren über den Bart.

»Mum, lass Dad in Ruhe.«

»Weswegen bist du dir denn nicht sicher?«, fragte er.

»Wie er aussieht. Er ist sehr groß, viel größer als ich. Ich komme mir neben ihm blöd vor und …«

Es war ihr peinlich weiterzusprechen.

»*Nu?*«, rief Mrs Kaufman.

»Er hat Pickel.«

»Pickel! Was sind schon ein paar Pickel bei einem Ehemann? Sei nicht dumm!« Die Hängebacken ihrer Mutter bebten vor Empörung.

»Mum! Es war mein *Schidduch,* und es ist meine Entscheidung!«, blaffte Chani.

»Lea-leh, wenn sie sich nicht sicher ist, ist sie sich nicht sicher. Lass sie selbst entscheiden.«

»Aber sie ist schon neunzehn«, jammerte Mrs Kaufman.

»Mum, bitte – nicht heute Abend –«

»Was sind schon neunzehn Jahre? Es ist eine Zahl, sonst nichts. Lass sie ein bisschen leben«, sagte Rabbi Kaufman.

»Und dann hängt sie mir mein ganzes Leben lang am Rockzipfel. Unverheiratet. *Chas we Schalom!* Jetzt sag ich dir was, Chani-leh: Du wirst diesem Jungen eine Chance geben.«

Chani verdrehte die Augen.

»Er mag dich. Und er ist ein Student der *Or Yerushaliyim*. Also guck einem geschenkten Pony –«

»Gaul«, korrigierte der Vater.

»– nicht ins Maul«, beendete ihre Mutter den Satz und nickte ihm dankbar zu.

»Okay, okay, ich werde darüber nachdenken. Falls ihr nichts dagegen habt, gehe ich jetzt ins Bett.«

Chani wollte gerade fliehen, als ihr Vater murmelte: »*Or Yerushaliyim*, hast du gesagt?«

»Ja, Dad, er hat dort ab dem kommenden Jahr einen Studienplatz.«

»Sehr beeindruckend«, sinnierte ihr Vater. »Als ich damals in Jerusalem studiert habe, existierte sie noch gar nicht, aber ich hätte gern die Möglichkeit gehabt. Er muss sehr talentiert sein, dein junger Mann.«

»Er ist nicht mein junger Mann!«

Rabbi Kaufman grinste. »Gib ihm eine Chance, Chani.

Bisher hast du mit ihnen nicht besonders viel Glück gehabt, vergiss das nicht.«

»Du solltest auf deinen Vater hören!«, trällerte Mrs Kaufman.

Chani seufzte. Sie war zu müde, um sich zu wehren. »Ich weiß, Dad. Gute Nacht, ihr alle.« Sie löste sich von Yona und schleppte sich die Stufen hoch, wobei sie sich fragte, ob Baruchs Haut mit der Zeit besser werden würde. Dann ermahnte sie sich, nicht so oberflächlich zu sein, und beschloss, ihm noch eine Chance zu geben, sollte er sie anrufen.

Eigentlich hätte er sie gern noch ein bisschen besser kennengelernt. Doch er wusste, dass er nicht endlos weiter mit ihr ausgehen konnte. Er musste eine Entscheidung treffen, oder sie wäre gekränkt. Drei Dates, vielleicht vier waren das Limit. Manche Paare verlobten sich schon nach dem zweiten – bei der Vorstellung graute ihm, aber in den Augen der Gemeinde war das vollkommen akzeptabel.

Es störte ihn nicht, dass sie nicht auf der *Sem* war. Sie hatte es begründet, und das hatte er akzeptiert; er hatte nicht nachgebohrt, weil er nicht unhöflich erscheinen wollte. Sie war sehr intelligent, und er ahnte, dass sie ihr Licht unter den Scheffel stellte. Zu keiner Gelegenheit hatte er so etwas wie eine intellektuelle Kluft zwischen ihnen gespürt, doch manchmal erwischte er sie dabei, wie sie ihn seltsam ansah. Er war sogar so weit gegangen, sie zu fragen, ob irgendetwas nicht in Ordnung sei, und sie hatte eiligst den Blick gesenkt und seine Frage beiseitegeschoben. Er wusste, dass sie ihn abschätzte, und hatte sich unter ihrer Musterung gewunden. Im Stillen hatte er *HaSchem* um Hilfe angefleht, er möge Chani gefallen, selbst wenn sie ihm besser gefiel. Es beruhigte ihn, dass sie schon dreimal mit ihm ausgegangen war.

Es gab nur einen Weg, um sicherzugehen. Zuerst musste er seine Eltern über seine Absichten informieren, etwas, wovor ihm graute. Es gab jedoch kein Gesetz, das ihm verbot, Chani zu heiraten. Wenn sie einverstanden war und die Rabbiner zustimmten, konnte niemand sie davon abhalten. Noch nicht mal seine Eltern. Wie sehr er sie auch liebte und verehrte, er war bereit, ihre Sehnsüchte zugunsten seiner eigenen zu opfern. Er war zuversichtlich, dass sie ihre Meinung ändern würden, wenn sie Chani erst einmal kennengelernt hatten.

Nach seinem dritten Date mit Chani entschied er, in den sauren Apfel zu beißen. Seine Schwestern waren in der Schule, wo sie für eine Schulaufführung probten, und seine Mutter tischte gerade das Abendessen auf. Die modernsten Haushaltsgeräte surrten, und die schwarze Granitarbeitsplatte funkelte im grellen Licht der Halogenlampen. Leichtgängige weiße Schubladen sprangen bei Berührung auf, und die Mikrowelle ähnelte einem Raumschiff. Die Absätze seiner Mutter lärmten auf dem Marmor. Er wartete, bis alle Hilfsmittel ausgeschaltet waren, seine Mutter Platz nahm und sein Vater die entsprechenden Gebete sprach, wie üblich ohne viel Federlesens und mit hinter dem Bart kaum erkennbaren Mundbewegungen.

»Amen«, sang seine Mutter laut.

»Amen«, flüsterte Baruch. Komm, *HaSchem*. Ich brauche jetzt echt Deine Hilfe.

»Lasst uns essen«, sagte Mr Levy und häufte sich dampfende Kartoffeln auf den Teller.

Baruch starrte auf das fettige Stück Schnitzel. Sein Magen verkrampfte sich, doch seiner Mutter zuliebe aß er einen Bissen. Er brachte es nicht hinunter. Also kaute er. Und kaute noch ein bisschen weiter.

»Alles okay, Baruch?«, fragte seine Mutter und sägte an ihrem Fleisch. »In der Pfanne ist noch reichlich da. Nimm dir von dem eingelegten Gemüse.« Sie zeigte mit dem Kinn auf das Einmachglas.

»Jetzt gerade nicht, danke. Schmeckt sehr lecker, Mum. Entschuldigt mich einen Augenblick.« Und er verließ den Tisch.

Seine Eltern tauschten fragende Blicke aus. Mr Levy zuckte die Achseln und schaufelte sich einen weiteren Bissen in seinen bereits vollen Mund. Mrs Levy tupfte ihren eigenen mit einer Serviette ab und stand abrupt auf. Sie stahl sich durch das Zimmer zur Tür.

»Was machst du denn, Berenice? Kannst du nicht einmal sitzen bleiben und uns in Ruhe zu Abend essen lassen? Ständig springst du auf und bringst alles durcheinander«, schimpfte Mr Levy.

»Ich schaue nach ihm«, zischte Mrs Levy, während sie weiterschlich, hinüber zur Toilette unter der Treppe. Sie lauschte an der Tür.

Als sie das Rauschen der Spülung hörte, floh sie zurück in die Küche.

Einige Sekunden später kam Baruch heraus und

wischte sich mit dem Handrücken schuldbewusst über den Mund. Er hatte den zerkauten Bissen Schnitzel die Toilette hinuntergespült und fühlte sich besser.

Er setzte sich wieder an den Tisch und ergriff Messer und Gabel. Er starrte seine Eltern an. Sein Vater war zu beschäftigt, um es zu bemerken. Die Gabel seiner Mutter verharrte in der Luft. Sie wartete darauf, dass er etwas sagte.

»Ich habe euch etwas mitzuteilen«, setzte Baruch an.

Mrs Levy verpasste Mr Levy unter dem Tisch einen festen Tritt. Mit heftig malmendem Kiefer sah er von seinem Teller auf. Er war ein geräuschvoller Esser.

»Ja, Baruch, sprich weiter. Wir sind ganz Ohr«, zwitscherte Mrs Levy. Innerlich erstarrte sie. Sie wusste, was kam, als wäre es ein abgekoppelter Güterzug, und es lag nicht in ihrer Macht, ihn aufzuhalten.

In den letzten paar Wochen war es ihrer Aufmerksamkeit nicht entgangen, dass ihr Sohn im Haus herumschlich wie ein liebeskranker Köter, und sie bedauerte, dem *Schidduch* zugestimmt zu haben. Sie war selbst schuld. Ihr Mann war ihr in der Zwischenzeit keine große Hilfe gewesen. Er weigerte sich, die Angelegenheit weiterzudiskutieren, bis ihnen Baruch mitteilte, was er wollte. Also hatte Mrs Levy versucht, die melancholische Schweigsamkeit ihres Sohnes und die plötzlichen Ausbrüche von Albernheit zu ignorieren, in der Hoffnung, es würde vorbeigehen und die Sache würde platzen.

Sie hatte darauf verzichtet herumzuschnüffeln, aus Angst, die ungenießbare Wahrheit ans Licht zu bringen, und sogar den Versuch unternommen, die Präferenzen ihres Sohnes um seinetwillen zu akzeptieren. Aber es fiel ihr schwer. Sie dachte an das zu erwartende Gefeixe hinter ihrem Rücken, die köstliche Schadenfreude ihrer Feinde. Sie konnte das Mädchen einfach nicht akzeptieren. Schlussendlich hatte sie gebetet – vergeblich, wie sich nun herausstellte, denn jetzt wurde ihr schlimmster Alptraum wahr.

Baruch räusperte sich. Das Besteck lag schlaff in seinen Händen.

»Ich will Chani heiraten.«

Sein Vater hörte auf zu kauen. Seine Mutter wimmerte.

»Aber, Liebling, denkst du nicht –«

»Nicht jetzt, Berenice! Er war noch nicht fertig!«

Baruch nickte dankbar. »Ich mag sie. Ich will sie beim nächsten *Schidduch* fragen.«

»Und du bist dir ganz sicher, dass sie dich nimmt?«, fragte Mr Levy.

»Ja, Liebling – woher weißt du, dass sie dich will?«, quiekte Mrs Levy, während ihre Welt aus den Angeln gehoben wurde.

»Sei ruhig, Berenice!«

»Dovid! Er ist auch mein Sohn.«

»Ich denke, sie wird ja sagen. Ich habe das Gefühl, als hätte sie schon auf dem letzten *Schidduch* gehofft, dass ich sie frage –«

»Wissen ihre Eltern davon? Hast du sie kennengelernt?«

»Nein, natürlich nicht.«

»Wir müssen sie zuerst kennenlernen. Und die Familie«, warf Mrs Levy ein, um Zeit zu gewinnen. »Erst dann können wir beurteilen, ob sie die Richtige für dich ist.«

»Das ist sie, Mum. Ich verspreche es dir. Du wirst sie mögen. Sie ist hübsch und intelligent und lustig und –«

»Fromm? Sittsam? Die richtige Art Mädchen für einen Jungen wie dich?«, fragte Mrs Levy.

»Ja, Mum. Ich habe wirklich das Gefühl, das ist sie.«

Seine Mutter sah aus, als würde sie gleich anfangen zu weinen. Sein Vater tätschelte ihr die Wange.

»Es könnte schlimmer kommen, Berenice…«

»Ich weiß. Aber ich hatte so sehr gehofft… Libby Zuckerman –«, schniefte sie in ihre Serviette.

»Ich will die blöde Libby Zuckerman nicht heiraten!«, sagte Baruch durch zusammengebissene Zähne.

»Baruch.« Mr Levy hieb mit der Faust auf den Tisch, so dass die Teller einen Satz machten. Erbsen kullerten über Bord und auf Mrs Levys Schoß.

»Tut mir leid, tut mir leid – ich will Chani heiraten, und damit basta. Ich habe mich entschieden. Ich muss mit meiner zukünftigen Frau den Rest meines Lebens verbringen, nicht du.«

Seine Mutter schnaubte.

»Und wir müssen mit den Konsequenzen leben und mit allen Verpflichtungen, die das nach sich zieht«, sagte Mr Levy milde. »Aber wir respektieren deine Entscheidung, und wenn ihre Familie einverstanden ist und wir einigermaßen mit ihnen zurechtkommen, dann soll es so sein.«

»Auf deine Verantwortung!«, sagte seine Mutter mit bebender Stimme.

»Berenice, lass uns das Mädchen und ihre Familie doch erst einmal kennenlernen und uns bis dahin mit unserem Urteil zurückhalten. Wenn es das ist, was unser Sohn wirklich möchte, wie kämen wir dann dazu, uns ihm in den Weg zu stellen?«

Baruch dankte im Stillen für einen Vater, der in der Lage war, vernünftig zu denken. Von seiner Mutter konnte man das nicht behaupten.

»Danke, Dad«, flüsterte er.

»Und wenn die Rabbiner einverstanden sind –«, fuhr Mr Levy fort.

»Die Rabbiner! Was ist mit seiner Mutter?«, kreischte Mrs Levy.

»Bitte, Mum, es ist mir wirklich wichtig.« Baruch nahm seine Mutter in den Arm.

Mrs Levy schniefte. »Okay, Liebling, wir werden uns mit ihr und ihren Eltern treffen, wenn es das ist, was du wirklich möchtest. Niemand hat je behauptet, dass Mutter zu sein einfach ist.« Doch in ihrem Kopf surrten bereits die Rädchen.

»Ich danke dir sehr, Mum. Das bedeutet mir so viel.«

»Ich hoffe, du liegst richtig«, murmelte Mr Levy. »Reich mir mal bitte das Gemüse rüber, Berenice.«

# 19

# Avromi

## April 2008 – London

Avromi wachte auf und wusste nicht, wo er war. Sein Mund fühlte sich pelzig an, und sein Kopf vibrierte mit jedem Herzschlag. Außerdem war er splitterfasernackt, ein ungewohntes Gefühl für jemanden, der immer im Pyjama schlief. Und er war auch nicht allein. Sanftes Schnarchen drang an sein Ohr. An sein rechtes Bein drückte etwas Warmes, Schweres. Er öffnete ein Auge und rollte sich davon weg. Shola regte sich und drehte sich zur Wand.

Der Morgen schien durch rotbraune Vorhänge und tauchte das Zimmer in ein schummriges Licht. Mit einem Ruck setzte Avromi sich auf. Was hatte er getan? Er musste sofort gehen. Aber wie sollte er seinen Eltern unter die Augen treten? Er musste *dawenen*. Buße tun. Um Vergebung beten. Ob ihn ein Tauchbad in der *Mikwe* der Männer wohl von der Schuld befreite? Es war alles so plötzlich geschehen, und das machte ihm Angst.

Bilder flackerten in seinem Kopf auf. Wie sie sich ausgezogen hatten, wie sie einander berührt und gehalten hatten, das überwältigende Gefühl, sich so nah wie möglich zu sein. Dann erinnerte er sich an die glitschige

Hitze ihres Körpers und an sein Erschauern und Seufzen. Und dass es dann vorbei war, so schnell, zu schnell. Wie sie zu ihm aufgelächelt hatte und er in ihr eine solche Lust empfunden hatte, in dieser seltsamen, ungestümen neuen Einheit. Er wollte nicht, dass es aufhörte. Ineinander verschlungen waren sie eingeschlafen.

Sie war nicht seine Frau. Sie war noch nicht mal Jüdin. Wofür man auf eine eigenartige Weise dankbar sein konnte. Wenn sie jüdisch gewesen wäre, hätte er sie heiraten müssen.

Er konnte seine Unterhose nicht finden, fand aber seine Hose, stolperte hinein und versuchte zuerst, sich in ein Hosenbein zu zwängen. Er streifte sein Hemd über, schob die nackten Füße in die Schuhe und suchte sich seinen Weg zwischen Sholas verstreuten Kleidungsstücken hindurch Richtung Tür.

»Avromi?«

Sholas verschlafene Stimme ließ ihn wie angewurzelt stehen bleiben. Sie guckte ihn unter der Bettdecke hervor an.

»Wohin schleichst du dich gerade?«

»Ich muss nach Hause.« Er konnte ihr nicht in die Augen sehen.

»Verstehe. Und du wolltest also noch nicht mal auf Wiedersehen sagen?«

»Ich hätte dich angerufen.« Er verabscheute sich selbst für eine solch erbärmliche Ausflucht. Shola hatte sich fest in ihre Bettdecke eingewickelt, ihre Haare standen ab wie nach einem Stromschlag. Sie wirkte klein und verloren in einem Meer von Weiß.

Er setzte sich auf die Bettkante. Eine ganze Weile schwiegen sie.

»Es ist in Ordnung, geh nach Hause, Avromi. Wir haben einen Fehler gemacht. Mach dir keine Vorwürfe. Der Alkohol war schuld. Wir können das auch einfach alles vergessen.« Ihre Stimme zitterte ein wenig.

Avromi nahm ihre Hand. Sie war der letzte Mensch, dem er weh tun wollte.

»Du weißt, dass ich das noch nie gemacht habe, oder? Du verstehst, was für eine große Sache das für mich ist?«

Sie nickte.

»Du verstehst, dass das einzige Mädchen, das ich berühren darf, meine Frau ist – vom Miteinander-Schlafen ganz zu schweigen?«

»Ich weiß.«

»Shola, ich bin wirklich durcheinander. Und habe Angst. Das, was ich getan habe – was wir getan haben –, ist in den Augen meiner Religion eine Sünde. Aber ich mag dich sehr. Nicht nur deinen Körper, sondern dich als Mensch, als Freundin.«

Sie drückte seine Hand, wagte jedoch nicht, ihn anzusehen.

»Und wenn ich ganz ehrlich bin, wollte ich schon sehr lange so mit dir zusammen sein wie letzte Nacht.«

Shola versuchte ein Lächeln. »Das freut mich, aber ich hoffe, du machst mir nicht gerade einen Antrag?«

Er lachte. »Nein, ich kann dich nicht heiraten. Du bist nicht jüdisch.«

»Avromi, das war ein Witz.«

»Oh.«

»Du wirst rot. Du bist so rot geworden wie meine Vorhänge!« Shola kicherte.

»Argghhh! Ich bin so ein Idiot!« Er kippte zur Seite, auf das Bett, und verbarg sein Gesicht in den Händen.

»Yep. Aber es gehören immer zwei dazu.«

»Scheint so. Also hast du mich verführt?«

»Du hast mich zuerst geküsst!«

Er dachte zurück an die frühen Morgenstunden. »Das habe ich, nicht wahr? Wow, keine Jungfrau mehr und ein erfahrener Säufer. Alles in einer Nacht.« Er schwieg. »Haben wir, ähm, etwas benutzt?«

»Ich nehme die Pille. Wegen meiner Periode, dann tut es nicht so weh.«

»Die Pille?«

»O Gott, Avromi! Sag nicht, davon hast du noch nie gehört!«

»Ich habe von Kondomen gehört.«

»Bravo! Also, die Pille hemmt bei einer Frau den Eisprung, und sie kann nicht schwanger werden. Es ist eine winzige Tablette, die ich jeden Tag nehmen muss, voller Hormone, die meinen normalen Zyklus beeinflusst. Damit ich nicht jeden Monat ein Ei produziere. Das bedeutet, wenn ich Sex habe, ist nichts da, was befruchtet werden kann.«

»Ein Ei?«

»Ja, ein Ei.«

Er starrte sie an.

»Avromi!« Shola griff nach einem Kissen und schlug es ihm über den Kopf. »Erzähl mir nicht, ihr habt das nicht in der Schule gehabt?«

Er schaute verlegen. »Na ja, nicht richtig. In den Schulen, auf die wir gehen, werden solche Sachen unter den Teppich gekehrt.«

Shola ließ sich auf den Rücken fallen und blickte gegen die Zimmerdecke. Er setzte sich auf, um ihr Gesicht anzuschauen.

»Aber es hat mir Spaß gemacht letzte Nacht, etwas darüber zu lernen.«

»Oh, hat es? Ich bin überrascht, dass du dich überhaupt erinnern kannst.«

»Das liegt daran, dass du so eine begabte Lehrerin bist.« Er gab ihr einen zaghaften Kuss.

Shola musterte ihn wachsam. »Ist das alles, was ich für dich bin?«

»Nein, und das weißt du auch. Ich denke die ganze Zeit an dich.« Er streichelte ihre Wange und strich ihr eine verirrte Locke hinter das Ohr. »Aber in der Welt, in der ich lebe, dürfen Jungs keine Freundinnen haben. Niemanden bis zur Hochzeit.«

»Und was machen wir nun?«, fragte Shola.

»Ich weiß es nicht.«

»Ich auch nicht. Wie auch immer, du gehst besser. Deine Eltern.«

»Ja.«

Sie küssten sich noch einmal, und er spürte wieder die Wärme in seinem Inneren. Shola zog sich zurück.

»Avromi, geh nach Hause. Jetzt. Ich will nicht, dass du Schwierigkeiten bekommst.«

»Okay. Darf ich dich später anrufen?«

»Natürlich darfst du das. Das würde mich sehr freuen.«

## 20

# Baruch – Chani
### Juni 2008 – London

Mrs Levy hatte einen Plan. Am nächsten Tag schluckte sie ihren Stolz hinunter und rief Mrs Gelbman an.

»Mrs Gelbman, hier ist Mrs Levy. Ich frage mich, ob Sie mir wohl helfen könnten ...«

»Ah, Mrs Levy, nett, von Ihnen zu hören. Wie geht es Ihnen? Wie kann ich Ihnen behilflich sein?«, schnurrte die Kupplerin. Sie hatte gewusst, dass der Vogel zurückkehren würde, und geduldig auf den Anruf gewartet.

Mrs Levy krallte sich an das Telefonkabel, als wäre es eine Rettungsleine.

»*Baruch HaSchem*. Ich habe ein Problem. Sie hatten drei Dates, wie Sie ja sicher wissen, und nun will Baruch Chani heiraten, und ich bin darüber ganz und gar nicht glücklich. Sie kennen ja die Gründe.«

Mrs Gelbman machte es sich in ihrem Sessel bequem. Ein Lächeln spielte auf ihren wächsernen Gesichtszügen. Hier war umsichtiges Handeln erforderlich, aber damit kannte sie sich aus. Sie bereitete sich darauf vor, ihre Überzeugungsmuskeln spielen zu lassen.

»Ich verstehe, Mrs Levy. Ich kann Sie gut verstehen. Aber was kann ich da für Sie tun?«

Mrs Levy konnte das Grinsen in ihrer Stimme hören. Sie hielt inne.

»Ich möchte, dass Sie Chani die Sache ausreden. Ich möchte, dass sie sich von meinem Sohn fernhält. Sagen Sie ihrer Mutter, er sei nicht mehr interessiert, wenn es sein muss.«

*Ah, die Dame ist vom hohen Ross gefallen,* sinnierte Mrs Gelbman.

»Aber Mrs Levy, das kann ich nicht tun. Sie mögen einander, was bedeutet, dass *HaSchem* die Verbindung gutheißt. Ich kann das Schicksal nicht beeinflussen… Das kann nur *HaSchem*.«

Mrs Levy biss sich auf die Lippe.

»Ich bezahle«, zischte sie. Scham durchfuhr sie, es brannte ähnlich wie starker Alkohol.

Mrs Gelbman tat ihr Bestes, um ihr Entzücken zu verbergen. Ein schadenfrohes Glucksen ging in ein Husten über.

»Entschuldigen Sie… also, Mrs Levy, ich verstehe Ihre Zwangslage, aber Sie wissen sehr gut, dass ich nicht bestechlich bin. Ich muss an meinen guten Ruf denken –«

»Eintausend Pfund. So lautet mein Angebot. Nehmen Sie es oder lassen Sie es.« Sie wollte nichts mehr als sich auf der Stelle verabschieden, doch finster entschlossen blieb sie am Apparat.

Mrs Gelbman zögerte. Sie dachte an das luxuriöse Hotel, in dem sie wohnen könnte, wenn sie ihre Tochter das nächste Mal in New York besuchte.

Wenn die beiden aber heiraten würden, verdiente sie

mehr, wenngleich in Raten. Nicht sehr viel mehr, aber doch genug. Sie würde es aussitzen.

»Mrs Levy, das kann ich nicht annehmen. Tut mir schrecklich leid.«

Mrs Levy sackte in sich zusammen. Sie gab den Kampf auf. »Ich verstehe, Mrs Gelbman«, seufzte sie.

Nun war es an der Zeit für die *Jente,* ein wenig Mitgefühl zu zeigen. »Mrs Levy, Sie sind nicht die erste Mutter, die mich bittet einzugreifen. Normalerweise wendet sich alles zum Besten. Vielleicht sollten Sie das Mädchen erst einmal kennenlernen?«

»Möglicherweise«, sagte Mrs Levy. »Bitte behalten Sie dieses Gespräch für sich.«

»Darauf können Sie sich verlassen«, summte Mrs Gelbman.

»Vielen Dank, Mrs Gelbman. Wenn mein Mann das herausfinden würde ...«

»Kein Grund zur Sorge. Das wird er nicht.«

»Gut, okay.«

»In Ordnung, Mrs Levy.«

»Dann erst mal auf Wiedersehen.«

»Auf Wiedersehen, Mrs Levy.«

Vollkommen entmutigt rollte sich Mrs Levy auf ihrem cremefarbenen Ledersofa zusammen und weinte leise in seine Ritzen.

Mrs Gelbman hingegen sprang behende aus ihrem Sessel und griff in ihr Geheimfach. Die Schachtel mit den belgischen Schokoladetrüffeln wartete auf sie. Schließlich hatte sie sich eine kleine Belohnung verdient. Dann besann sie sich eines Besseren und öffnete das Gebetbuch. Zuerst würde sie *HaSchem* für sein Wohlwollen danken.

Mrs Levy schlief ein wenig. Als sie aufwachte, fühlte sie sich ruhiger. Wieder voller Elan, zerbrach sie sich den Kopf, welchen anderen Weg es gab, um die drohende Verlobung ihres Sohnes zu durchkreuzen. Doch so sehr sie sich auch bemühte, ihr fiel nur die Rebbetzin Zilberman ein. Vielleicht könnte Rabbi Zilberman mit ihrem Ehemann sprechen und der dann mit Baruch? Wenn der Rabbi mit ihr einer Meinung war, was die Untauglichkeit Chanis anging, würde Mr Levy auch einlenken. Mit Gott auf ihrer Seite musste Baruch die Sache doch auszureden sein! Der Rabbi und seine Frau waren ihre letzte Rettung.

Sie wählte die Nummer der Zilbermans.

»Ah, Rebbetzin, hier ist Mrs Levy. Ich habe mich gefragt, ob ich auf einen kleinen Plausch vorbeikommen kann. Ich brauche Ihren Rat.«

»Natürlich. Gern. Passt es Ihnen jetzt gleich? Nur die Kinder sind hier. Mein Mann kommt später.«

»Ja. Ich komme gleich vorbei.«

Die Rebbetzin legte den Hörer auf und fragte sich, was das wohl zu bedeuten hatte. Sie legte die Hand auf ihren Bauch, rieb über ihren enger werdenden Rockbund und lächelte leise in sich hinein. Was immer es war, nichts konnte so überwältigend sein wie ihre eigenen guten Neuigkeiten. Glücklich schlang sie die Arme um sich. Heute Abend würde sie es Chaim erzählen.

Die Türklingel schellte und unterbrach ihre Träumerei. Vor der Tür stand Mrs Levy in ihrem prächtigen kupferfarbenen *Scheitel*. Eine Jacke aus weichstem schokoladebraunen Leder hing lässig über ihren Schultern. An ihrem Hals schimmerten riesige rosafarbene Perlen.

»*Baruch HaSchem*, Mrs Levy. Kommen Sie herein«, sagte die Rebbetzin warmherzig.

»Vielen Dank, dass ich so kurzfristig vorbeikommen durfte«, sagte Mrs Levy mit gekünsteltem Lächeln.

Die Rebbetzin strahlte sie an. Mrs Levy fielen ihre rosigen Wangen auf und wie ihre Augen leuchteten. Sie sieht außerordentlich gut aus, stellte Mrs Levy fest. Aber ist sie *dafür* nicht eigentlich schon ziemlich alt? Schnell schob sie jegliche negativen Gedanken beiseite. Schließlich brauchte sie die Rebbetzin auf ihrer Seite.

»Möchten Sie eine Tasse Tee?«

»O ja, gern. Keine Milch bitte, aber zwei Stück Zucker.«

Die Rebbetzin führte sie ins Wohnzimmer. Mrs Levy fielen die schmutzigen Gardinen auf, als sie in das schäbige Sofa sank. Sie schaute sich um und sah reihenweise ledergebundene Bücher in einem großen Vitrinenschrank. Ansonsten war das Zimmer leer bis auf ein paar Möbelstücke, die eindeutig schon bessere Zeiten erlebt hatten. Ja, das hier war der richtige Ort, wenn man heilige Hilfe brauchte.

Die Rebbetzin kehrte mit zwei dampfenden Bechern zurück. Unter ihrem Arm hatte sie ein Paket Kekse geklemmt.

»Da bin ich wieder«, sagte sie, stellte den Tee samt Keksen auf den kleinen Couchtisch und setzte sich neben ihren Gast auf das Sofa. »Ich finde ja, es geht nichts über ein paar Kekse. Es dürfen gern auch ein paar mehr sein.« Die Rebbetzin kicherte.

Mrs Levy entspannte sich. Hier würde man sie verstehen.

Eingelullt von dem freundlichen Empfang und der Ungezwungenheit der Umgebung, erwärmte sie sich für ihr Thema. Die Rebbetzin hörte ihr aufmerksam zu. Von Zeit zu Zeit verzog sie das Gesicht voll Mitleid angesichts von Mrs Levys Kummer.

Sie dachte zurück an die Zeit ihrer eigenen Verlobung. Chaims Eltern waren auch nicht gerade begeistert von ihr gewesen. Sie hatte keinen Abschluss oder Beruf und verfügte kaum über eigene finanzielle Mittel. Als ob es nicht beschämend genug wäre, wenn der eigene Sohn plötzlich »fromm« wurde und in Jerusalem Rabbi werden wollte. Wenn es nach ihnen gegangen wäre, hätte er einfach nach Hause kommen sollen. Sie erinnerte sich an das erste furchteinflößende Treffen mit ihnen; wie sehr sie sich gewünscht hatte, von ihnen gemocht und akzeptiert zu werden. Sie betrachtete Mrs Levy in ihren teuren Klamotten und mit dem perfekten Make-up und fragte sich, ob sie eine Vorstellung davon hatte, wie einschüchternd sie auf ein junges, naives Mädchen wie diese Chani Kaufman wirken würde. Nun ja, zumindest nahm sie an, dass Chani naiv war. Sie hatte noch nie von ihr gehört, obwohl ihr Rabbi Kaufman und seine winzige Synagoge ein Begriff waren.

»Und, sehen Sie, ein solches Mädchen kann Baruch einfach nicht heiraten, Rebbetzin«, jammerte Mrs Levy. »Also dachte ich, ob Sie vielleicht mit Ihrem Mann sprechen könnten, und vielleicht könnte er Baruch davon überzeugen, sie nicht zu fragen.«

»Aber, Mrs Levy, die *Tora* bietet keine Handhabe, um ihre Vermählung zu verhindern. Sie ist absolut angemessen. Mein Mann wird nicht in der Lage sein, da irgendetwas zu unternehmen.«

»Aber er könnte doch mit meinem Mann sprechen, nicht wahr? Oder sogar mit Baruch?« Mrs Levy merkte, wie sie sich an Strohhalme klammerte.

Unter den Puder- und Farbschichten sah die Rebbetzin ihre Anspannung. Mrs Levy tat ihr ehrlich leid. Sie fragte sich, was sie tun würde, wenn Avromi ein Mädchen heiraten wollte, mit dem sie nicht einverstanden war. Glücklicherweise würde nichts dergleichen passieren, aber man konnte ja nie wissen.

Sie würde versuchen, den einzigen Trost anzubieten, den sie kannte.

»Manchmal fordert uns *HaSchem* heraus, indem er uns das Leben schwermacht. Wir haben die Wahl, ihm gegenüber ablehnend und böse zu sein, oder wir können lernen und an den Problemen wachsen, vor die er uns gestellt hat. Vielleicht möchte *HaSchem* Ihnen etwas mitteilen?«

Mrs Levy blinzelte ungeduldig. Dies war nicht ganz die Unterstützung, die sie sich erhofft hatte.

»Ja, aber Rebbetzin, ich sehe jetzt schon, dass für die beiden alles in Tränen enden wird. Das sieht doch *HaSchem* sicher auch? Ich denke hier nicht an mich, sondern an Baruch. Und natürlich an Chani«, fügte sie hastig hinzu.

Die Rebbetzin nahm sich noch einen Keks, um ihre Belustigung zu verbergen.

»Vielleicht könnten Sie es als *Mizwa* ansehen, das Mädchen kennenzulernen und ihre besten Seiten zu entdecken. Woher wollen Sie wissen, dass sie so unpassend ist, wie Sie denken?«

»Weil die ganze *Kehillo* weiß, wer wir sind, und wenn mein Sohn heiratet, soll es kein … kein …«

»… kein Niemand sein?«, schlug die Rebbetzin vor.

»Genau«, sagte Mrs Levy und wand sich ein wenig.

»Wer wäre denn in Ihren Augen das perfekte Mädchen für Baruch?«

»Libby Zuckerman«, sagte Mrs Levy, ohne eine Sekunde zu zögern.

»Libby ist verlobt.«

»Seit wann?«, rief Mrs Levy. »Warum sagt mir das niemand?«

»Es ist noch nicht öffentlich, aber ich erzähle es Ihnen, weil Sie sich anscheinend Hoffnungen machen. Mrs Zuckerman hat es mir gestern Abend gesagt. Libby heiratet einen entfernten Cousin aus Manchester.«

*Wie provinziell*, dachte Mrs Levy. Damit waren alle Hoffnungen dahin. »Also sollte es nicht sein.«

»Deswegen versuchen Sie doch, Chani mit offenen Armen zu empfangen, wenn sie annimmt. Heißen Sie sie willkommen. Seien Sie nett zu ihr. Geben Sie sich besondere Mühe, und Sie könnten angenehm überrascht werden.«

»Oh. Nun ja, aber wäre das von meiner Seite nicht ziemlich unaufrichtig?«

»Nicht, wenn Sie mit offenem Herzen gehen. Lernen Sie das Mädchen erst mal kennen, und entscheiden Sie dann.«

Es war eindeutig, dass die Rebbetzin noch nie unter dem schlechten Geschmack ihrer Kinder gelitten hatte. Sie stand auf, um zu gehen.

»Ich danke Ihnen, Rebbetzin, vielleicht haben Sie recht. Ich werde sie kennenlernen und mir größte Mühe geben, unvoreingenommen zu sein. So wie die Dinge liegen, habe ich sowieso keine Wahl.«

»Seien Sie nicht so pessimistisch. Man kann nie wissen…«

Aber Mrs Levy wusste. Als einfallsreiche Frau hatte sie sich bereits für eine neue Taktik entschieden. Ja, sie würde Chani ganz bestimmt kennenlernen.


Die Rebbetzin lag im Bett und wartete darauf, dass ihr Mann mit seinen Gebeten fertig war. Sie hatte ihre eigenen bereits gesagt, sich auf der Seite zusammengerollt und lauschte nun seinem vertrauten Gemurmel. Das Licht von Autoscheinwerfern hüpfte durch die Lücken im Vorhang über die Zimmerdecke.

Schließlich zog er sie dicht an sich und küsste ihren Nacken.

»Nacht, Rivka.«

»Ich muss dir etwas erzählen. Ich habe den ganzen Tag darauf gewartet.«

»Dann erzähl's mir.«

»Na ja, es war ein kleiner Schock – aber etwas Gutes.«

»Nun sag schon – ich bin ganz Ohr.«

»Okay … Ich bin schwanger.«

Sie spürte, wie er ganz still wurde. Dann setzte er sich auf und sah auf sie herunter. In der Dunkelheit des Zimmers konnte sie sein Gesicht nicht erkennen.

»Bist du sicher? Seit wann weißt du es?«, flüsterte er.

»Seit heute. Ich war zwei Wochen überfällig, also habe ich einen Test gemacht.«

»Das ist unglaublich … Nach Moishe waren wir so sicher, dass es nicht mehr gehen würde, und nun das …«

»Ich weiß.«

Er sank zurück, schlängelte seine Hand unter ihr Nachthemd und legte sie auf ihren Bauch. Die Stille war von etwas Besonderem durchdrungen, als er in die Dunkelheit lächelte, all ihre Reibereien und schwelenden Feindseligkeiten vergessen in der Euphorie des Augenblicks.

»Wenn es ein Junge ist, nennen wir ihn –«

»Pschscht. Lass uns erst mal abwarten, ob wir so weit kommen.«

»*Besrat HaSchem.*«

Sie drückte seine Hand. Nach einer Weile fühlte sie, wie sein Herzschlag langsamer wurde und seine Atemzüge länger. Sie hatte vergessen, ihm von Mrs Levys Besuch zu erzählen. All das erschien jetzt so unwichtig. Sie suchte sich vorsichtig eine bequemere Position, schaute an die Decke und dachte über das Leben nach, das gerade in ihr begonnen hatte.

Ihre Gedanken schweiften zurück zu Mrs Levys

schwieriger Lage. Sie dachte an das Mädchen und fragte sich, was für ein Mensch sie wohl war und ob sie sie jemals kennenlernen würde. Es schien sehr unwahrscheinlich. Die Mrs Levys dieser Welt bekamen normalerweise ihren Willen. Armer Baruch, es musste ihn sehr gekränkt haben. Die Rebbetzin hoffte, dass sie Avromi und Moishe nie ähnlichen Kummer bereiten würde. Schläfrig drehten sich ihre Gedanken im Kreis, und schon bald schlief sie ein.

# 21

# Chani
## Juli 2008 – London

Chani trottete nach Hause, die glühende Nachmittagssonne knallte auf sie herab. Es war ein langer, monotoner
Nachmittag in der Schule gewesen, an dem sie in einem
fort Pinsel gereinigt und Tische abgewischt hatte. Sie
trödelte im Schatten herum und dachte über Baruch
nach. Er hatte sie angerufen, um ein neues Treffen zu
vereinbaren, und es war erst ein paar Tage her, seit sie
sich das letzte Mal gesehen hatten. Das konnte nur eines
bedeuten. Sie mochte ihn, aber wollte sie ihn wirklich?
Sie wusste es einfach nicht. Wenn doch nur mehr Zeit
wäre, doch der Druck wuchs, und sie spürte, dass eine
Entscheidung kurz bevorstand. Ihr Leben schien sich zu
verdichten. Der letzte Monat war der bedeutendste
überhaupt gewesen, und wenn sie einen falschen Zug
machte, wäre alles verloren. Sie war noch nie bei drei
aufeinanderfolgenden Dates gewesen.

Ein großes schwarzes Auto parkte vor ihrem Haus am
Bordstein. Plötzlich schwang die Tür auf, und ein eleganter Fuß in einem beigefarbenen hochhackigen Pumps
streckte sich nach dem Bürgersteig aus. Die Frau, die
ausstieg, trug einen glänzenden, kupferfarbenen *Scheitel*

und schnitt Chani den Weg ab. Sie hob ihre riesige Sonnenbrille etwas an, um darunter durchzuspähen.

»Chani?«, sagte die Frau.

»Ja?«

»Ich bin Mrs Levy, Baruchs Mutter.«

Chani ließ vor Schreck ihre Tasche fallen, der Inhalt verteilte sich über den Bürgersteig. Sie fiel auf die Knie und grapschte nach ihren Sachen. Mrs Levy schaute ungerührt zu.

Vielleicht war es nur ein böser Traum. Sie blinzelte, aber nein, Mrs Levy war kein Hirngespinst.

Chani kratzte ihren letzten Rest Würde zusammen, stand auf und zwang sich zu einem Lächeln. Sie blickte Mrs Levy in die Augen.

»Wie nett, Sie kennenzulernen, Mrs Levy. Wenn auch vielleicht etwas überraschend.«

»Das war mir schon klar, Chani. Aber es ist höchste Zeit, dass wir uns einmal treffen, findest du nicht?«

Chani war davon nicht ganz so überzeugt, schaffte es aber, ihre Zweifel unter einem eifrigen Nicken zu verbergen.

»Möchten Sie hereinkommen, Mrs Levy? Ich bin sicher, dass meine Mutter sich sehr freuen würde«, antwortete sie.

»Diesmal nicht, wenn es dir nichts ausmacht, Chani, ich hatte gehofft, wir könnten uns zuerst allein ein bisschen unterhalten. Wie wäre es, wenn wir irgendwo einen Kaffee trinken gehen?«, fügte Mrs Levy hinzu.

Alles, was Chani wollte, war eine Dusche, doch sie wagte es nicht, Mrs Levys Einladung abzulehnen. Sie hatte offensichtlich ein wichtiges Anliegen, und Chani war gut erzogen und neugierig genug.

Das überfüllte Straßencafé mit seinen cremefarbenen und roten Korbstühlen sowie passenden Tischen breitete sich über dem Bürgersteig aus. Eine passende Markise bot reichlich Schatten. Obwohl niemand drinnen saß, tauchte Mrs Levy in eine der hinteren Sitzecken ab.

»Also, was möchtest du trinken?«

Chani warf einen Blick auf die Karte und bemerkte den Käse-Schinken-Toast.

»Eine Cola light bitte.«

Der Kellner kam und nahm ihre Bestellungen auf. Wieder allein, fummelte Mrs Levy an ihren Perlen herum. Chani starrte auf die Gewürze. Zu ihrem Verdruss fand Mrs Levy das Mädchen äußerst attraktiv, obwohl fast ein bisschen zu dünn. Ihr Sohn hatte einen guten Geschmack, das musste sie ihm lassen.

»Warum sind wir hier?«, erkundigte sich Chani.

»Nun, ich hatte gehofft, du würdest fragen. Chani, das hier ist nicht leicht für mich, und mir ist klar, dass es auch für dich nicht einfach sein wird, aber ich finde, dass man sagen sollte, was gesagt werden muss.«

Chanis Herz begann, schneller zu klopfen.

»Mir ist aufgefallen, dass Baruch sehr von dir angetan ist«, tastete sich Mrs Levy weiter.

Chani reagierte nicht. Ihr Atem ging schwach, sie starrte Mrs Levy an und wartete auf das dicke Ende.

»Was ich versuche zu sagen, ist, dass ich denke, Baruch würde dich gern heiraten.«

Ein kleines Lächeln spielte um Chanis Mundwinkel. Sie hatte es gewusst! Der Kellner kam mit den Getränken zurück und verschaffte ihnen eine kurze Pause.

»Und ich vermute, du wirst annehmen.« Es war eine Feststellung, keine Frage, doch so direkt mit der Situation konfrontiert zu werden verwirrte Chani aufs Neue.

»Ich denke, ich werde annehmen. Ich meine, ich mag ihn sehr – zumindest glaube ich das. Ich wünschte nur, es wäre mehr Zeit, um zu entscheiden. Um sich besser kennenzulernen.« Sie konnte nicht lügen.

Mrs Levy wirkte sichtbar erleichtert. Plötzlich merkte sie, wie durstig sie war. Sie trank einen Schluck Mineralwasser. »Ah, also bist du dir nicht sicher. Nun, das ist vielleicht ganz gut.«

Mrs Levys Lächeln erinnerte Chani an einen Barrakuda.

»Warum denn?«, fragte sie. Unter dem Tisch zupften ihre glitschigen Hände an ihren Strumpfhosen. Die Cola light hatte sie vergessen.

»Wie soll ich es ausdrücken? Du und Baruch, ihr seid sehr verschieden. Ihr kommt aus sehr unterschiedlichen Familien, beide fromm und anständig, aber verschieden. Und Unterschiede sind nicht notwendigerweise eine gute Sache.«

Das Mädchen starrte sie wieder an, und Mrs Levy erkannte in Chanis hellbraunen Augen eine Kampfansage.

»Was genau meinen Sie mit ›verschieden‹, Mrs Levy? Mir ist das gar nicht aufgefallen, im Gegenteil, wir haben uns recht gut verstanden.«

»Ja, aber Baruch ist nicht notwendigerweise der beste Richter, wenn es darum geht, was gut für ihn ist. Du kommst aus einer respektablen, traditionellen *chassidischen* Familie, dein Vater ist der Rabbi einer kleinen *Schul*. Alles gut und schön, aber es gibt da ein paar Dinge, die ich mir bei einer Schwiegertochter wünsche –«

»Wie zum Beispiel Geld.« Es war unschwer zu erraten.

Mrs Levy schien sich ausgesprochen unbehaglich zu fühlen. »Ja. Aber nicht nur Geld –«

»Was denn sonst noch?«, fiel ihr Chani ins Wort.

»Du bist nicht auf der *Sem* gewesen. Doch das ist unabdingbar. Baruch braucht eine Frau auf seinem Niveau, die ihn bei seinen Verpflichtungen unterstützt. Wie du sicher weißt, soll unser Sohn Rabbiner werden.«

»Diese Pläne sind mir wohl bekannt, Mrs Levy, und ihm auch. Leider.«

Mrs Levy runzelte die Stirn. Das hier lief jedenfalls nicht so wie geplant.

»Zu Ihrer Information, Mrs Levy: Ich war nicht auf der *Sem*, weil ich nicht wollte. Nicht weil man mich nicht genommen hat. Ich wurde nach dem Bewerbungstag sofort angenommen. Meine Noten sind ausgezeichnet –«

»Ja, ich weiß, aber –«

»Entschuldigen Sie, Mrs Levy, aber ich war noch nicht fertig.«

Mrs Levys Mund klappte auf und dann wieder zu.

»Wie schon gesagt, ich habe mich entschieden, nicht die *Sem* zu besuchen, weil mir klargeworden ist, dass es nichts für mich ist. Ich wollte die echte Welt. Ich glaube, man kann fromm sein und trotzdem darin leben. Nun, zumindest so dicht dran, wie es mir möglich ist. Ich wollte einen kleinen Job – vielleicht als Kindergärtnerin oder als Sekretärin, um unabhängig zu sein, während ich auf meine Hochzeit warte. Aber man bekommt nicht so leicht einen Job, wenn man keine Erfahrung hat, also bin ich an der Queen Esther hängengeblieben. Und wenn ich nicht bald heirate, werde ich mir mit meinen Ersparnissen ein Studium an einem örtlichen College finanzieren und dann irgendwann eine richtige Kunstlehrerin sein.«

Die Ansprache mochte zwar vollkommen improvisiert gewesen sein, aber sie war ihr so leicht über die Lippen gekommen, als hätte sie schon seit Monaten in ihrem Kopf geschlummert. Sie war ziemlich stolz darauf, und die Idee schien in der Tat umsetzbar zu sein, sollte die Sache mit Baruch platzen. Und in diesem Moment begriff sie, dass sie das nicht wollte. Sie würde nicht zulassen, dass Mrs Levy ihr in die Quere kam. Das war ihre Chance zu entkommen, und plötzlich wurde Baruch – selbst mit seinen Pickeln – zu etwas Kostbarem. Und darum würde sie kämpfen.

Mrs Levy schaute sie mit einer seltsamen Mischung aus Abneigung und Bewunderung an. »Ist das nicht ein recht moderner Weg, den du da beschreiten willst?«, fragte sie.

Chani zuckte die Achseln. »Vielleicht. Aber ich tue lieber etwas Sinnvolles, als meinen Eltern zur Last zu fallen, wenn ich nicht heirate.« Sie schaute Mrs Levy an. »Weiß Baruch, dass Sie hier sind?«

Das hatte Mrs Levy nicht erwartet. Sie fummelte wieder an ihren Perlen. »Nein. Nicht so ganz.«

»Ich verstehe«, sagte Chani. »Und Mr Levy, weiß er es?«

»Das geht dich gar nichts an!« Himmel, war dieses Mädchen unverschämt!

»Tatsächlich? Dann hören Sie auf, Erkundigungen über meine Familie einzuholen und mir vor meinem Zuhause aufzulauern. Seiner zukünftigen Schwiegertochter nachzuschnüffeln zeugt nicht gerade von Anstand, oder?«

»Hör mal, mein junges Fräulein, ich möchte mich nicht mit dir streiten, aber du bist nichts für meinen Sohn, und er ist nichts für dich, und mehr gibt es dazu nicht zu sagen.«

»Weil meine Familie arm ist und Ihre reich?«

»Ja – nein – nicht nur deswegen …« Mrs Levy wusste nicht weiter. Die Unterhaltung lief völlig aus dem Ruder. Das musste ein Ende haben.

»Ich will Ihnen etwas sagen«, fuhr Chani fort und hörte sich an wie ihre Mutter. »Mein Vater mag vielleicht nicht viel verdienen, aber er ist ein guter Mann. Er lebt sein Leben nach den Regeln der *Tora*. Bei uns zu Hause legt man Wert auf Freundlichkeit, Respekt und Ehre. Wir mögen zwar eine große Familie sein, aber wir waren nie hungrig, und uns war nie kalt. Meine Eltern haben immer ihr Bestes gegeben, selbst wenn manchmal nicht alles rundlief.«

»Chani, ich schätze sehr, was du da sagst, und ich respektiere deine Familie. Aber Baruch braucht eine Frau, die ihn auch finanziell unterstützen kann, wenn er studiert, oder es bleibt an uns hängen. Verstehst du?«

»Ich dachte, Sie hätten genug Geld«, stichelte Chani

wütend. Es war ihr jetzt egal. Dachte diese Frau, sie sei die Einzige, die sich derart unmöglich benehmen durfte?

Mrs Levy wurde rot, die Farbe ihrer Wangen verschmolz mit der ihres Lippenstiftes. »Das haben wir, Chani. Aber darum geht es nicht. Für eine Hochzeit müssen die Familien in jeder Hinsicht ebenbürtig sein. Ich befürchte, du bist nicht das, wonach wir suchen.«

In Chanis Augen glomm es gefährlich. »Ich verstehe«, sagte sie leichthin. »Vielleicht ist es dann das Beste ...«

Mrs Levy schaute überaus dankbar.

»... wir überlassen Baruch diese Entscheidung. Denn seine Wahl scheint ja offensichtlich auf mich gefallen zu sein. Sonst wären Sie nicht hier, oder, Mrs Levy? Also soll er auch entscheiden, hm?«

Mrs Levy entglitten die Gesichtszüge. »Nein, so war das nicht gemeint. Rabbi Zilberman wird mit ihm sprechen. Er ist auch der Ansicht, dass du nicht die richtige Sorte Mädchen bist ...« Die Unehrlichkeit spornte sie an. »Und mein Mann ist derselben Meinung wie der Rabbi, also werden wir die ganze Sache beenden.«

Chani glaubte ihr kein Wort. Ein Rabbi würde so etwas nicht tun. Es gab von religiöser Seite nichts, was gegen die Verbindung sprach. Sie und Baruch waren keine engen Verwandten. Und sie wartete auch nicht auf eine Scheidung. Chani stand auf.

»Nun gut, Mrs Levy. Wir werden sehen. Sie entschuldigen mich? Hat mich gefreut.« Chani nahm ihre Tasche. Mrs Levy sammelte hastig ihre Sachen zusammen.

»Warte, Chani!«

Aber Chani war bereits zum Tresen marschiert.

»Keine Sorge, Mrs Levy, ich habe bereits bezahlt«, rief sie und verließ das Café.

Mrs Levy stöckelte hinter ihr her. Ihre Hacken rutschten auf dem gewachsten Parkett weg.

»Warte, Chani!«, rief Mrs Levy.

Doch Chani wartete nicht. Sie ging zur U-Bahn, wo sie stehen blieb und nach ihrem Fahrschein suchte. Als Mrs Levy sie einholte, trat Chani durch die Absperrung. Mrs Levy wollte ihr folgen, doch die Klappen schlossen sich direkt vor ihrer Nase und zwangen sie zurückzubleiben.

»Chani, bitte –«

Chani drehte sich um. Mrs Levy atmete schwer; Locken ihres *Scheitels* klebten ihr im Gesicht.

»Machen Sie sich keine Sorgen, Mrs Levy. Was immer auch passiert, von mir wird niemand etwas von diesem Gespräch erfahren. Das verspreche ich.«

Sie winkte Mrs Levy kurz zu und ging.

Kampfesmüde und verloren lief Mrs Levy allein zurück zu ihrem Auto.


Mrs Levy konnte ihre Besorgnis kaum unterdrücken. Sie schwankte zwischen Bedauern und der vergeblichen Hoffnung, dass die Unerschrockenheit des Mädchens nur Fassade war und es ihr sehr wohl gelungen war, sie zu entmutigen. Am Ende siegte das Bedauern. Es war alles ein furchtbarer Fehler gewesen. Baruch hatte sie gebeten, Chani und ihre Eltern zum Abendessen einzuladen; er hatte sehr deutlich gemacht, dass er um ihre

Hand anhalten wollte, wenn beide Parteien sich kennengelernt hatten. Sie saß in der Falle. Das Mädchen würde in ihrem Haus sein. Sie würde zum Gespött werden. Sie wusste noch nicht einmal, ob man Chani wirklich vertrauen konnte. Vermutlich war inzwischen die ganze *Kehillo* im Bilde. Man würde sie als Snob bezeichnen. Sie ahnte jedoch, dass sie sowieso schon den Ruf hatte, sich für etwas Besonderes zu halten.

Das Leben war hart. Mrs Levy starrte auf ihre cremefarbene Auslegeware und bemerkte einen großen Fußabdruck. Baruch. Wie oft hatte sie ihm schon gesagt, er solle sich die Schuhe abtreten, bevor er ins Haus kam? Heute lief alles schief. Sie hatte sich sogar einen Nagel abgebrochen.

Und nun war auch noch der Traum von einer passenden Schwiegertochter für Baruch dahin. Ihr blieb nur noch die Kapitulation. Sie hob den Hörer ab und wählte die Nummer der Kaufmans.

# 22

# Avromi
## August 2008 – London

In den Sommermonaten wurde Avromi zu einem geüb-
ten Lügner. Er konnte sich nicht mehr mit Vorlesungen
herausreden, also schummelte er ein bisschen, und
manchmal log er auch ganz unverblümt. Sein Verlangen,
Shola zu sehen, war stärker als alle Schuldgefühle, die er
durch inbrünstiges Beten, große Spenden und die strikte
Einhaltung aller anderen *Mizwot* zu beschwichtigen
versuchte. Außerdem nahm er häufiger an Gemeinde-
veranstaltungen teil und stellte sicher, dass es seinem Vater
zu Ohren kam. Seine ständige Abwesenheit begründete
er mit dem öffentlichen Nahverkehr; Kaffeetrinken mit
Freunden, welches zu langen Diskussionen über die
*Tora* führte; oder einfach mit dem warmen Wetter und
seinem Bedürfnis, draußen zu sein, in Parks, Fußball
oder Frisbee mit seinen Freunden zu spielen – sie alle
»Bekannte«, die nicht zurückzuverfolgen waren.

Seine Familie schien diese Unwahrheiten zu schlucken; die Sommerhitze hatte sie alle träge gemacht. Mit
dem Fortschreiten der Schwangerschaft wurde seine
Mutter vergesslich und lethargisch; seine Schwester lungerte bei ihren Freundinnen herum; und Moishe war im

Sommercamp. Sein Vater betete und arbeitete weiter, der Rhythmus seiner Tage so vorhersehbar wie der Takt eines Metronoms.

Wenn Avromi mit den Nachmittagsgebeten fertig war, schlich er sich davon, um mit Shola die schwülen Nachmittage zu vertrödeln, versteckt im langen, sich wiegenden Gras des Heath Parks oder Kensington Gardens, seine Beine mit ihren verflochten, seine in Hosen, ihre Beine nackt und braun, redend und küssend, bis die Sonne zu einem feuerroten Ball wurde und die Schatten verschwanden.

Gemeinsam eroberten sie London, und Avromi wurde zu einem eifrigen Touristen an Sholas Seite. Ihre Begeisterung darüber, was die Stadt zu bieten hatte, war ansteckend. Sie erkundeten South Bank, gingen zu Festivals, in Museen und Pubs. Oft liefen sie auch nur durch die Gegend, bewunderten historische Straßenzüge und kühne Neubauten. Avromi verliebte sich in seine eigene Stadt, die ihm bis dahin fremd gewesen war. Es fiel ihm schwer, in die Enge von Golders Green zurückzukehren.

Er achtete darauf, nicht in ihrem Bett einzuschlafen, und obwohl es ihm jedes Mal schwerfiel, von ihr wegzugehen, wartete er nicht bis zum letzten Bus. Doch wenn seine Haltestelle näher kam, kehrte die inzwischen vertraute Angst zurück. Dann zupfte er hastig die Fransen seines Gebetsmantels aus der Hose, rückte die *Kippa* zurecht und zog sein schwarzes Jackett an, das er den größten Teil des Tages über der Schulter getragen hatte.

Sobald er seine Straße erreichte, schlug sein Herz einen ängstlichen Trommelwirbel, und die freudige Erregung des Tages verschwand. In seinem Kopf jagten sich die vorgefertigten Entschuldigungen für sein spätes Nachhausekommen. Wenn drinnen alles dunkel und ruhig war, dankte er *HaSchem* mit einem geflüsterten Gebet und schlich sich die Treppe hinauf in sein Zimmer.

Die Rebbetzin lag in einem zerwühlten Bett. Die drückende Nachtluft ließ sie keine Ruhe finden. Chaim schlief fest. Alle Fenster waren offen, doch in ihrem Schlafzimmer regte sich kein Lüftchen. Sie hörte das Knirschen von Schritten auf dem Gartenweg und dann ein Klicken, als sich die Haustür öffnete. Avromi war zu Hause. Sie warf einen Blick auf den Wecker und sah, dass es schon wieder fast Mitternacht war. Es war das zweite Mal in dieser Woche.

Sie fragte sich, wo er gewesen sein mochte, und ahnte, dass ihr die Antwort nicht gefallen würde. Ihr Sohn war erwachsen, und sie wollte ihm nicht hinterherspionieren, doch sie konnte ihre Beunruhigung nicht leugnen. Sie lauschte auf das Öffnen und Schließen des Schranks in seinem Zimmer und schließlich das Quietschen der Bettfedern, als er sich hinlegte. Dann herrschte Stille.

Die Rebbetzin rollte sich auf die Seite und schloss die Augen. Ihre Hand ruhte auf ihrem Bauch. Was immer Avromi tat, es war seine Angelegenheit. Er war vermutlich bei einem Freund gewesen und zu Fuß nach Hause gekommen. Dennoch war sie froh, dass Chaim es verschlafen hatte. Ihr Sohn veränderte sich, wurde eine eigenständige Persönlichkeit, und solange seine nächtlichen Aktivitäten den Hausfrieden nicht störten, würde sie ihn gewähren lassen. Letztlich war er ein guter Junge, und sie hatte keinen Grund, an ihm zu zweifeln. Langsam wurden ihre Augenlider schwer, und sie schlief endlich ein.

## 23

## Chani. Baruch
### Juli 2008 – London

Die Kaufmans näherten sich dem Haus der Levys. Chani war wie eine Sardine zwischen ihre Eltern gequetscht. Mrs Kaufman bewegte sich schwerfällig und zwang Tochter und Ehemann zu einem ähnlichen Kriechgang. Chani musste sich zurückhalten, ihre massige Mutter nicht die Einfahrt hochzuschieben. Sie hatten eine Straße weiter geparkt, weil Mrs Kaufman sich für den ramponierten Volvo Estate der Familie schämte.

»Beeil dich, Mum. Wir kommen zu spät. Wir sollten schon vor zehn Minuten da sein.«

Statt zu sprechen, atmete Mrs Kaufman nur schwer. Ihr Mann antwortete an ihrer Stelle. »Nur einen Augenblick, Chani, deine Mutter muss kurz Luft holen.«

Chani verdrehte die Augen. Ihre Mutter keuchte und prustete wie ein Pottwal. Beim Anblick des schäbigen Jacketts und des zerknitterten Hemds ihres Vaters wurde ihr schwer ums Herz. Er hatte noch nicht mal seinen Bart gekämmt, der nun aussah wie verknäulte Fadennudeln.

Als die Haustür in Sicht kam, riss sich ihre Mutter zusammen und beschleunigte ihren Schritt. Plötzlich wurden sie in gleißendes Scheinwerferlicht getaucht. Rabbi Kaufman schaute sich aufgeregt um, in der Hoffnung auf eine göttliche Begegnung. Die Tür öffnete sich, und da standen die Levys, makellos in ihrem besten *Schabbes*-Staat, obwohl es erst Mittwoch war. Baruch überragte beide, eine orthodoxe Giraffe in Schwarz und Weiß. Er strahlte Chani an, doch sie sah nur seine Silhouette.

Die Kaufmans blinzelten wie verschreckte Kaninchen in die Scheinwerfer. Mrs Kaufman rückte näher an Chani heran, ihr Vater begrüßte Mr Levy.

»Ah, willkommen. Kommen Sie herein«, rief Mr Levy herzlich und schüttelte heftig Rabbi Kaufmans Hand. Der Rabbi wand sich unter seinem Griff.

Mrs Levys bemalte Lippen waren zu einem breiten Lächeln verzogen.

»Hallo, Mrs Kaufman. Hallo, Chani. Wie wunderbar, Sie endlich kennenzulernen«, gurrte sie. Als sie Chanis Blick begegnete, schaute sie schnell fort.

»*Baruch HaSchem*, ja, ich danke Ihnen, Mrs Levy«, keuchte Mrs Kaufman.

»Ah, dann muss das also Baruch sein. Du bist ganz schön groß, was?«, sagte Rabbi Kaufman.

»Ja, Sir. Tut mir leid.« Baruch grinste freundlich.

Ihre Eltern berührten und küssten die klobige goldene *Mesusa*, als sie über die Türschwelle traten. Chani tat es ihnen nach, denn sie brauchte *HaSchems* Schutz mehr denn je. Baruch blieb etwas zurück, und sie schnitten schüchtern Grimassen.

Die Levys führten sie durch die auf Hochglanz polierte

Eingangshalle ins Wohnzimmer. Mrs Kaufman blieb im Türrahmen stehen und bestaunte die Flut cremefarbener Teppiche und heller Ledermöbel. Chani gab ihrer Mutter einen Stoß in die Rippen. Mrs Kaufman ging weiter.

Als alle bequem saßen, wurden Getränke angeboten.

»Ein Sherry wäre wunderbar, Mrs Levy.«

Chani sah ihre Mutter argwöhnisch an. Mrs Kaufman bekam schnell einen Schwips, doch im Moment war sie so sehr damit beschäftigt, Mrs Levys *Scheitel* und die Pumps zu betrachten, dass sie den Drink ganz vergaß. Mrs Levy dagegen versuchte, Mrs Kaufmans Gewicht abzuschätzen. Es war erstaunlich, dass eine so korpulente Frau eine so spindeldürre Tochter hervorbringen konnte. Vielleicht bedeutete das, dass Chani später auch aufging wie ein Hefekuchen?

Mr Levy machte sich Sorgen, Rabbi Kaufman könnte aufgefallen sein, dass er einen Schluck Whisky getrunken hatte, noch bevor er ihn gesegnet hatte. Aber Rabbi Kaufman war eingesponnen in seine eigene Welt und schnatterte dummes Zeug in dem nervösen Versuch, gesellig zu sein. Chani stöhnte innerlich.

»Was für ein hübsches Zimmer. Woher, hatten Sie gesagt, kommt dieser Whisky, Mr Levy?«

Es schien nichts zu geben, worüber sie sich hätten unterhalten können. Das offensichtliche Thema wurde unbeholfen umschifft. Mrs Levy blinzelte nervös. Ihr Ehemann knurrte jovial. Baruch hockte auf der Armlehne neben seinen Eltern und versuchte, Chani nicht anzustarren. Die Kaufmans saßen zusammengequetscht auf dem gegenüberliegenden Sofa. Dann verkündete die Hausangestellte zu Mrs Kaufmans großer Erleichterung, das Abendessen sei fertig.

Das geräumige Esszimmer war in Pfirsichtönen gehalten. Ein vergoldeter Kronleuchter tauchte alles in perlmuttfarbenes Licht. Chani kam sich vor, als wäre sie in einer Art Pudding gefangen. Die rotbraune Jacke ihrer Mutter nahm sich darin aus wie ein Blutfleck.

»Oh, wie zauberhaft«, hauchte Mrs Kaufman und sank auf einen Stuhl, den die Hausangestellte für sie hervorgezogen hatte. Sie bemerkte die enge Jeans des Mädchens, das weit ausgeschnittene Top und das große goldene Kreuz, das zwischen ihrem braunen Busen baumelte, und fragte sich, was Mrs Levy sich wohl dabei dachte. Und das auch noch vor Baruch!

Mrs Levy bemerkte den missbilligenden Blick ihres Gastes und fühlte sich zu einer Erklärung bemüßigt: »O ja, dies ist Ava – unsere wundervolle polnische Haushaltshilfe. Ich wüsste nicht, was wir ohne sie tun würden. Heutzutage kommt man gar nicht mehr ohne Hilfe aus, finden Sie nicht auch, Mrs Kaufman?«

»Wir kommen gut zurecht, Mrs Levy«, konterte Mrs Kaufman. Sie würde sich nicht von dieser Prahlerei einschüchtern lassen. Die sollte sich bloß nichts einbilden.

Eine unbehagliche Stille trat ein. Baruch und Chani starrten verzweifelt auf ihre Teller. Ihre Eltern vermasselten bereits jetzt alles. Zwei Lakaien in Schürzen kamen herein und begannen, dampfende Speisen zu servieren. Mrs Kaufman hob eine Augenbraue, als Mrs Levy sie hinausbeorderte.

»Normalerweise beauftrage ich Hermolis, wenn ich einen Caterer brauche, aber sie waren ausgebucht, also musste ich Esti Finkelbaum engagieren – ein Jammer, denn Hermolis macht ausgezeichnetes Lebergeschnetzeltes.«

Rabbi Kaufman segnete das Essen, und man ließ es sich schmecken. Eine Weile lang hörte man das Klirren des Bestecks auf den Tellern. Baruch und Chani stocherten nur lustlos in ihrem Essen herum.

»Wie es aussieht, hat unser Sohn ein Auge auf Ihre zauberhafte Tochter geworfen«, dröhnte Mr Levy plötzlich. Seine Frau lächelte affektiert und griff nach ihrem Weinglas. Baruch senkte den Kopf und wünschte sich, der dreifach geknotete Hochflorteppich seiner Eltern würde ihn verschlucken.

»Ja – wir sind entzückt! Und er ist ein zukünftiger *Or-Yerushaliyim*-Student. Wunderbar, ganz wunderbar. Er fängt nächstes Jahr an, richtig?« Rabbi Kaufman war bester Stimmung.

»Und Chani scheint eine gesunde junge Dame zu sein – ein gutes *heimisches* Mädchen, wie es aussieht.«

»Oh, in der Tat, Mr Levy. Meine Chani-leh ist fit wie ein Turnschuh. Fast nie krank.«

Und so ging es weiter, als wären Chani und Baruch gar nicht im Raum. Speisen wurden auf- und wieder abgetragen, und Mrs Kaufman quollen bei jeder neuen Köstlichkeit fast die Augen über. Karotten-Koriander-Suppe, gefolgt von Lamm mit gehackten Aprikosen und Pflaumen, serviert mit Bergen von lockerem Couscous. Als sie sich das dritte Mal von den mit Honig glasierten

Pastinaken nahm, bat ihre Tochter darum, entschuldigt zu werden.

»Wenn du die Treppe hochgehst, ist auf der rechten Seite das Gästebad«, trillerte Mrs Levy. Ihr Mann wunderte sich einen Augenblick, warum seine Frau Chani nicht zur Toilette im Erdgeschoss dirigiert hatte, doch dann beanspruchte die Ankunft des Desserts seine volle Aufmerksamkeit, ein prächtiger *Lokschenkugel* – seine Leibspeise.

»Und wenn sie heiraten sollten, hatten wir uns für die Feier das Watford Hilton vorgestellt – natürlich nur, falls Sie keine eigenen Präferenzen haben sollten, Rabbi Kaufman«, erklärte Mr Levy, als ein Hügel der glänzenden süßen Nudeln auf seinen Teller gehäuft wurde.

»Dad«, stöhnte Baruch. »Bitte – nicht jetzt.« Seine Ohren glühten. Er hatte ihr noch nicht mal einen Antrag gemacht, und sie diskutierten schon die Feier. Mrs Levy hatte sich halb erhoben, als wolle sie den Tisch verlassen, zögerte aber noch, um die Antwort des Rabbis zu hören. Rabbi Kaufman tupfte sich die schweißnasse Stirn und wog seine Worte sorgfältig ab. Das Hilton. Er wäre ruiniert. Er warf einen Seitenblick auf seine Frau, die vor Entsetzen aufgehört hatte zu kauen. Oh, beeil dich, du zögerlicher alter Esel, beschwor ihn Mrs Levy im Stillen. Chani würde mittlerweile oben am Treppenabsatz angekommen sein.

»Wir – ähem –, ich rede von meiner Frau und mir, fanden das Gateway Inn am North Circular immer vollkommen ausreichend für alle Hochzeiten unserer Töchter, die in – ähem – London stattgefunden haben.«

»Oh, nein, nein, neeiiin, das geht nicht – ich meine, wir würden es vorziehen, wenn Essen und Tanz irgendwo stattfinden würden, wo es etwas vornehmer ist«, sagte Mrs Levy mit schriller Stimme. Das Gateway war ein schäbiges kleines Motel. Nicht in hundert Jahren würde sie den Fuß in eine solche Bruchbude setzen.

Mrs Kaufman röchelte leise in ihre pfirsichfarbene Serviette. Rabbi Kaufman griff nach dem Mineralwasser und schenkte sich ein Glas ein, ohne die Nöte seiner Frau auch nur zu bemerken.

»Machen Sie sich keine Gedanken, Rabbi Kaufman. Ich werde Ihnen die Sache deutlich erleichtern«, brüstete sich Mr Levy und klopfte sich auf die Tasche, in der er sein Portemonnaie stecken hatte. »Unsere Kinder verdienen nur das Beste, nicht wahr?«

Rabbi Kaufman nickte niedergeschlagen. Er bekam seinen *Lokschenkugel* nicht hinunter. Weil sie gerade dringend süßen Trost brauchte, löffelte sich Mrs Kaufman etwas von seinem Teller in den Mund.

Problem gelöst. Mrs Levy sprang auf, entschuldigte sich und floh ins Obergeschoss.

Allein die Vorstellung, mit solchen Leuten verwandt zu sein! Mrs Kaufman – ein Zeppelin in Braun – und ihr geistesschwacher Mann in seinem abgewetzten Anzug. So ungepflegt. So würdelos. Nein, das ginge auf gar keinen Fall. Mrs Levy lief die Treppen hoch, wild entschlossen, einen letzten, verzweifelten Versuch der Sabotage zu unternehmen.

Aber wo war das Mädchen?

Oben im Haus war es still und dunkel. Alle Türen zum Korridor waren geschlossen, damit kein einfallendes Licht die vergoldeten Tapeten ausbleichte. Chani schlenderte durch das Halbdunkel und drückte auf ihrer Suche nach der Toilette vorsichtig Türklinken herunter. Mrs Levy blieb auf dem Treppenabsatz stehen und beobachtete sie einen Moment. Dann begann sie sich an sie heranzuschleichen, der Teppich dämpfte ihre Schritte.

Gerade als Chani die richtige Tür aufschieben wollte, rief Mrs Levy ihren Namen. Das Mädchen zuckte zusammen und fuhr herum. Chani konnte Mrs Levys Gesichtsausdruck nicht erkennen; sie war nur eine Silhouette mit einem aufgebauschten *Scheitel*.

»Ja, Mrs Levy? Ich habe die Toilette gerade gefunden –«

»Dann ist ja gut, ich wollte nur sehen, ob alles in Ordnung ist.«

Etwas in Mrs Levy Stimme ließ Chani aufhorchen. Sie wollte so schnell wie möglich weg von dieser Frau, doch ihre guten Manieren verboten ihr, einfach zu verschwinden.

»Oh ja, ist es. Ihr Haus ist wunderschön, Mrs Levy.«

»Allerdings.«

Mrs Levy schien auf etwas zu warten, doch Chani hielt es nicht länger aus. Sie schob die Tür auf und ging hinein.

»Entschuldigen Sie mich. Bin gleich wieder da«, sagte sie.

Plötzlich stellte Mrs Levy den Fuß in die Tür. Chani starrte hinunter auf den blanken, spitzen Schuh.

»Ich würde gern kurz ein Wörtchen mit dir reden«, zischte Mrs Levy durch den Spalt. In ihrer Stimme lag eine unmissverständliche Drohung.

»Worüber denn?«, zwitscherte Chani. Ihre Hand um den Türgriff war feucht geworden.

»Das weißt du sehr wohl. Lassen wir die Heuchelei, ja, Chani? Ich habe mich gefragt, ob du Gelegenheit hattest, über unsere kleine Plauderei letztens nachzudenken?«

»Was für eine kleine Plauderei?« Ihr Verstand raste. Wie lange würde ihre Abwesenheit unbemerkt bleiben?

»Mach die Sache nicht komplizierter, als sie schon ist«, sagte Mrs Levy. In der Dunkelheit konnte sie das Weiße in Chanis Augen erkennen. Das zitronengelbe Schürzenkleid des Mädchens leuchtete selbst in der Dunkelheit. Sie sah nicht älter aus als zwölf.

»Ich bin nicht diejenige, die es kompliziert macht«, sagte Chani. Sie klang resolut, aber innerlich zitterte sie.

»Ich möchte dir einen Vorschlag machen«, hauchte Mrs Levy und lehnte sich vor. Chani konnte ihr schweres, süßes Parfum riechen und den Knoblauch in ihrem Atem. »Da draußen laufen haufenweise andere nette junge Männer herum. Ich werde dir helfen, einen zu finden, wenn du möchtest. Solange du meinen Baruch in Ruhe lässt.«

So weit war sie also bereit zu gehen.

»Ich habe meine Meinung nicht geändert, Mrs Levy. Und ich brauche Ihre Hilfe nicht.«

»Ich verstehe«, sagte Mrs Levy eisig.

»Das kann ich nur hoffen.« Der Fuß hatte sich nicht bewegt. »Wenn Sie mich jetzt bitte entschuldigen würden.«

Mrs Levy blieb, wo sie war.

»Mrs Levy, ich würde mich ungern gezwungen sehen, etwas über unsere kleine Unterhaltung auszuplaudern.« Während sie sprach, erhöhte Chani sanft, aber entschieden den Druck auf die Tür und Mrs Levys teuren Schuh.

Mrs Levy atmete tief ein, ertrug aber den Schmerz. Chani lehnte sich mit ihrem ganzen Gewicht gegen die Tür.

»Au!«, jaulte Mrs Levy auf und zog den Fuß zurück. Sie hämmerte gegen die verschlossene Tür.

»Chani!«, zischte sie durch das Schlüsselloch. »Komm sofort raus! Ich war noch nicht fertig!«

»Mrs Levy, ich denke, ich habe mich klar ausgedrückt. Ein weiteres Wort von Ihnen reicht. Ich sehe Sie gleich unten.«

Sie hatte verloren. Ihr Mann würde ihr niemals verzeihen, wenn er von ihrer Hinterhältigkeit erführe – ganz abgesehen davon, was ihr Sohn davon halten würde. Dieses verfluchte unverfrorene Mädchen!

»Und wem, meinst du, werden mein Mann und mein Sohn glauben – dir oder mir?«, sagte Mrs Levy verzweifelt. Inzwischen kniete sie vor dem Badezimmer und hoffte inständig, dass niemand die Stufen hochkäme.

»Das werden wir schon bald herausfinden, Mrs Levy«, sagte Chani. Ihr schwirrte der Kopf angesichts dieser befremdlichen Situation. Sie hätte nie gedacht, dass sie sich mit Erpressung ihren Weg in die Ehe bahnen müsste.

Mrs Levy schwieg, während sie über ihren nächsten Schritt nachdachte. Doch es war nichts mehr zu machen.

»Ich verstehe. Dann vermute ich, wir sollten uns alle

Mühe geben, miteinander auszukommen.« Diese Worte schmerzten.

»Sehr richtig, Mrs Levy. Ich denke, das wäre das Beste.«

»*Im jirtse HaSchem.*«

»*Im jirtse HaSchem,* Mrs Levy.«

Chani wartete, bis Mrs Levys Schritte nicht mehr zu hören waren. Dann lehnte sie sich an die kühlen Fliesen und wartete darauf, dass ihr Herzschlag sich beruhigte.

Mrs Levy trottete nach unten und machte auf der Hälfte des Weges halt, um sich zu sammeln und ihren *Scheitel* zu glätten. Sie war schon immer eine schlechte Verliererin gewesen. Verflixt, dachte sie, was sein muss, muss sein. Eine Bloßstellung wäre undenkbar. Niemand würde sie mehr als Schwiegermutter haben wollen, und sie musste noch zwei Töchter unter die Haube bringen. Um ihretwillen gab sie sich geschlagen, eine schreckliche, aber unausweichliche Vorstellung. Sie wappnete sich und kehrte ins Esszimmer zurück.

»Hallo, meine Lieben«, sagte sie fröhlich. »Alles in Ordnung?«

»Ganz wunderbar, Mrs Levy«, murmelte Rabbi Kaufman, der immer noch so aussah, als hätte ihm jemand einen Schlag auf den Kopf verpasst.

Ihr Mann sah sie fragend an. Sie war recht lange weg gewesen.

»Rabbi und Mrs Kaufman, Ihre Tochter ist entzückend«, sagte Mrs Levy mit einer Stimme, die nicht so ganz ihre eigene war.

Die Kaufmans strahlten. Mr Levy runzelte die Stirn.

Vom Ende des Tisches meldete sich Baruch zu Wort. »Ich wusste, du würdest sie mögen, Mum.«

»Und hier kommt die reizende Dame höchstpersönlich«, sagte Mr Levy, als Chani in der Tür erschien.

»Ah, Chani-leh«, rief Mrs Kaufman. »Da bist du ja. Ich hatte mir schon Sorgen um dich gemacht.«

»Das war nicht nötig, Mum. Ist alles bestens.« Chani lächelte heiter, als sie sich wieder an den Tisch setzte. Mrs Levy rückte angelegentlich ihre Kristallgläser zurecht.

»Noch jemand Dessert?«, fragte Mr Levy und liebäugelte mit der letzten Portion.

»Wenn es Ihnen nichts ausmacht, hätte ich gern noch ein wenig«, sagte Mrs Kaufman und hielt ihre Schale hin.

»Ich sage Ihnen was, Mrs Kaufman, wir teilen uns das, okay? Vielleicht als Zeichen all dessen, was da noch kommt?«

»Wie Sie wünschen«, sagte Mrs Kaufman. Fügsamkeit gegenüber einer höheren Gewalt war eine lebenslange Angewohnheit.


Später am Abend, als sie sich bettfertig machten, hielt es Mr Levy für angebracht, seine Frau nach ihrer langen Abwesenheit vom Abendessen zu fragen. Seine Frau war emsig damit beschäftigt, ihren *Scheitel* auszubürsten.

»Du warst heute beim Abendessen recht lange weg…«

Mrs Levy hielt inne, überlegte, drehte dann ihre Perücke und bürstete mit wiedererwachtem Elan weiter.

»Oh, Chani und ich haben nur ein wenig geplaudert.«

»Das denke ich mir, Berenice«, antwortete er mit einem warnenden Unterton. Sie erwiderte sein böses Starren.

»Das Mädchen hat eindeutig ihren eigenen Kopf – das muss ich ihr lassen.«

»Da spricht die Richtige«, murmelte ihr Mann.

Die Kaufmans waren gedrückter Stimmung. Nach der Extravaganz der Levy-Villa erschien ihnen ihr eigenes Haus schäbiger denn je. Die Wände im Flur waren vergilbt, und ihre Füße blieben am Linoleum kleben.

Chani sah ihrer Mutter hinterher, die sich nach oben mühte. Sie drehte sich zu ihrem Vater um, der gerade sein Jackett aufhängte.

»Dad.«

»Ja, Chani-leh?«

Sie bemerkte einen Haarriss in einem seiner Brillengläser. Ihr Vater sah müde aus und gebrechlich. Seine Schultern stachen spitz unter seinem verblichenen Pullover hervor, und seine Hände zitterten leicht. Sie wusste, dass er es kaum erwarten konnte, wieder zu seinen Büchern und Gebeten zurückzukehren. Plötzlich wollte sie ihm um den Hals fallen und ihn wild umarmen, doch solche spontanen Gesten der Zuneigung gab es zwischen ihnen schon lange nicht mehr.

Stattdessen standen sie im Halbdunkel des Hausflures dicht beieinander. Ihr Vater hatte etwas Trauriges und Verletzliches an sich, das ihren Beschützerinstinkt weckte. Chani dachte an den lauten, selbstherrlichen Mr Levy, und ihr gefiel ihr Vater, trotz seiner fehlenden Weltgewandtheit, unendlich viel besser.

»Was hältst du von Baruch?«

»Er scheint ein netter, anständiger Junge zu sein. Ein wenig still, aber angesichts der Umstände ...«

»Und seine Eltern?«

Ihr Vater strich sich über den Bart. Chani wusste, dass er seine Worte abwog.

»Sie sind anders als wir. Aber sie meinen es gut, denke ich. Das ist bei solchen Zusammentreffen schwer zu sagen. Hauptsächlich geht es um den Jungen, Chani. Er scheint wissbegierig und ernsthaft zu sein. Du könntest es wahrlich schlechter treffen.«

Es war zwar nicht gerade ein Lobgesang, aber andererseits hatte ihr Vater kaum mit Baruch gesprochen. Sie wünschte, er wäre entschiedener, doch das war noch nie seine Art gewesen.

»Denkst du also, ich sollte ja sagen, wenn er mich fragt?«

Rabbi Kaufman blinzelte müde. Er streckte die Hand aus und tätschelte unbeholfen ihr bleiches, angespanntes Gesicht. »Ja, möglicherweise solltest du das. Er ist das beste Angebot, das du bis jetzt hattest. Lass uns abwarten, ob er es ernst meint. Ich glaube, das tut er, wenn ich von heute Abend ausgehe.«

Dann drehte er sich um und ging langsam in sein Arbeitszimmer. Chani betrachtete sich in dem staubigen Flurspiegel. Eine kleine, dünne Gestalt schaute zurück. Das Schürzenkleid sah lächerlich an ihr aus. Sie hasste es und hatte nur ihrer Mutter zuliebe eingewilligt, es anzuziehen. Sie wünschte, sie würde etwas Eleganteres besitzen. So wie Mrs Levy. Sie dachte an den Fuß in der

Toilettentür und lächelte. Baruch wollte sie heiraten, und Mrs Levy konnte nichts dagegen tun. Der Kick des Triumphes jagte ihr einen Schauer über den Rücken. Im dunklen Spiegel leuchteten ihre Augen.

Die Jahre, in denen sie für ihre Eltern nur eine weitere Tochter gewesen war, in denen sie von Mrs Sisselbaum unterdrückt und von ihren Lehrerinnen kritisiert worden war, fielen von ihr ab. Sie fühlte sich, als stünde sie an der Schwelle zu etwas Erwachsenem und Bedeutendem. Ein Junge hatte sie trotz der Einwände seiner Mutter allen anderen Mädchen vorgezogen – und sie war sich sicher, dass Mrs Levy ihre Einwände Baruch gegenüber laut und deutlich zum Ausdruck gebracht hatte. Dass sie ihn kaum kannte, spielte plötzlich keine Rolle mehr. Die Zukunft lag vor ihr, sie hatte sich den Weg dorthin erkämpft und gewonnen.

Nun musste er nur noch fragen.


Verdauungsbeschwerden und Grübeleien hinderten Mrs Kaufman daran, im Schlaf Trost zu finden. Sie pupste leise in die Dunkelheit und lauschte auf das sanfte Schnarchen ihres Mannes.

Rabbi Kaufman war mitten in einem sehr aufregenden Traum. Er war Moses und führte die Israeliten aus Ägypten. Kurz bevor er dazu kam, das Rote Meer zu teilen, stieß seine Frau ihm den Ellbogen in die Rippen.

»Yankel, wach auf!«

»Darf ein Mann denn nicht mal in Frieden schlafen?«, stöhnte er.

»Jetzt nicht, Yankel, ich muss mit dir reden.«

»Nicht schon wieder. Hat das nicht Zeit bis morgen?«

»Es ist schon morgen. Yankel, hör zu, es ist wichtig.«

Rabbi Kaufman seufzte ergeben. »Okay, Leah-leh, ich höre.«

»Ich mache mir Sorgen um Chani.«

»Du machst dir immer Sorgen um Chani. Chani geht es gut, glaub mir, die kann selbst auf sich aufpassen.«

»Ich war so eine schlechte Mutter«, sagte Mrs Kaufman. Ein lautes, feuchtes Schniefen folgte. Ihr Mann tastete nach dem Lichtschalter. Sie blinzelten in das elektrische Strahlen hinein.

»Leah, bitte, fang nicht wieder mit diesem Unsinn an – ich verbiete es dir«, sagte Rabbi Kaufman.

»Okay«, sagte Mrs Kaufman leise.

»Gut, wo liegt das Problem?«

»Ich mag diese Leute nicht.«

»Ich wusste, dass sie dir nicht gefallen würden. Wir gefallen ihnen wahrscheinlich auch nicht.«

»Diese Frau, ich traue ihr nicht. Diese Schuhe und dieser grauenhafte *Scheitel* – sie sieht aus wie eine, eine …«

Ihr Mann griff nach ihrer Hand. »Sag es nicht, Leah-leh, das ist unter deiner Würde. Aber ich weiß, und ich verstehe.«

»Ich kann den Gedanken nicht ertragen, dass Chani in eine solche Familie einheiratet. Sie passt da nicht rein.«

»Wenn es dich tröstet, Baruch scheint ein sehr netter Junge zu sein. Und er ist eindeutig talentiert. Er ist nicht wie sie, das habe ich im Gefühl.«

»*Besrat HaSchem*. Das wollen wir hoffen.«

»Es könnte schlimmer sein.«

»Ach ja? Und wie, Yankel?«

Rabbi Kaufman strich sich über den Bart. Seine Frau wartete ab.

»Sie haben Geld.«

»Und? Wer braucht Geld? *HaSchem* versorgt uns«, rief Mrs Kaufman.

»Leah-leh, du weißt, dass das so nicht stimmt, das Leben ist nicht einfach, wenn man finanzielle Schwierigkeiten hat. Schau, wie uns das erschöpft hat. Denk an all das, was wir unseren Töchtern hätten geben können.«

»Ich wusste es. Wir hätten ihnen mehr geben müssen«, jammerte Mrs Kaufman.

»Na, na, wir haben ihnen alles gegeben, was wir konnten. Und sie haben das bekommen, was sie am meisten brauchten – Liebe und Zuwendung und eine ordentliche jiddische Erziehung. Sie haben uns ... Wir sind doch gar nicht so schlecht, oder?« Rabbi Kaufman legte seinen dünnen Arm um Mrs Kaufmans massive Schultern.

»Nein, und was diesen Mr Levy angeht – er ist nicht den Dreck unter deinen Fingernägeln wert, Yankel!«

Rabbi Kaufman gluckste und küsste seine Frau auf die Wange. »Leah-leh, wenn Chani nur eine halb so gute Ehefrau ist, wie du mir bist, kann Baruch sich glücklich schätzen.«

Rabbi Kaufman kitzelte seine Frau unter den Kinnen.

»Hör auf damit, Yankel!«, kicherte sie, erinnerte sich dann wieder an ihren Kummer und schniefte.

»Der Junge ist ganz begeistert von Chani, und ich

denke, er wird gut auf sie aufpassen«, sagte Rabbi Kaufman, als Mrs Kaufman ihren Kopf an seinen Pyjamaknöpfen rieb. »Und wenn nicht, kann sie wieder zu uns nach Hause kommen. Und wir suchen einen anderen Jungen für sie.«

»*Chas we Shalom!*«, sagte Mrs Kaufman. Ihre Augenlider wurden schwer, ihr Körper entspannte sich. Rabbi Kaufmans rechter Arm war mittlerweile taub, aber er wagte nicht, sich zu bewegen, bis der Kopf seiner Frau wegsackte und ihre Atmung nur noch ein langes, lautes Raspeln war. Dann, vorsichtig, zog er seinen Arm unter ihr hervor, kuschelte sich an ihr warmes Hinterteil, und so schliefen sie beide ein.

## 24

## Baruch – Chani
### August 2008 – London

Der Tag hatte mit einem strahlend blauen Himmel begonnen. Sie waren aus ihrer engen jüdischen Welt ausgebrochen, mit der drückend heißen U-Bahn in die Stadt gefahren und im Herzen des sommerlichen Londons wieder hervorgekommen, im Hyde Park. Sie spazierten über die breiten Asphaltwege an den Sehenswürdigkeiten vorbei. Eine Inlineskaterin zischte an ihnen vorbei und rempelte Baruch fast an. Er hatte ihre muskulösen Oberschenkel und glänzenden Schultern derart angestarrt, dass er vergessen hatte, aus dem Weg zu gehen.

Sein Interesse war Chani nicht entgangen, doch sie verscheuchte die Eifersucht. Immerhin war das ihr viertes Date, und sie war sich sicher, dass er heute fragen würde. Sie hatten das Abendessen mit beiden Elternpaaren überstanden, und bis dato schien die intrigante Mrs Levy erfolgreich ausgebremst worden zu sein. Sie verbannte die Frau aus ihren Gedanken; sie würde sich den heutigen Tag nicht verderben lassen. Chani war an diesem Morgen mit einem Ruck aufgewacht, und ihr Magen flatterte noch immer vor Aufregung. Um ihr Anliegen zu unterstützen, hatte sie besonders intensiv gebetet.

Sie hatte ihre Kleidung sorgfältig gewählt, den weißen Lieblingspullover mit dem V-Ausschnitt, darunter ein schwarzes T-Shirt und einen ausgestellten schwarzen Leinenrock, der sich sanft wiegte, wenn sie ging. Baruch trug seine übliche Tracht. Das Jackett hatte er über die Schulter geworfen und schritt neben ihr her. Auf seinem Kopf thronte das obligatorische schwarze Samtkäppchen. Zusammen sahen sie aus wie ein Schachbrett, dessen einziger Farbfleck der Blumenstrauß war, den er ihr geschenkt hatte. Chani presste ihn fest an sich. Sie konnte ihn nicht fortnehmen, weil die Blüten einen großen Pollenfleck auf ihrer rechten Brust hinterlassen hatten. Sie sah aus, als hätte man sie mit Eiern beworfen. Aber es war ihr egal, denn heute war der Tag, an dem er fragen würde.

Was würden ein frommer Junge und ein frommes Mädchen sonst so weit weg von zu Hause machen? Der exotische Ausflugsort hatte ihre Gewissheit besiegelt. Es konnte jetzt jeden Augenblick passieren. Dessen war sie sich sicher.

Aber Baruch wartete noch auf den richtigen Moment. Er wollte die Worte sagen – doch jedes Mal, wenn er Luft holte, hinderte ihn etwas daran. Sie blieben ihm im Halse stecken. Er hatte diesen Augenblick in Gedanken immer und immer wieder durchgespielt, doch immer noch stand er schwankend vor dem großen Schritt ins Eheglück.

Er musste etwas unternehmen. Die Unterhaltung war ins Stocken geraten, und die Erwartung, die von der kleinen, schlanken Gestalt neben ihm ausging, war förmlich greifbar. Er würde sie fragen, bevor sie am Ende des Weges angekommen waren, und so verlangsamte er seine Schritte.

Hinter der Kurve breitete sich die schimmernde Weite des Serpentine-Sees aus. Kleine Wellen plätscherten gegen das Ufer. Bäume wiegten sich leicht in der Brise. Schwäne gründelten, ihre Schwimmfüße paddelten lustig in der Luft. Doch Chani nahm all die Schönheit gar nicht wahr. Warum ließ er sich so lange Zeit? Was war denn mit ihm los?

Baruch kam eine Idee. Er würde mit Chani auf dem See Tretboot fahren. In der Mitte, wo es ruhig und malerisch war, würde er ihr einen Antrag machen. Er würde treten, und Chani würde neben ihm sitzen. Wie herrlich und heiter der Serpentine aussah! Warum war ihm das nicht früher eingefallen? Sie wären allein und unbeobachtet. Sie waren frei! Außer aber, Chani wollte nicht.

Aber er konnte ja fragen. Er drehte sich zu ihr um. Sie schaute ihn erwartungsvoll an.

Baruch gab sich einen Ruck. »Bist du schon mal Tretboot gefahren?«

»Ob ich was?« Sie runzelte die Stirn.

»Ob du schon mal Tretboot gefahren bist. In einem dieser witzigen Boote da drüben.«

Sie folgte mit den Augen seinem ausgestreckten Arm zu einem Mann, der aussah, als würde er in einer Puddingschüssel über den See radeln. Neben ihm saß eine Frau, deren Knie sich wie mechanisch auf und ab bewegten. Die Schüssel bewegte sich langsam fort.

»Nein, nein. Bin ich noch nicht. Und du?«

»Nein, aber wie wäre es, wenn wir es versuchen?«

»Jetzt? Du und ich?«

Chani blickte ihn misstrauisch an. Sie schürzte die Lippen, was Baruch an seine Großmutter erinnerte. »Bist du sicher, dass das klug ist? Ich meine, ist es für uns okay, zusammen in einem dieser Dinger zu fahren?«

Gelächter wehte von den großen, runden Plastikbooten herüber. Es schien Spaß zu machen. Eine Brise streichelte das Wasser; es sah kühl und einladend aus. Das hier war etwas Neues, Unbekanntes.

»Wieso nicht? Wir werden uns ja nicht berühren. Ich trete, und du machst es dir bequem. Wie wär's?«

Ja, warum eigentlich nicht? Sie konnte ja schwimmen, falls etwas passieren sollte. Die Vorstellung war sogar ziemlich aufregend. Vielleicht müsste sie sogar nach seiner Hand greifen. Sie stellte sich vor, wie Baruch mit einem männlichen Kraulen das Wasser durchpflügte, während sie hilflos um sich schlug, ihr langer Rock um ihre Beine verwickelt, laut um Hilfe rufend. Dann würde sie nass und schmutzig am Ufer liegen und Baruch auf Knien neben ihr.

Chani grinste. »Okay. Es macht bestimmt Spaß. Und es erfährt sowieso keiner.«

»Genau.«

Sie lächelten sich schüchtern an und sprudelten fast über vor Aufregung. Dann gingen sie entschlossen hinüber zur Hütte, wo Baruch für ein Boot bezahlte.

Mit Rettungswesten bekleidet folgten sie dem Verleiher über den schmalen Holzsteg, an dessen Ende ihr Gefährt wartete. Es war pastellblau und hatte eine kleine weiße »22« am Heck.

Baruch kletterte als Erster hinein. Das Tretboot schaukelte heftig, und er wankte. Schnell setzte er sich hin. Es war nicht viel Platz, und so knickten seine Beine im rechten Winkel ab, als er sie auf die Pedalen stellte.

»Und hinein mit dir«, sagte der Bootsverleiher und bot Chani die Hand an, die sie geflissentlich ignorierte. Sie stellte den rechten Fuß vorsichtig in das Tretboot, fand die Balance und zog den linken Fuß herein, während sie ihren Rock zusammenraffte.

»Äußerst eleganter Einstieg«, sagte Baruch.

»Danke«, sagte Chani und wurde knallrot. Sie kam sich lächerlich vor in ihrer Schwimmweste, doch zumindest war der Pollenfleck verdeckt. Sie zog den Rock ordentlich über die Knie und drückte sie fest zusammen, damit der Wind ihn nicht aufblähte. Im Stillen dankte sie *HaSchem,* dass sie ihre schwarze Strumpfhose angezogen hatte.

»Alles klar, ihr beiden«, sagte der Verleiher. »Ihr habt vierzig Minuten. Ich rufe euch über den Lautsprecher herein. Wenn ihr andere gefährdet oder ins Wasser springt, hole ich euch zusammen mit der Parkpolizei da raus und lasse euch vom Gelände abführen. Verstanden?«

»Natürlich, Sir«, antwortete Baruch. »Ich geben Ihnen mein Ehrenwort, dass wir uns benehmen.« Chani nickte.

»Das will ich hoffen, mein Sohn.«

Der Manager sah sie ernst an und gab dem Tretboot einen festen Schub. Es schaukelte in den Wellen. Er nickte noch einmal grimmig und ging.

»Es ist ganz einfach, ich habe alles unter Kontrolle. Du entspannst dich und genießt die Landschaft. Ich weiß, wie man das macht.« Kann ja nicht schwer sein, dachte Baruch.

»Okay, bist du sicher? Ich komme mir ein bisschen blöd vor, so einfach neben dir zu sitzen und nichts zu tun, während du dich hier abstrampelst. Im wahrsten Sinne des Wortes.«

Baruch gluckste. Sie hatte einen Witz gemacht! Er freute sich riesig. Er nahm es als ein gutes Omen, dass sie anfingen, ihr kleines Abenteuer zu genießen.

»Keine Sorge, ist ganz einfach. *HaSchem* hat mir diese großen Treter nicht umsonst gegeben.«

Baruch begann zu trampeln, und langsam bewegte sich das Boot nach rechts. Er trat fester. Das Wasser unter ihnen schäumte. Es roch nach Schimmel. In der Hoffnung auf etwas Tempo trat er so fest in die Pedalen, wie er konnte, doch das Tretboot hatte sich noch keine zwei Meter bewegt. So kamen sie nirgendwohin. Erschöpft hörte er auf, und sie schaukelten schweigend auf und ab.

»Ich denke, wir müssen gemeinsam treten«, sagte Chani.

Sie hatte recht. Warum war er nicht selbst darauf gekommen? So viel zu seiner Idee, den Gentleman zu geben. Chani stopfte den Rock um ihre Beine herum fest und streckte sich nach den Pedalen aus. Sie war noch nie Fahrrad gefahren, und schon gar nicht Tretboot. Mit Sicherheit würde man das als genauso unschicklich ansehen, aber in diesem Moment war ihr das vollkommen egal.

Sie begann zu treten, und Baruch passte sich an. Sofort schoss das Boot vorwärts. Hinter ihnen schäumte ein schmutzig weißer Streifen auf.

»Du machst das super, Chani.«

»Du auch, Baruch.«

Volle Fahrt voraus. Sie traten schneller und schneller. Baruch bewunderte Chanis Kondition.

Kichernd erreichten sie die Mitte des Sees. Plötzlich schrie Baruch vor Schmerz auf. Es war, als hätte eine Axt seine Leistenbeuge gespalten. Die Schmerzen waren unerträglich. Er nahm die Beine von den Pedalen und griff nach seinem Knie.

»Was ist denn? Wasislos?«, rief Chani.

Baruch saß vornübergebeugt. Er stöhnte beängstigend.

»Baruch! Ist alles in Ordnung? Sag mir doch, was los ist!«

Sie wünschte, sie dürfte ihn berühren und ihm eine tröstende Hand auf die Schulter legen.

»Es ist mein Knie«, kam die gedämpfte Antwort. Er konnte ihr schwerlich sagen, dass er sich die Leiste gezerrt hatte. Im Geiste entschuldigte er sich bei *HaSchem* für die Lüge.

Das Tretboot trieb langsam ab, und mittlerweile waren sie weit vom Ufer entfernt. Chani beobachtete Baruch hilflos. Nach ein paar Minuten hob er den Kopf. Er war aschfahl.

»Es tut mir so leid, Chani. Ich glaube, ich habe mir mein Knie verletzt – warte, ich werde mal versuchen zu treten«, ächzte er.

»Nein, nein, besser nicht, du machst es nur noch schlimmer.«

Baruch verstummte. Zusammengesunken und deprimiert saß er da. Sein Plan war regelrecht ins Wasser gefallen, der Nachmittag war im Eimer.

»Nummer zweiundzwanzig, reinkommen! Die Zeit ist fast um!«, dröhnte es durch den Lautsprecher.

Baruch verharrte wie in Trance. Chani musste etwas unternehmen. Sie holte tief Luft und rief um Hilfe, doch ihre Stimme verlor sich über dem See. Jetzt wünschte sie, sie hätte Winksignale gelernt, und kein Jiddisch.

»Himmel noch mal, Nummer zweiundzwanzig! Setzt euch in Bewegung!«

Es gab nur eine Lösung. Chani sank zurück in ihre Sitzmulde und begann zu treten. Sie kamen nur im Schneckentempo voran. Baruch schwieg gedemütigt und konnte sich nicht dazu durchringen, ihr in die Augen zu schauen. Stattdessen starrte er auf seine Füße.

»Es ist alles meine Schuld. Ich hätte nie diesen verrückten Vorschlag machen sollen«, sagte er.

Chani war geneigt, ihm recht zu geben. Und er hatte ihr noch nicht mal einen Antrag gemacht. Stattdessen fixierte sie das Ufer. Die Sonne prallte gnadenlos auf sie herab, und ihre Waden begannen zu schmerzen. Doch sie machte weiter und hielt nur ab und zu inne, um zu verschnaufen. Das Tretboot kroch vorwärts.

»Nummer zweiundzwanzig! Der Preis verdoppelt sich gleich!«

Chani trat weiter, und mit jedem Tritt wuchs ihre Empörung.

»Du schaffst es, Chani«, sagte Baruch mit kleinlauter, hoffnungsloser Stimme.

Chani antwortete nicht und konzentrierte sich auf ihr Ziel. Sie konnte den Bootsverleiher auf dem Steg erkennen, eine verschwommene Gestalt, die ein Megaphon hielt. Ihre Beine waren schwer wie Blei. Sie wurde langsamer.

»Ich dachte, ich hätte euch zwei Turteltauben gewarnt!«

Chani wurde dunkelrot vor Zorn. Baruch sah weg. Sie war versucht, ihn anzufauchen, aber sie sparte sich die Puste besser. Schließlich erreichten sie den Steg, der Bootsverleiher hatte die Hände in die Hüften gestemmt.

»Lasst euch ruhig Zeit«, zischte er.

»Es tut mir sehr leid, Sir, aber ich habe mir das Knie verletzt und konnte nicht mehr treten«, gestand Baruch niedergeschlagen.

»Irgendwas ist immer. Und immer passiert es während meiner Schicht. Gut. Hat keinen Sinn zu meckern. Ich werde der jungen Dame jetzt eine Leine zuwerfen, die sie hoffentlich fängt und an dem Metallgriff an der Seite befestigt. Dann kann ich euch ranziehen. Fertig?«

Chani nickte. Die Leine flog durch die Luft und platschte neben dem Boot ins Wasser. Sie griff danach und mühte sich mit einem Knoten ab. Mit aller Kraft zog sie ihn fest. Der Verleiher fing an zu ziehen, und schließlich rumste das Boot gegen die Autoreifen längs des Stegs. Das trübe Wasser gluckerte und schmatzte. Zierliche Wasserpflanzen trieben vorbei wie Petersilie auf einer Hühnersuppe. Sie hatten es geschafft.

Baruch humpelte hinter Chani her.

»Warte, Chani. Bitte, warte.«

Gehorsam blieb sie stehen. Baruchs Gesicht war schmerzverzerrt. Ihr Zorn verebbte. Sie wollte nur noch nach Hause. Mrs Levy schwebte drohend am Rande ihrer Gedanken. Würde sie doch noch gewinnen?

Baruch holte sie ein, und langsam setzten sie ihren Weg zur nächsten U-Bahn-Station fort.

Die Fahrt nach Hause war trostlos. Sie saßen einander gegenüber und starrten bedrückt Löcher in die Luft. Baruch versuchte sie in ein Gespräch zu verwickeln, doch ihre Antworten waren einsilbig, und er gab auf.

Die Haltestellen trudelten vorbei. Er nahm weder das Öffnen und Schließen der Türen wirklich wahr noch die anderen Passagiere, bis sich ein Mann im Anzug genau vor ihn stellte. Er konnte Chani nicht mehr sehen, und schon bald sähe er sie nie wieder. Er hatte seine Chance verpasst.

Chalk Farm. Belsize Park. Hampstead. In ein paar Sekunden würden sie in Golders Green ankommen, seiner Haltestelle. Zu früh. Er konnte nicht einfach gehen.

»Ich denke, ich begleite dich noch bis zu deiner Haltestelle«, sagte Baruch.

»In Ordnung.«

Die Bahn fuhr wieder an. Chani wirkte gleichgültig, ihr blasses Gesicht müde. Die Blumen waren irgendwo verlorengegangen, und sie saß mit vor der Brust verschränkten Armen da. Baruch starrte auf die Kabel, die sich im Tunnel vor dem Waggon in endlosen Wellen hoben und senkten. Jetzt musste ihm schnell etwas einfallen.

Sie erreichten Brent Cross. Der nächste Halt war Chanis. Er folgte ihr auf den Bahnsteig.

Als sie sich verabschieden wollte, öffnete Baruch den Mund. »Willst du –«

*Püeep! Püeep!* Das Geräusch der sich schließenden Türen übertönte seine Worte.

»Was?«, fragte Chani genervt. Was war denn jetzt schon wieder?

Er holte tief Luft. »Willst du mich heiraten?«

Chanis Augen weiteten sich vor Schreck. Dann begann ihr Gesicht zu strahlen. Ihre Erschöpfung wich Ungläubigkeit. Er hatte gefragt!

»Meinst du das ernst?« Sie musste einfach fragen. Vielleicht machte er ihr einen Antrag, weil er Schuldgefühle hatte?

»Ja«, sagte Baruch mit größerer Überzeugung, als er fühlte. »Das tue ich.« Er schob die Zweifel beiseite und sah hinunter in das aufgeregte mädchenhafte Gesicht vor ihm.

»Okay«, sagte Chani. »Dann nehme ich an.« Und sie lächelte zu ihm auf.

»Oh, gut«, sagte Baruch. »Soll ich dich nach Hause bringen?«

»Das fände ich schön, wenn du das schaffst.«

Und so wurde auf Bahnsteig Nummer zwei von Hendon Central ihr Schicksal besiegelt.

25

# Avromi

September 2008 – London

Am *Jom Kippur,* dem Versöhnungstag, nahm Avromi seinen Platz neben Baruch zwischen den fastenden, sich wiegenden Männern der Gemeinde ein. Es war *Mussaf,* das Nachmittagsgebet, und Avromi hatte Mühe mitzuhalten. Schmerz hatte sich wie ein Band um seinen Kopf gelegt, das sich immer weiter zusammenzog. Den Hunger hatte er hinter sich gelassen, doch der Durst war unerträglich. Die engen Bänke und Gänge der *Schul* waren mit Betenden vollgestopft, die Atmosphäre schwül und drückend. Aus den hinteren Reihen und von der Galerie der Frauen hörte man unablässiges Gemurmel, gelangweilte Kinder wurden flüsternd ermahnt, Röcke raschelten, und Füße trappelten auf der Treppe.

Für jede genannte Sünde schlug Avromi sich mit der rechten Faust links gegen die Brust, im Takt mit denen um ihn herum. Die Sünden waren endlos. Harsche Worte, unaufrichtige Beichte, Verleugnung und falsche Versprechen, Geringschätzung, Bestechung, eitles Geschwätz, Verbreitung von Klatsch, Hass, Sturheit, Überheblichkeit und gebrochene Gelöbnisse. Er hatte das Gefühl, sie alle begangen zu haben.

Mit jedem Schlag auf die Brust wurde er von einer anderen Erinnerung an sie heimgesucht. Die seidige Haut ihrer Oberschenkel, ihre Zunge, ihre straffen Waden und ihre kecken Pobacken.

»Wir haben rebelliert, wir haben provoziert, wir haben uns abgewandt, wir haben uns lüstern verhalten, wir haben schikaniert, wir waren starrköpfig, wir waren boshaft, wir haben bestochen, wir waren abscheulich, wir sind vom Kurs abgewichen.«

Baruch wippte und wiegte sich neben ihm, ohne etwas vom inneren Aufruhr seines Freundes zu ahnen. Der beneidete Baruch um seine Unschuld und seinen Seelenfrieden, denn er war innerlich rein geblieben. Er war bei seinem Werben um Chani auf dem ausgetretenen, anerkannten Pfad Richtung Ehe geblieben, auf dem ihn möglicherweise sexuelle Erleuchtung erwartete. Alle Abzweigungen und Untiefen seines Weges schienen belanglos zu sein, ja fast lächerlich im Vergleich zu dem emotionalen Chaos, das Avromi angerichtet hatte. Baruch würde ein gutes, frommes Mädchen heiraten. Einen seligen Moment lang erlaubte er sich den Tagtraum, wie es gewesen wäre, wenn er Shola unter anderen Umständen kennengelernt hätte. Wenn er nur nicht in ein frommes Elternhaus geboren worden wäre. Wenn er nur kein Jude wäre. Wenn sie bloß Jüdin wäre. Aber diese Art von Phantastereien verschärfte sein Dilemma nur noch.

Er schlug sich härter auf die Brust und beugte sich tiefer. Er kniff die Augen fest zusammen und bat *HaSchem* um Vergebung. Jedes einzelne Wort schien nur für ihn geschrieben worden zu sein. Er war ein Hurenbock. Er hatte sich lüstern verhalten. Er war hinterhältig. Konnte *HaSchem* in sein Herz und seine Seele schauen? Das *Machsor* zitterte in seinen Händen. Konnten die Männer um ihn herum und die Frauen über ihm seine Gedanken lesen? Unter seinem Anzug fühlte er sich vollkommen entblößt. Auf seiner Haut lag ein Film kalten Schweißes.

Dennoch konnte er sich nicht gegen die Bilder wehren. Sholas Körper über seinem, ihre Hand auf seiner Brust, ihr Haar, das ihn im Gesicht kitzelte, seine Hände, die über ihre Wirbelsäule glitten, das Echo ihres Lachens, der köstliche Geschmack von Intimität, die langen, entspannten Unterhaltungen, die sich über den ganzen Nachmittag zogen.

»Wir haben uns von Deinen Geboten und göttlichen Gesetzen abgewandt, doch es war vergebens«, klagte die Versammlung. Die Stimme seines Vaters grollte, lauter als alle um ihn herum. Rabbi Zilbermans *Tallit* hing ordentlich zu einem Dreieck gefaltet um seine gerundeten Schultern; die schwarzen und weißen Streifen, die unbeirrbar ihr Muster wiederholten, schienen auch nur Avromis Situation widerzuspiegeln.

Er erschauerte. Wenn sein Vater etwas von seiner Beziehung zu Shola erfuhr, würde er sich mit Sicherheit von ihm distanzieren. Sie konnten nicht heiraten. Ihre Beziehung hatte keine Zukunft. Er konnte die *Kehillo* niemals verlassen. Und er wollte es auch nicht. Er musste es beenden.

Er würde sie schrecklich vermissen. Ihr liebevolles Wesen, ihre Freundschaft, ihre humorvolle Wärme und ehrliche Meinung, ihren scharfen Verstand und ihre freche, charmante Seele. Mädchen wie sie existierten in seiner frommen Welt nicht. Sie war so lebendig, sprühte geradezu vor Leben. Sie hatte ihm so viele neue Dinge gezeigt. Musik, die sie ihm vorgespielt hatte, die Bücher und Zeitschriften, aus denen sie sich gegenseitig vorgelesen hatten, die Cafés und Bars, in denen sie gemeinsam gewesen waren. Er hatte mit ihr Kunstgalerien besucht, Flohmärkte durchwühlt und Seiten von London gesehen, von denen er gar nicht gewusst hatte, dass sie überhaupt existierten. Er brauchte sich keine Hoffnungen zu machen, jemals wieder einen Menschen wie sie zu finden.

Avromi fürchtete sich vor der dumpfen Einsamkeit eines Lebens ohne sie. Er wünschte, er fände einen Weg. Die Konversion zum orthodoxen Judentum stand außer Frage; diese Welt war nichts für Shola. Sie schätzte ihre Freiheit und Unabhängigkeit, und sie hatte ihm bereits gesagt, dass sie zum Heiraten noch nicht bereit sei. Sie hatte gelacht, als er das Thema angeschnitten hatte.

Baruch stieß ihn an. Avromi hatte aufgehört, sich auf die Brust zu schlagen, und still dagestanden, verloren in seinem Kummer.

»Alles okay, Vrom?«

Avromi nickte, zu müde, um zu flüstern. Er zwang sich zurück in die Gegenwart, zur nie endenden Aufgabe der Beichte und Verherrlichung von *HaSchem*.

»Für all das, o Gott der Vergebung, vergib uns, verzeih uns, versöhne uns«, murmelte er unisono mit den anderen Gläubigen. Er würde tun müssen, was richtig war, so schwer es auch sein mochte. Er würde zu ihr gehen, sobald das Fasten vorüber war.

Als sich die Abenddämmerung über Golders Green und Hendon legte, machten die Mitglieder der Gemeinde sich von der *Schul* auf den Heimweg, den Klang des *Schofars* immer noch im Ohr, das das Ende des *Jom Kippur* ankündigte. Fröhlich und gereinigt kehrten sie nach Hause zurück, um weiches, gebuttertes Weißbrot und goldenen Honigkuchen mit heißem, süßem Tee hinunterzuspülen.

Man unterhielt sich angeregt, während die Familien und ihre Gäste aßen und langsam wieder zu Kräften kamen. Eine zufriedene Müdigkeit legte sich über die Gemeinde, gepaart mit einer gewissen Erleichterung, dass *Jom Kippur* für dieses Jahr vorbei war. *HaSchem* hatte ihren Gebeten zugehört, und sie begannen das neue Jahr mit einem reinen Gewissen.

Avromi wartete auf den richtigen Augenblick, um zu gehen. Er hatte kaum etwas gegessen. Moishe lümmelte am Tisch und naschte Süßigkeiten und Obststückchen. Michal half ihrer Mutter, das schmutzige Geschirr wegzuräumen, während Rabbi Zilberman die letzten Gäste unterhielt.

Avromi zog sich im Flur die Jacke an, drehte den Türknauf und schlich leise den Gartenweg hinunter, sein Magen krampfte sich zusammen, wenn er darüber nachdachte, was ihm bevorstand.

Am nächsten Morgen wachte Shola früh auf. Ein paar Minuten lang blieb sie unter der Bettdecke vergraben liegen und erlaubte den Ereignissen des Vorabends, wieder in ihr Herz einzusickern. Sie hatte seine Gründe ohne Fragen oder Streiterei akzeptiert, da ihr von Anfang an klar gewesen war, dass sein Glaube ihre Beziehung gefährdete.

Vielleicht hatte sie es einfach nicht wahrhaben wollen, dass seine Welt am Ende über die Verheißungen von Universität, Freiheit und Unabhängigkeit triumphieren würde. Sie hatte die Augen davor verschlossen und sich hineingestürzt in der Annahme, er täte dasselbe. Und so schien es bis gestern auch gewesen zu sein.

Es reichte nicht. Es gab noch Fragen, auf die sie Antworten brauchte, und sie ärgerte sich, dass sie alles so einfach hingenommen hatte. Hatte sie ihm etwas bedeutet? Natürlich hatte sie das, aber liebte er sie? Er hatte es nie gesagt, aber sie war sich dessen sicher. Vielleicht hatte sie sich auch geirrt. War es nur ein Flirt gewesen? Vor Schmerz und Scham über diesen bitteren Gedanken trat sie die Decke weg und sprang aus dem Bett.

Als die Bahn durch den Tunnel Richtung Golders Green donnerte, begann Shola, unsicher zu werden. Sie hatte Avromis Adresse von einem Bekannten aus dem Uni-Verwaltungsbüro, doch was, wenn er nicht zu Hause war? Sie hätte ihn vorher anrufen können, doch er wäre vielleicht nicht rangegangen oder, schlimmer noch, hätte abgelehnt, sie zu treffen. Aus gutem Grund hatte er sie nie zu sich nach Hause eingeladen, warum sollte sie ihm ausgerechnet jetzt willkommen sein? Er würde sie als Eindringling empfinden. Was, wenn seine Eltern da waren? Sie wussten nichts von ihr.

Doch dann wieder hatte sie alles Recht der Welt zu wissen, was er für sie fühlte. Avromi war nicht der Einzige in dieser Beziehung gewesen, und sie war nicht die Sorte Mädchen, die man links liegenließ, wegwarf wie ein benutztes Taschentuch. Nein, er musste wohl oder übel damit klarkommen, dass sie vor seiner Haustür stand.

Als sie die Station Hampstead erreicht hatte, zog sie ihre Puderdose heraus, tupfte sich über die Nase und wischte die glänzenden Stellen fort. Shola trug nur sehr wenig Make-up; ein zarter Strich Eyeliner außen am Lid und etwas Kakaobutter, damit ihre Lippen glänzten.

Die Türen glitten auf, und sie stieg aus. Der Bahnsteig mit seinen grünen und cremefarbenen gedrehten Eisensäulen wirkte beinahe ländlich. Sie war in Bermondsey geboren und aufgewachsen und noch nie so weit nördlich gewesen.

Draußen orientierte sie sich mit Hilfe ihres Smartphones und ging dann zügig die Hauptstraße hoch. Adrenalin machte sie blind für Läden und Passanten. Die strahlende Septembersonne flimmerte über ihren Weg. Ihr wurde warm, also verlangsamte sie ihr Tempo in dem vergeblichen Versuch, gesammelt zu wirken und nicht so zerzaust.

Ein älterer orthodoxer Jude kam ihr entgegen, eine mit Gold abgesetzte braune Samttasche unter den Arm geklemmt. Sie starrte ihn an, fasziniert von seinem schwarzen Anzug, den grauen Schläfenlocken, die sich wie Telefonkabel unter seinem altmodischen Hut hervorkringelten. Durch seine runde Brille warf er einen einzigen, abweisenden Blick auf sie. Dann schaute er fort, und sie schämte sich für ihre Grobheit. Sie fragte sich, ob er Avromi kannte.

Schon bald war Shola in Avromis Straße. Sie musterte die gewöhnlichen, kleinen Häuser, ihre Vorgärten überwuchert oder mit Beton zugepflastert. Oft standen mehrere Mülltonnen vor der Tür. Alles war ruhig und unscheinbar. Keine Katzen oder bellenden Hunde, kein Anzeichen von Leben, bis auf eine einzelne Elster, die krächzend auf einer kahlen Ulme saß. Eine gelbe Ligusterhecke verdeckte den Blick auf Avromis Haus.

Sie zögerte, bevor sie das Gartentor öffnete. Sie hatte etwas Großartigeres erwartet als beigen Rauhputz und einen von Unkraut überwucherten Weg. Es sah alles so normal aus. Schwer zu glauben, dass er hier lebte. Zögernd drückte sie den Klingelknopf. Die Vorhänge in dem Zimmer zur Straße waren vorgezogen, doch durch das opake, knubbelige Glas der Haustür sah sie, dass Licht anging. Es war jemand zu Hause.

## 26

## Die Rebbetzin – Avromi

### September 2008 – London

Die Frau starrte sie verdutzt an. Sie war groß und schlank, abgesehen von ihrem schwangeren Bauch. Ihr Haar saß in einer merkwürdigen tiefen, dicken Linie über ihren Augenbrauen und bedeckte ihre Stirn. Sie trug einen langen schwarzen Jeansrock, der über den Boden schleifte, und ein übergroßes dunkelblaues Hemd mit Perlenknöpfen.

»Ja? Kann ich Ihnen helfen?«, fragte sie.

Sholas Courage verließ sie, und sie wusste einen Moment lang nicht weiter. Die Frau hatte Avromis oliv-braunen Teint und seine kantigen Schultern. Sie musste seine Mutter sein.

»Ich möchte zu Avromi. Ich bin eine Freundin von der Uni, aus seiner Tutorengruppe.«

Die Frau wirkte kurz überrascht, sammelte sich aber schnell. Erkenntnis flammte in ihren Augen auf.

»Ah, ich verstehe«, sagte sie leise, fast wie zu sich selbst. »Sie sind also der Grund dafür, dass mein Sohn so spät nach Hause kommt und so launisch ist.«

Shola war sprachlos. Sie errötete und lächelte nervös. Die Rebbetzin verschränkte die Arme, lehnte sich gegen

347

den Türrahmen und musterte die sepiafarbene Haut des Mädchens, die mandelförmigen Augen, die dichten kupferfarbenen Locken und schließlich ihre langen Beine. Ihr Rock bedeckte kaum ihren *Tuches*. Widerwillig holte die Rebbetzin sie herein, bevor die Gardinen der Nachbarn zu zucken begannen.

Als sich die Haustür schloss, wurde es im Hausflur schummrig. »Ich fürchte, Avromi ist nicht zu Hause. Er hat Unterricht in der Synagoge seines Vaters.«

»Und wann kommt er zurück?«

»Frühestens in einer Stunde. Es hängt davon ab, wie lange die Diskussion im Anschluss dauert.«

Das Mädchen machte ein langes Gesicht. Sie schien in sich zusammenzusacken, verlegen und zerbrechlich, wie sie da auf der Türmatte stand. Die Rebbetzin hätte nicht gedacht, dass Avromi sich zu jemandem hingezogen fühlte, der ihm so unähnlich war. Doch in vielerlei Hinsicht ergab diese Beziehung einen Sinn. Das Mädchen war die Antithese derer, die zu heiraten von ihm erwartet wurde, und Avromi war schließlich immer noch ihr Sohn. Hatte sie ihre Eltern nicht auch überrascht und enttäuscht, als sie die Universität aufgab und Chaim und ein religiöses Leben wählte?

»Warum kommen Sie nicht herein und warten im Wohnzimmer auf ihn? Ich mache Ihnen eine Tasse Tee. Ich bin übrigens seine Mutter. Mein Name ist Rivka.«

Das Gesicht des Mädchens leuchtete auf. »Das ist sehr nett von Ihnen, solange ich Ihnen keine Umstände bereite. Ich bin Shola.« Shola bot ihre Hand an und lächelte wieder schüchtern. Einen Augenblick zögerte die Rebbetzin, nicht daran gewöhnt, anderen die Hand zu schütteln, selbst anderen Frauen nicht. Dann ergriff sie Sholas Hand.

Shola schlug ihre langen Beine sittsam übereinander und setzte sich auf das museumsreife Sofa. Regungslos betrachtete sie ihre Umgebung. Aus der Küche hörte man den Wasserkocher und das Geklimper von Teelöffeln.

Das Wohnzimmer war schäbig und kahl. Es gab keine Bilder oder Dekorationsgegenstände, an den Wänden glänzten schwache Fingerabdrücke, und hier und da waren sie mit Filzstift bekritzelt. Ein Bücherschrank nahm die gesamte Wand zu ihrer Linken ein. Es waren schwere ledergebundene Bücher, auf deren Rücken goldene Schriftzeichen eingeprägt waren. Sie füllten jeden Zentimeter aller fünf Regalbretter des Schranks. Ein paar davon waren in Englisch, die meisten religiöse Nachschlagewerke.

Neben dem Schrank stand eine kleine antike Kommode. Auf der staubigen Oberfläche drängten sich Familienfotos. Sie suchte nach Avromi und fand ihn, einen Arm um eine kleinere Ausgabe seiner selbst gelegt. Das musste Moishe sein. Beide Jungs waren in das übliche Schwarzweiß gekleidet. Avromi sah glücklich aus, heiter, sein Lächeln breit und echt. Als sie sich das letzte Mal gesehen hatten, hatte er nicht gelächelt.

Die Rebbetzin kehrt mit einem Teetablett ins Zimmer zurück. Shola fühlte sich ertappt und eilte ihr zur Hilfe. Dann nippten die beiden Frauen an ihrem Tee, die Köpfe voller unausgesprochener Fragen.

»Also, Sho-la«, sagte die Rebbetzin schließlich und probierte den Namen des Mädchens aus. »Warum erzählst du mir nicht alles?«

Shola verkrampfte sich. Die Frau war eine vollkommen Fremde, und obwohl sie Avromi wahrscheinlich am besten kannte, fühlte es sich merkwürdig an, sich ausgerechnet bei ihr alles von der Seele zu reden. Shola wand sich unter den dunklen, durchdringenden Blicken der Rebbetzin.

»Shola, mein Sohn benimmt sich in letzter Zeit recht seltsam. Er kommt sehr spät nach Hause und schleicht sich herein wie ein Dieb. Er ist gereizt und geistesabwesend, und wenn ich ihn frage, was los ist, erzählt er mir nichts. Und nun tauchst du hier auf und fragst nach ihm. Ich mag ja eine orthodoxe Jüdin sein, aber naiv bin ich nicht.«

Avromis Mutter hatte leise und sanft gesprochen. Plötzlich fühlte sich Shola erschöpft, warf den Kopf zurück und kämpfte gegen die Tränen an. Die Rebbetzin legte ihr eine warme Hand auf den Unterarm. »Lass dir Zeit«, sagte sie. »Ich möchte nicht, dass es herablassend klingt, aber ich denke, es täte uns beiden gut, wenn wir uns unterhalten.«

Was hatte sie zu verlieren?

»In Ordnung. Avromi und ich sind mehr als nur Freunde. Aber er hat gestern Schluss gemacht, weil er sagte, wir hätten keine Zukunft. Es hat so plötzlich aufgehört. Ich habe es nicht kommen sehen, und es gibt noch so viel, was ich ihn fragen möchte. Ich muss ihn nur noch ein Mal sehen. Es tut mir leid.« Wieder schossen ihr die Tränen in die Augen.

»Das ist okay, Shola. Ich weiß, dass es weh tut, und vielleicht bin ich voreingenommen, aber ich glaube wirklich, dass Avromi das Richtige getan hat. Schau mich an. Kannst du dir vorstellen, so zu leben wie ich? Deinen Minirock gegen einen dieser Teppichkehrer hier einzutauschen und eine Perücke zu tragen, sobald du verheiratet bist?« Die Rebbetzin zeigte auf ihren langen Rock und ihren *Scheitel*.

»Ich verstehe nicht«, sagte Shola. Sie hatte nicht begriffen, dass die Frau eine Perücke trug. »Warum muss alles schwarz oder weiß sein?«

»Weil Avromi in einer Welt lebt, in der es feste Regeln gibt, und Vorschriften, wie man Dinge zu tun hat. Wenn du dir eine Zukunft mit Avromi wünschst, dann müsstest du zum Judentum konvertieren. Konvertieren bedeutet drei bis sieben Jahre intensives Studium. Du müsstest in einer orthodoxen jüdischen Familie leben, um sicherzustellen, dass du *koscher* bleibst und unsere Bräuche lernst. Du würdest keinen physischen Kontakt zu Avromi haben können, bis du seine Frau geworden bist. Die Rabbiner werden dich mehrere Male abweisen, um zu prüfen, ob dein Wunsch, eine orthodoxe Jüdin zu werden, von etwas anderem herstammt als einer romantischen Beziehung. Sie halten ziemlich wenig davon, wenn man jemand anderem zuliebe konvertiert. Die Motivation muss rein und heilig und allein deine eigene sein.«

Shola hatte es die ganze Zeit gewusst. Avromi hatte es ihr gesagt, doch sie hatte ihn nicht ernst genommen. Sie hatte gelacht und gesagt, sie sei viel zu jung zum Heiraten.

Die Rebbetzin wartete geduldig.

»Avromi hat Konvertierung und Heirat erwähnt«, sagte Shola. »Aber es hörte sich alles so unfassbar an, so strikt und so weit weg von dem, was zwischen uns passiert ist.«

»Das kann ich mir vorstellen. Aber würdest du so weit für ihn gehen, Shola?«

Shola schwieg einen Moment, doch sie brauchte nicht lange darüber nachzudenken. »Nein, ich denke nicht. Ich bin erst zwanzig und möchte jetzt noch nicht heiraten. Ich weiß noch nicht mal, ob ich an Gott glaube. Meine Eltern haben mich katholisch erzogen, und ich bin in der Schule zur Messe gegangen, aber das war schon alles.«

»Für Avromi ist Gott Teil von allem, was er tut, bis hin zu dem, was er essen darf und was nicht. Er braucht jemanden, mit dem er dieses Leben teilen kann.«

»Ich weiß. Ich wollte ihn nur noch ein letztes Mal sehen.«

»Hat es denn einen Sinn, die Qual zu verlängern? Ich denke, eine klare Trennung ist das Beste für euch beide. Wenn es dir ein Trost ist: Ich habe Avromi noch nie so geknickt gesehen. Ihm muss wirklich viel an dir liegen.«

»Danke, jetzt weiß ich wenigstens, dass ich nicht die Einzige bin, die Trübsal bläst.«

»Nein, das bist du nicht. Shola, ich möchte dich nicht bevormunden, aber wenn du so weit bist, wirst du jemand anderen finden, jemand Passenderen und aus deiner eigenen Welt.«

»Möglicherweise, aber er wird nicht Avromi sein.« Wie sollte sie jemals einen Jungen finden, der so einzigartig und faszinierend war wie er? So fürsorglich und zärtlich? Sie wünschte, sie könnte ein letztes Mal ihre Arme um ihn legen, ihn dicht an sich ziehen und mit ihm verschmelzen, nur ein letztes Mal.

»Nein, das wird er nicht. Aber ich hoffe, er wird dir erlauben, so zu bleiben, wie du bist.«

Shola schaute sich in dem trostlosen, nüchternen Zimmer um. Es gab noch nicht mal einen Fernseher. »Sie haben recht«, sagte sie.

Als Shola ging, kam ein großer, dünner Mann den Gartenweg hinauf, gekleidet in einen formellen schwarzen Anzug und einen Mantel. Seine Augen lagen im Schatten des *Fedora,* und er warf ihr einen argwöhnischen Blick zu. Sein verkniffener Mund und der angespannte Kiefer hatten etwas Starres, Unheilverkündendes, das sein aschgrauer Bart kaum verbergen konnte. Er nickte ihr gebieterisch zu und trat neben dem Pfad zur Seite, damit sie an ihm vorbeigehen konnte. Sie murmelte einen Dank, spürte aber, dass seine Geste weniger etwas mit Ritterlichkeit zu tun hatte, sondern dass er ihre Anwesenheit missbilligte. Er blieb steif stehen, und sie hastete zum Tor, froh darüber, hier wegzukommen.

Die Rebbetzin stand in der Tür und sah Shola hinterher. Ihr Mann kam den Weg hoch, und sie beobachtete ihren kleinen Tanz mit schwerem Herzen, da sie gehofft hatte, Sholas Besuch vor ihm geheim halten zu können, um Avromi zu schützen. Doch als sie seine eisige, verkniffene Miene sah, spürte sie, dass es Ärger geben würde.

Rabbi Zilberman hängte Mantel und Hut auf und

drehte sich ohne eine Begrüßung zu ihr um. »*Nu,* wer war das Mädchen?«

»Eine Freundin von Avromi, von der Universität.«

»Mir war nicht klar, dass er irgendwelche Freundinnen hat, schon gar keine, die Miniröcke bevorzugen. Was hat sie hier gemacht, hat sie sich feilgeboten, damit die ganze Straße es sehen kann? Ist es das, was er an seiner Universität macht, anstatt zu studieren? Leicht bekleidete *Gojete* anzuglotzen!« Die Augen des Rabbi blitzten, als er in die Küche marschierte. Er begann, die Schranktüren zu öffnen und wieder zu schließen, als hoffe er, darin Beweise für andere Missetaten zu finden.

Die Rebbetzin seufzte und ging langsam hinter ihm her. Es hatte keinen Zweck; sie musste es ihm sagen. Sie konnte ihn nicht anlügen.

In dieser Nacht fanden weder die Rebbetzin noch Rabbi Zilberman Schlaf. Das Wutgebrüll ihres Mannes wegen Avromis Affäre hallte im Haus immer noch nach. Die Luft zitterte vom Echo seiner harschen Worte. Die Rebbetzin lag zusammengerollt auf der Seite und starrte auf den Türrahmen, der sich blass in der Dunkelheit abhob, ein Kissen zwischen den Knien, um ihren Rücken vom wachsenden Gewicht des Babys zu entlasten. Sie lauschte, wie sich ihr Mann in seiner Erbitterung hin- und herwälzte. Wenn sie die Augen schloss, sah sie den verletzten Ausdruck im Gesicht ihres Sohnes und erinnerte sich, wie er zusammenzuckte, als ihr Mann ihn beschuldigte, *HaSchems* Namen geschändet zu haben.

Rabbi Zilberman war in der Küche hin- und hergelaufen, hatte getobt und gewettert. Dann hatte er plötzlich innegehalten, die Rückenlehne eines Küchenstuhls gepackt und ihr seinen ganzen Zorn ins Gesicht gebrüllt.

»Rivka, es ist nur deine Schuld! Du hast doch darauf bestanden, dass er eine richtige Universität besucht – das wäre nie passiert, wenn er sich an einer Fernuniversität eingeschrieben hätte, wie der Rest der *Kehillo*! Aber nein – du musstest ja deinen Willen haben! Und ich Idiot habe nachgegeben! Ich hätte dabei bleiben und ihn auf eine *Jeschiwa* schicken sollen!«

Sie schaute hinunter auf die klebrige Plastiktischdecke und versuchte seinen Zorn auszublenden, sich zusammenzureißen, um zu antworten und ihre eigene Wut einzudämmen.

Der Wecker zählte tickend die Minuten und Stunden verlorenen Schlafes. Mit jedem Husten und Grunzen ihres Mannes nahmen ihre eigene Traurigkeit und ihr Ärger zu. Obwohl ihr die rechte Seite weh tat, weigerte sie sich, sich zu ihm umzudrehen. Sie ahnte, dass er reden wollte, doch ihr Zorn war noch nicht verebbt.

Plötzlich flüsterte er heiser. »Was werden die Leute sagen, wenn das herauskommt? Was wird aus meinem Ansehen in der *Kehillo*? Die Leute werden aufhören, in die *Schul* zu kommen. Alles, was ich aufgebaut habe, könnte kaputtgehen. Hast du daran gedacht?«

Rabbi Zilberman lag auf dem Rücken, die Hände vor der Brust gefaltet, sein Profil eine Silhouette im Halbdunkel. Sein Bart wackelte, wenn er sprach. Er hatte die ganze Zeit gewusst, dass sie wach war.

»Ich fasse es nicht, wie selbstsüchtig du bist! Was ist nur aus dir geworden, seit wir hierhergekommen sind? Das Einzige, was dir wichtig ist, sind die *Kehillo* und dein Job! Was ist mit uns, was ist mit Avromi?«

Der Rabbi lag reglos da, während sie weitersprach.

»Was immer er getan hat, er ist unser Sohn, und er braucht uns. Er ist todunglücklich. Du warst auch mal jung, Chaim, und ich weiß, dass du mit nichtjüdischen Mädchen geschlafen hast. Erinnerst du dich noch, wie es sich anfühlt, sich zu verlieben und sich dann zu trennen?«

Ihr Mann stöhnte. »Sicher, aber Avromi ist fromm aufgewachsen. Er wusste, dass es ihm verboten war, und er hat sich trotzdem über alle Gebote *HaSchems* hinweggesetzt – das ist es, was wirklich schmerzt.«

»Was willst du also tun? Für ihn *Schiwa* sitzen? Komm, Chaim, lass gut sein! Er hatte den Weitblick, es zu beenden. Zumindest das könntest du ihm anrechnen.«

»Nicht, bis er mir gezeigt hat, dass er sich durch *Dawenen* und den Besuch einer anständigen *Jeschiwa* in Jerusalem reingewaschen hat.«

Die Rebbetzin hievte sich hoch.

»Nun, ich bin sicher, dass er dir später im Leben für dein Verständnis und deine Unterstützung dankbar sein wird«, spie sie aus. »Dein Mangel an Mitgefühl ekelt mich an.«

Sie rollte sich auf ihre Füße und schnappte sich ihren Morgenmantel vom Haken an der Tür.

»Wohin gehst du?«

»Ich schlafe auf dem Sofa.«

Sein Vater hatte verlangt, dass er sein Studium aufgab und eine *Jeschiwa* in Jerusalem besuchte. Avromi gab nach, und sein Vater hatte begonnen, die entsprechenden Schritte in die Wege zu leiten. Ihm lag sowieso nichts mehr daran. Jerusalem schien weit genug weg von London und der Universität zu sein – und von seinem Vater. Er wünschte sich die Normalität seines Lebens zurück, wie stumpfsinnig es auch immer sein mochte. Der Alltag, die verlorene Seelenruhe und der unbescholtene Schlaf schienen erstrebenswerter denn je zu sein. Bisweilen konnte ihn sein Vater kaum ansehen, und wenn er es tat, sprach finstere Missbilligung aus seinem Blick. Manchmal konnte er sich nicht mehr beherrschen und stürmte während des Abendessens hinaus und ließ den Rest der Familie zurück, die in betretenem Schweigen in ihrem Essen stocherte.

Das Haus wurde zu einem bedrückenden Gefängnis, und durch die dünnen Wände konnte er die Anspannung förmlich spüren. Selbst Michal zeigte ihm die kalte Schulter. Empört marschierte sie mit erhobener Nase auf dem Weg ins Badezimmer an ihm vorbei und knallte die Tür hinter sich zu. Trotzdem redete sie außerhalb der Familie nicht von seiner Schande, und für diese Loyalität war er ihr dankbar. Nur Moishe blieb unverändert und verlangte draufgängerisch Details über Shola und darüber, wie sie nackt aussah, was Avromi ihm verweigerte.

Es wurde von ihm erwartet, dass er an jedem Familienessen teilnahm und seinen Vater dreimal am Tag in die *Schul* begleitete. Während er betete, lag dessen prüfender Blick auf ihm. Wenn er hochschaute, sah er die Bitterkeit und Enttäuschung, die in das Gesicht seines Vaters geätzt waren. Seine Wangen waren eingefallen, und zwischen seinen Augenbrauen erschien eine Furche, die ihm einen gehetzten, grimmigen Ausdruck verlieh. Die anderen Gemeindemitglieder fingen an, sich nach seiner Gesundheit zu erkundigen, doch sein Vater wischte ihre Fragen mit einer beschwichtigenden Antwort beiseite. Seine Mutter, deren Bauch mit jedem Tag mehr anschwoll, mühte sich weiter die Treppen zu seinem Zimmer hoch, um ihm Gesellschaft zu leisten und ihm ihr Mitgefühl zu zeigen. Sie schien der einzige Mensch zu sein, der seine Verzweiflung verstand.

Eines Nachmittags klopfte sie mit einer Tasse Tee und einem Teller gebutterten Toasts an seine Zimmertür. Ihre Besuche waren eine willkommene Abwechslung. Es war ein einsamer, trister Tag gewesen. Der Regen klatschte an sein Fenster, und die rostroten Blätter wurden von kalten Windböen daran vorbeigewirbelt.

Seine Mutter setzte sich zu ihm auf sein schmales Bett und lehnte sich gegen die Wand. Sie hatte ihre Hausschuhe abgestreift. Er bemerkte, dass ihr rechter großer Zeh durch ihre Strumpfhose stach. Seine Leselampe warf einen tröstlichen Lichtschein auf sie, während der Rest des Zimmers mit dem Halbdunkel verschmolz. Er fühlte sich wie in einem kleinen Boot, warm und sicher inmitten der nächtlichen See.

»Weißt du, du bist nicht der Erste, der sich in die Falsche verliebt. Das kann jedem passieren.«

»Na ja, nicht in der Welt, in der wir leben«, sagte er.

»Doch, natürlich. Wir sind alle Menschen, und daher machen wir alle Fehler. Sie werden nur von der Gemeinde unter den Teppich gekehrt. Ich höre so einiges …«

»Also bin ich nicht der Erste, der einer *Schickse* verfallen ist?« Er spuckte die Worte voller Bitterkeit aus.

»Benutz nicht dieses Wort, Avromi. Das ist deiner nicht würdig. Und Shola hat das nicht verdient.«

»Dad hat sie so genannt. Ich habe ihn gestern unten herumschreien hören.«

»Er sollte es besser wissen, und das habe ich ihm auch gesagt. Das hast du vielleicht auch gehört?«

»Danke, dass du zu mir hältst, Mum. Ich weiß, dass du und Dad euch wegen mir streitet. Mir tut der ganze Ärger wirklich leid.«

Seine Mutter streckte die Hand aus und strich ihm über sein Haar, und ausnahmsweise ließ er sie gewähren und fühlte sich dabei wieder wie ein kleiner Junge. »Es ist in Ordnung, Avromi. Ich kann damit umgehen. Jemand muss deinen Dad in die Schranken weisen, wenn er zu weit geht.« Die Rebbetzin zog eine Grimasse. »Und um deine Frage zu beantworten, nein, du bist nicht der Erste. Wir leben in London und nicht in Me'a Sche'arim! Aber versuch das mal deinem Vater zu erklären.«

Die Rebbetzin seufzte. Avromis Gesicht hatte sich wieder verdunkelt. Er setzte sich im Bett auf und griff nach einem Stück Toast. Sie freute sich, ihn essen zu sehen.

Nachdenklich kaute er. »Sie fehlt mir sehr«, sagte er.

»Ich weiß. Das braucht Zeit. Und ich weiß, dass sie dich auch vermisst.«

»Sag mir das doch nicht, Mum.« Er schaute hoch, und sie sah die Traurigkeit in seinen Augen.

»Entschuldige. Sei nicht so hart zu dir selbst. Bete, und geh nach Jerusalem, wenn du es für das Richtige hältst. Hier wegzukommen wird dir wahrscheinlich guttun. Triff dich mit deinen Freunden. Ich bin für dich da, wann immer du reden oder einfach ein bisschen Gesellschaft möchtest.«

Avromi nickte und drückte die Hand seiner Mutter. »Danke, Mum. Aber was ist mit Dad?«

»Ich hoffe, er wird mit der Zeit darüber hinwegkommen und dir vergeben. Wie er es sollte. Aber ich werde im Moment aus deinem Vater auch nicht schlau.«

Zorn flackerte über das Gesicht der Rebbetzin. Sie seufzte, legte den Kopf schief und lächelte verzagt. Dann stand sie mühsam auf und griff nach dem leeren Teller und dem Becher. Avromi erhob sich und hielt ihr die Tür auf. Seine Mutter wirkte erschöpft. Von der Schwangerschaft mal ganz abgesehen, forderte das Drama, das sich in ihrem Haus abspielte, seinen Tribut. Und wieder lag die Schuld bei ihm. Er griff nach seinem *Siddur* und wandte sich gen Osten.

# 27

# Chani – die Rebbetzin

## Oktober 2008 – London

Nach der Fehlgeburt zog sich die Rebbetzin von ihren Aufgaben zurück. Sie kam immer seltener in die Synagoge. Ihr Sitz auf der Frauengalerie, der vierte in der dritten Reihe, der einen unverstellten Blick auf die *Bima* erlaubte, blieb hochgeklappt, und Staub sammelte sich in den Scharnieren. Die Luft surrte vor Gerüchten. Die Frauen stießen sich an und wendeten den Blick ab, wenn sie einen Laden betrat oder die Straße entlangging oder, besser gesagt, -schlurfte, mit zögerlichen Schritten, als wüsste sie nicht, wo sie war oder wo sie überhaupt hinwollte.

Chani hörte das Geflüster und war betroffen. Sie hatte die Rebbetzin erst ein paarmal getroffen, bevor sie anrief und die nächste Stunde absagte. Ihr hatte gefallen, was sie von ihr kennengelernt hatte, und nun war sie enttäuscht, dass der interessante Unterricht zu Ende sein sollte. Die Rebbetzin hatte begonnen, den Schleier von all dem zu lüften, was bisher im Verborgenen gelegen hatte – mit klaren Worten, sanfter Würde, Wärme, ja sogar mit Humor. Chani fühlte sich wohl in ihrer Gesellschaft und konnte ihrer Neugier freien Lauf lassen.

Sie hatte nicht erwartet, dass sie an dem Unterricht Freude haben würde, doch diese Unterhaltungen waren trotz des religiösen Hintergrunds auch intim und intensiv gewesen. Sie hätte die Rebbetzin alles fragen mögen – na ja, zumindest fast alles. Und dann war auf einmal alles vorbei gewesen. Ihre Mutter hatte ihr damit in den Ohren gelegen, sie solle sich jemand anderen suchen, doch sie war eigensinnig loyal geblieben. Sie wusste, dass die Rebbetzin sie nicht im Stich lassen würde. Also hatte sie abgewartet. Und nach einer gefühlten Ewigkeit hatte die Rebbetzin angerufen.

Chani klingelte an der Tür der Zilbermans, und das Herz klopfte ihr bis zum Hals. Sie linste durch das ovale mattierte Glas und versuchte, dahinter Bewegungen zu erkennen. Ein verschwommenes Gesicht erschien, zergliedert in neblige Facetten. Dann öffnete ihr Michal, die Tochter der Rebbetzin, gekleidet in ihre Schuluniform.

Chani hatte auch in Michals Klasse im Kunstunterricht assistiert, und Michal, die Chani von den Besuchen bei ihrer Mutter kannte, hatte gegrinst und gekichert, so dass Chani sich vor Peinlichkeit krümmte. Diesmal sah ihr Michal nicht in die Augen. Sie murmelte nur eine Begrüßung und dirigierte Chani ins Wohnzimmer.

Drinnen stand die Rebbetzin am Fenster, sie hatte Chani durch die schmutzigen Gardinen beobachtet. Doch es war ihr nicht anzumerken, ob sie ihr Eintreten bemerkt hatte. Sie stand da, die Arme so fest verschränkt, als hielte sie sich so zusammen. Ihre Schultern waren angespannt, der Rücken so gerade wie ein Senkblei. Sie trug dunkle triste Kleidung. Im Zimmer war es still, und eine furchtbare Traurigkeit hing in der Luft.

Die Rebbetzin blieb, wo sie war. Chani räusperte sich, das Atmen fiel ihr schwer.

»Hallo, Rebbetzin Zilberman – ich bin da…«

Langsam und zögerlich drehte die Rebbetzin sich um. Ihre Augen glichen Bohrlöchern, der Blick teilnahmslos und unergründlich. Die einst weichen, runden Wangen waren eingefallen, die Haut wirkte fahl. Sie sah aus wie ein *Goses*, ein Todgeweihter. Chani erschauerte.

»Hallo, Chani, setz dich. Wie ist es dir ergangen?«

Die Rebbetzin versuchte zu lächeln, doch nur ihr Mund öffnete sich einen Spaltbreit. Die Augen blieben leer. Sie schleppte sich zum Sofa. Chani folgte ihr mit einem strahlenden, angespannten Lächeln.

Die Stunde zog sich hin. Chani versuchte, dem Unterricht der Rebbetzin zu folgen, doch die Frau, die neben ihr saß, starrte nur in das Buch auf ihrem Schoß. Früher hatte die Rebbetzin gelächelt, hatte Chani begeistert und sie mit ihren lebendigen Erklärungen und ihrem scharfen Verstand in den Bann gezogen, doch nun versteckte sie sich unter dem steifen Vorhang ihres *Scheitels*. Ihre Perücke roch muffig und hatte ihren Glanz verloren.

Sie sprach leise, abgehackt und monoton, und Chani wagte es nicht, sie mit ihrem üblichen Schwall an Fragen zu unterbrechen, stattdessen saß sie so still da wie die Rebbetzin und konzentrierte sich auf deren Zeigefinger, der zitternd über die Sätze fuhr.

Als sie fertig war mit Lesen, gewann ihre Stimme etwas von ihrer früheren Festigkeit zurück, die Worte fielen wie Kieselsteine in einen Pool.

»Wenn du die *Mikwe* besuchst, nachdem deine Blutung aufgehört hat, befolgst du eine wichtige *Mizwa*: Du schützt die Seele deines Mannes. Beischlaf zu haben, während du *nidda* bist, wäre eine schreckliche Sünde, Chani – ihr beide würdet *karet* sein – ausgestoßen von *HaSchem* und aus der jüdischen Gemeinschaft. Ihr wäret verloren. Wenn du blutest, bedeutet das eine Art Tod. Anstatt ein Baby in dir zu nähren, ist dein Körper leer und befreit sich selbst von dem Blut, das er dazu nicht länger braucht. Es ist deswegen *tamei*, rituell unrein; nicht, weil es schmutzig wäre oder du schmutzig wärst, sondern weil dieses Blut nun für Leblosigkeit steht und nicht wie vorher für die Möglichkeit, Leben zu erhalten. Es ist wie eine Leiche, wenn die Seele davongeflogen ist.«

Die Rebbetzin machte eine Pause, um ihre Worte wirken zu lassen. Chani drängte sie im Stillen weiterzusprechen. Wieder hob sich der Vorhang ein Stück. Noch nicht mal ihre Mutter hatte so intime Gespräche mit ihr geführt.

»Wenn dein Mann in Kontakt mit deinem Menstruationsblut kommt, würde er seine Seele mit Leblosigkeit beschmutzen. Deswegen ist es deine Pflicht, dich in der *Mikwe* zu reinigen. Dies ist einer der Eckpfeiler der Ehe und das wichtigste Gesetz, das du befolgen musst. Die *Mikwe* hat die Kraft, dich zu verändern, dich vollständig zu reinigen. Wenn du auftauchst, fühlst du dich wie neugeboren. Sie hat eine solche Kraft, dass ein Mensch in der *Mikwe* untertauchen muss, wenn er zum Judentum konvertiert.«

Die Rebbetzin drehte sich zu Chani. Ihre Stimme war jetzt ein kratzendes Flüstern. »Es ist deine Verantwortung als Frau und Ehefrau, diese sieben Tage und Nächte, nachdem die Blutungen aufgehört haben, zu zählen und die *Mikwe* zu besuchen. Etwas weniger folgsame Paare berühren sich zwar in dieser Zeit, aber behalten eine rein platonische Beziehung bei. Aber ich vermute, dass das nichts für dich ist.« Schnell sprach die Rebbetzin weiter. »Obwohl das natürlich eine Entscheidung ist, die nur du und Baruch treffen könnt. Die meisten frommen Paare teilen ihre Betten oder schlafen in Einzelbetten im selben Raum. Aber sowie du die *Mikwe* besucht hast, dann und nur dann, darfst du dich wieder ganz in die Arme deines Mannes begeben, und da ihr eine Zeit getrennt verbracht habt, wird euer Beischlaf süßer und glücklicher sein denn je – wie in eurer Hochzeitsnacht.«

In meiner Hochzeitsnacht. Es war, als hätte die Rebbetzin ihre Gedanken gelesen. Chani nahm ihren Mut zusammen, um eine Frage zu stellen, als eine Träne in das offene Buch auf dem Schoß der Rebbetzin fiel und das Gedruckte darunter wie eine Lupe vergrößerte.

Schweigend saßen beide Frauen nebeneinander und schauten auf die benetzte Seite. Eine weitere Träne fiel, und dann noch eine. Chani wühlte hektisch in der Tasche ihrer Strickjacke und reichte der Rebbetzin ein zerknittertes Taschentuch. Die Rebbetzin bedankte sich mit einem Nicken. Diese kleine, freundliche Geste zerriss ihr das Herz, und es drohte eine Überflutung. Sie tupfte sich die Augen, sprang auf und verließ das Zimmer. Chani blieb zurück und starrte ihr hinterher. Dass die Rebbetzin so offensichtlich litt, schockierte sie. Jemand von ihrem Status und mit ihrem Selbstvertrauen strauchelte doch nicht, selbst wenn er sich Schwierigkeiten gegenübersah. Ein feiner Ehemann – ein respektierter und bewunderter Rabbi. Ein gemütliches Haus. Drei Kinder. Und die Verehrung der ganzen Gemeinde. Doch auch sie war nur eine Gefangene ihres Elends. Genau wie ihre Mutter. Warum waren die beiden Frauen, die ihr am meisten bedeuteten, so lebensmüde? Wie konnte sie auf eine glückliche Ehe hoffen, wenn Traurigkeit so unvermeidlich schien?

Die Tür öffnete sich, und wie ertappt setzte sich Chani aufrecht hin. Die Rebbetzin versuchte sich an einem dünnen Lächeln. Ihre Augen und die Nase waren gerötet. Immerhin kehrte langsam etwas Farbe in das Gesicht der Rebbetzin zurück. Sie kam zum Sofa herüber und ließ sich vorsichtig wieder neben Chani nieder.

»Es tut mir leid, Chani«, murmelte sie. »Ich weiß nicht, was über mich gekommen ist. Ich hatte einen schlechten Tag. Ich stehe momentan wohl etwas neben mir …« Mit einem gequälten Lachen verstummte sie. Ihre Augen füllten sich erneut mit Tränen.

»Das ist okay, ehrlich, wir haben alle mal einen schlechten Tag, Rebbetzin Zilberman.«

»Bitte nenn mich Rivka.«

»Das kann ich nicht. Das wäre … irgendwie falsch …«, stotterte Chani. Sie hatte die Rebbetzin immer nur als die Rebbetzin gesehen, selbst wenn sie so intime Dinge wie die Zeit des *Nidda*-Seins besprachen.

»Nein, es wäre mir lieber. Wirklich. Du bist sehr geduldig und freundlich gewesen, und, na ja, nachdem du mich in diesem Zustand gesehen hast, fühlt es sich ein bisschen lächerlich an.«

Ihre Blicke trafen sich.

»Okay, Rivka«, sagte Chani und fühlte sich überfordert.

Die Rebbetzin spürte Chanis Unbehagen und nahm den Unterricht wieder auf. »Sollen wir da weitermachen, wo wir aufgehört haben?« Sie nahm das Buch wieder auf und versuchte sich zu konzentrieren. Doch sie wurde erneut von einem überwältigenden Gefühl des Verlustes ergriffen; dem ihres Mannes, dem Verlust ihrer selbst und der Intimität, die sie einst geteilt hatten. Sie drückte eine Hand auf den Unterleib und sog scharf den Atem ein, als der Schmerz über die Leere sie wieder in die Gegenwart katapultierte.

Die Geste war Chani so vertraut. Instinktiv legte sie einen Arm um die kantigen Schultern der Rebbetzin, deren Zerbrechlichkeit sie beunruhigte.

»Meine Mutter hat drei Babys verloren«, flüsterte sie.

Die Rebbetzin erstarrte. Sie rückte von Chani ab, entfernte vorsichtig den Arm und sah ihr ins Gesicht. Ihr Blick war hart.

»Darüber möchte ich nicht reden. Es geht dich nichts an, Chani. Was immer sie da draußen über mich sagen – es ist mir egal. Sollen sie doch reden, was sie wollen«, sagte sie durch zusammengebissene Zähne.

Chani zuckte zusammen. »Das tut mir leid – ich wollte Ihnen nicht zu nahe treten.«

Die Rebbetzin sah den Schmerz in Chanis brennendem Gesicht und lenkte ein. Sie drückte den Arm des Mädchens.

»Oh, Chani, ich wollte nicht bissig sein, ich bin ziemlich dünnhäutig, und es ist mir peinlich, dass ich mich so habe gehenlassen. Viele Frauen verlieren ein Baby. Es ist ganz normal, man hört es ständig. Aber aus irgendeinem Grund scheine ich nicht in der Lage zu sein, mich zusammenzureißen.«

Sie hatte schnell gesprochen, als schien sie mit sich zu kämpfen. Eine ganze Weile schwieg sie.

»Dieses Baby, dieses letzte, ich war mir sicher, dass es mein letztes sein würde, war für uns beide eine solche Überraschung, eine unvorstellbare Gnade. Ich hätte nie gedacht, dass ich noch eines bekommen würde, und plötzlich, mit vierundvierzig, war ich schwanger und dankte *HaSchem* immer wieder für dieses unglaubliche Geschenk, und dann wachte ich eines Nachts auf und stellte fest, dass ich das Baby verloren hatte, und es war keine Zeit mehr, überhaupt keine Zeit, um es zu retten, nicht dass man es hätte retten können, und danach…«

Die Rebbetzin starrte ins Leere, die Lippen leicht geöffnet. Es war, als hätte sie Chanis Anwesenheit vollkommen vergessen.

»Vor vielen Jahren, als wir in Israel lebten, hatte ich einen Sohn, meinen Engel, meinen Erstgeborenen. Er ist mit drei Jahren gestorben. Sein Name war Yitzchak.«

Es war an der Zeit, sich zu erinnern, sich an die Bilder heranzutasten, die so tief vergraben waren, dass sie begonnen hatten, in den dunkelsten Ecken ihres Geistes zu gären und sie zu vergiften. Nachdem Chani gegangen war, konnte sie nicht mehr aufhören.

# 28

# Die Rebbetzin

## März 1986 – Jerusalem

Es war *Purim,* und in den engen Straßen von Nachla'ot wimmelte es vor Menschen, von denen viele fröhlich kostümiert waren. Einige der jüngeren, etwas wagemutigeren Frauen hatten ihre übliche nüchterne Bekleidung im Schrank gelassen und waren zu glitzernden Königinnen oder Engeln erblüht. Eine Hexe rüttelte einen Kinderwagen mit einem heulenden Baby darin. An jeder Ecke tanzten betrunkene *Chassidim* in wilden Kreisen, einige davon so besoffen, dass sie sich gegenseitig mit Filzstiften etwas auf die Stirn geschrieben hatten. Sie drehten sich und schwankten, von alkoholseliger Trance umfangen, führten sie immer weiter Flachmänner und Weinflaschen an die Lippen. Kleine Jungs durchweichten sich gegenseitig mit Wasserpistolen und besprühten sich mit Rasierschaum. Mädchen schüttelten Rasseln oder schlugen auf Töpfe und Pfannen. Pfeifen, Kreischen, Gelächter und Autohupen prallten zusammen und erzeugten eine fröhliche Dissonanz – die Hintergrundmusik, als sich die während des Winters aufgestaute Energie entlud.

Die Dämmerung hatte sich herabgesenkt, und ein

Regenbogen festlicher Lichter wiegte sich über ihnen. Chaim und Rivka schlenderten durch die Menge, Yitzchaks Hand fest in Rivkas. Ihr Mann war als Clown verkleidet, mit Zuckerwatte-Perücke, weißer Gesichtsfarbe und einem roten Mund. Er trug gestreifte Pantalons und passende Hosenträger. An seinen übergroßen Jackenaufschlag war eine Blume geheftet, die Wasser spritzte. Er war ein wenig angetrunken und stolperte über seine weichen gelben Schuhe. Während er versuchte, Yitzchaks Buggy zu lenken, sang er, von Schluckauf unterbrochen, und grüßte nach links und rechts. Yitzchak hatte sich geweigert, in seinem Wagen zu sitzen. Neugierig drehte sich sein kleiner Kopf hierhin und dorthin, die Augen quollen ihm beinahe über vor Aufregung, und er kreischte und deutete entzückt überallhin. Er hatte darauf bestanden, auch ein Clown zu sein, seine rote Plastiknase jedoch bereits verloren. Ungeduldig zerrte er an ihrem Arm. Rivka zog ihn dicht zu sich heran.

»Yitzchak! Bleib bei Mummy.«

»Mummy, ich will da hin –«

»Jetzt nicht. Wir müssen schauen, dass wir zu Shifras Party kommen, bitte, Liebling.«

Der Glitzer auf ihren Wangen juckte. Ihr Hexenhut war zu groß, und seine breite Krempe nahm ihr die Sicht. Sie spürte, wie die gestreiften Strümpfe rutschten. Sie hatte Hunger, und ihre Schläfen pochten.

»Hey, Rivka.«

Sie drehte sich um und sah ihre Freundin Dafna, bekleidet mit einem Kimono. Der *Scheitel* war zu einem Knoten zurückgekämmt, in dem Essstäbchen steckten.

»Hey, Dafna, wie geht's dir? Tolles Kostüm.«

»Danke! Ist das nicht verrückt heute?«

»Yep, alle sind total *meschugge*. Wir sind auf dem Weg zu einer Party bei Feingolds. Kommst du mit?«

»Ich kann nicht, ich muss noch ein Abendessen organisieren, und Shaul ist so betrunken, dass er mit Sicherheit nicht vor zwei Uhr früh nach Hause kommt. Letztes Jahr hat er sich als Königin verkleidet und sein Zepter verloren. Er hat sich auf der Couch zusammengerollt und sich in den Schlaf geweint!«

»Ist bei Chaim genauso. Er kommt normalerweise schluchzend nach Hause und wacht am nächsten Morgen mit schlechter Laune und einem üblen Kater auf. Er erinnert sich an nichts, und wer darf sich dann um seine Wehwehchen kümmern?«

»Genau wie bei uns. Und wo ist Yitzchak heute?«

Vor einer Minute war er noch da gewesen. Ihre Hand war leer.

»Eben… eben war er noch hier – Yitzchak!« Sie drehte sich von Dafna fort und schob sich hektisch durch die wogende Menge.

»Yitzchak!«

Chaims bemaltes Gesicht tauchte aufgeregt zwischen den grellbunten Kostümen auf.

»Wo ist Yitzchak?«, wollte er wissen, seine Stimme plötzlich nüchtern.

»Ich weiß es nicht! Vor einer Minute war er noch hier bei mir, und dann habe ich Dafna getroffen –«

»Yitzchaaaak!«, brüllte Chaim. Sie hasteten durch die Menge.

Plötzlich erhaschte sie einen flüchtigen Blick auf ihren Sohn. Er stand schwankend am Bordstein, fasziniert von einem riesigen gelben Vogel, der auf der anderen Straßenseite herumhüpfte. Die Beine seines Besitzers waren noch gerade eben unter den Federn zu sehen. Bevor sie bei ihm war, schoss Yitzchak zwischen zwei parkenden Autos durch.

»Yitzchak – Yitzchak!« Rivka raste los und stolperte über ihren Rock, Chaim hinter ihr. Bremsen kreischten, und dann hörte man ein ekelerregendes Knirschen.

Mitten auf der Straße hatten sich ein paar Männer zusammengedrängt, normale Israelis in ihrer Arbeitskleidung. Ihr Hebräisch klang eindringlich, guttural und heftig. Einer heulte. Sie erreichte die Gruppe und drängte sich in ihre Mitte.

Ein kleiner Clown lag zusammengesackt auf dem Asphalt, leblos.

Sie riss den Körper ihres Sohnes an sich, ohne auf die Proteste der Männer zu hören. Sie wusste es bereits.

Ein entsetzlicher Schrei zerriss die Luft. Hände griffen nach ihr, als sie das Bewusstsein verlor.

Am nächsten Morgen weckte man sie. Sie zogen sie an und zerrissen ihr Kleid für sie; sie hatte sich geweigert, es selbst zu tun. Zusammengesunken saß sie auf dem Krankenhausbett, als Chaim sich vor sie kniete und ihr die Schuhe band. Ohne zu sehen und ohne zu hören, ließ sie zu, dass man sie nach Hause führte.

Der Tag war ungewöhnlich drückend. Eine weißglühende Hitze flimmerte über dem staubigen Friedhof, wo die Trauernden in ihren schwarzen Gewändern standen. Zypressen, verkohlten Fingern gleich, standen bewegungslos in der stillen Luft. Irgendwie stolperte Chaim durch das *Kaddisch*-Gebet, sich der grässlichen Perversität bewusst, es für den eigenen Sohn sprechen zu müssen. Dann begann das Wehklagen um ihn herum. Sie stand schwankend neben ihm, von ihren Eltern gestützt.

Als der kleine Körper in seinem Leichentuch in das Grab hinuntergelassen wurde, hatte sie nur den einen Wunsch, sich hinterherfallen zu lassen. Sich neben ihrem Sohn in der kalten, feuchten Dunkelheit zusammenzurollen. Still neben ihm zu liegen, wenn die Erde auf sie fiel und sie langsam für immer begrub.

Die Trauerzeit verging wie ein Traum aus der Hölle. Sie kauerte auf einem dreibeinigen Hocker und ließ sich von gesichtslosen Besuchern trösten. Die Spiegel waren zur Wand gedreht worden. Das Haus floss über vor Trauernden und vibrierte vom Klang geflüsterter Gebete. Tag und Nacht kamen Menschen und brachten Töpfe frischgekochten Essens. Sie aß nichts. Ihre Eltern, die aus England eingeflogen waren, saßen neben ihr und alterten über Nacht. Ihr Vater sah krank und schwach aus. Die Finsternis verschlang sie, wenn sie am Boden kauerte, stinkend und innerlich taub.

In den folgenden Wochen waren sie von der *Kehillo* umgeben. Sie trug sie. Freunde kamen, um schweigend bei ihnen zu sitzen und zu weinen. Nachbarn putzten ihre

Wohnung und füllten den Kühlschrank auf. An *Schabbes* zwangen sie sich, aufzustehen und in die *Schul* zu gehen, doch in ihrem Inneren toste ein Sturm. Nur Chaim betete noch.

*Yehai shmai rabba m'vorakh l'olam ul'almai almaya.* Möge Sein großer Name für immer gesegnet sein. Amen.

Die Gesänge hallten in ihrem Kopf wider. Sie sang die Antwort, doch ihr Herz war so leer wie das Bettchen in Yitzchaks Zimmer.

Langsam verebbte der Besucherstrom, und sie blieben allein mit ihrer Trauer zurück. Die Wohnung erschien riesig. Die alten Steinmauern und hohen Decken, die sie einst vor der Hitze bewahrt hatten, schienen sie nun zu erdrücken. Es gab nichts zu reden, nichts, was eine Diskussion wert war, nichts, das die schwarze Leere zwischen ihnen füllte. Rivka hatte sich noch nie so allein gefühlt.

Sie aßen schweigend, saßen einander gegenüber, vermieden jedoch Augenkontakt. Yitzchaks Kinderstuhl blieb am Tisch zwischen ihnen stehen. Rivka wischte ihn immer noch nach jeder Mahlzeit ab. Sie konnte nicht anders.

Alles erinnerte an ihn. Sie konnte sich nicht dazu durchringen, seine Kleidung oder Spielsachen wegzuwerfen oder zu verschenken. Seine kleine Jacke hing neben der ihren an der Garderobe. Seine gekritzelten Bilder zierten noch immer den Kühlschrank. Und wenn sie sein Zimmer betrat, dachte sie jedes Mal einen Herzschlag lang, er läge schlafend in seinem Bett; ein kleines eingekuscheltes Häuflein, ein weicher, dunkler Kopf auf dem Kissen. Dann meinte sie sogar, sein sanftes Atmen zu hören.

Sie mieden die Straße, auf der er gestorben war, und machten lange Umwege. Manchmal sahen sie ein Kind, das einen atemlosen Moment lang genauso aussah wie Yitzchak, und sie blieben wie angewurzelt stehen und starrten. Oder sie hörten ein anderes Kind brabbeln, der Klang so verzweifelt vertraut, dass Rebecca das Herz stockte.

Ihr Leben ging weiter, doch es war hohl und bedeutungslos. Chaim besuchte weiter die *Jeschiwa,* doch er hatte seine Leidenschaft für das Lernen verloren. Auch Rebecca versuchte zu studieren, doch sie konnte sich nicht konzentrieren. Nichts spielte für sie mehr eine Rolle. Noch nicht einmal *HaSchem.* Sie hatte aufgehört zu beten und ging nicht mehr in die *Schul.* Nur *Schabbes* behielt seine Macht über sie, sie schaffte es nicht, seine Regeln zu brechen.

In der Nacht klammerten sie sich aneinander, als wäre das Bett ein Rettungsboot und sie die einzigen Überlebenden eines gesunkenen Schiffes. Sie schliefen nicht mehr miteinander. Am Morgen waren ihre Kissen durchnässt, und leer geweint stellten sie sich einem neuen, leeren Tag, der genauso war wie der zuvor. Es war nicht notwendig, das Bett zu trennen, denn ihre Periode hatte aufgehört. Sie war spindeldürr. Die Uhr in ihr hatte angehalten, und die Unfruchtbarkeit spiegelte die Ödnis in ihrer Seele wider.

Ein Jahr verging, und sie errichteten seinen Grabstein. Sie sprachen nicht über ihn, doch er war immer da, schweigend und unsichtbar. Seine Abwesenheit war so greifbar, dass sie die Form seines Körpers angenommen hatte, und Rivka bildete sich ein, ihn zu spüren. Eine pummelige Hand ergriff die ihre. Seidiges Haar glitt durch ihre Finger.

Sie musste weg.

Eines Nachmittags kam Chaim nach Hause und fand einen Koffer im Hausflur vor.

»Rivka?«, rief er.

Sie war in ihrem Schlafzimmer, zerrte Kleider von den Bügeln und warf sie auf das Bett.

»Was machst du da?«, fragte er.

Sie antwortete nicht. Stattdessen riss sie Schubladen heraus und kippte den Inhalt in einen weiteren Koffer.

»Rivka!«, protestierte er. Doch sie hörte nicht auf. Sie marschierte ins Badezimmer und wischte die Toilettenartikel vom Regal. Sie war wie ein Roboter.

Chaim packte sie an der Schulter und drehte sie zu sich herum. »Was geht hier vor?«, wollte er wissen.

»Wir gehen. Ich halte es hier nicht mehr aus. Wir haben hier nichts mehr verloren. Wir müssen zurück. Ich gehe allein, wenn du nicht mitkommen möchtest«, sagte sie. Sie sah ihm direkt in die Augen, und er erkannte, dass sie es ernst meinte.

Er ließ sich schwerfällig auf das Bett zwischen all ihre Sachen sinken. Sie sortierte und räumte weiter; Flaschen fielen klirrend und rumpelnd in den Mülleimer.

»Du hast recht«, sagte er. »Wir haben hier nichts mehr verloren.«

Sie kam zurück ins Schlafzimmer und baute sich vor ihm auf. »Wir müssen fort, ich muss fort. Vielleicht könnten wir von vorn anfangen. Ich brauche England, meine Eltern. Mein Zuhause. Weniger Erinnerungen.«

»Ja. Das verstehe ich.«

»Ich habe uns Flüge gebucht. Sie gehen morgen Abend. Wir können die Wohnung verkaufen oder vermieten.«

Chaim wirkte verstört. Sie hatte nichts anderes erwartet.

»Okay«, sagte er langsam. »Und glaubst du, wir werden zurückkommen?«

»Nein«, sagte sie knapp. »Ich jedenfalls nicht«, fügte sie schnell hinzu.

»Dann ist es also endgültig?«

»Für mich, ja. Was du tust, ist deine Entscheidung.«

Er sah zu ihr hoch. »Möchtest du, dass ich mit dir gehe?«

Sie zögerte. Sie wusste es nicht mehr. Ihre Ehe schien an der Leere zwischen ihnen zerbrochen zu sein. Aber er war immer noch ihr Mann, und Yitzchak war auch sein Sohn gewesen.

»Ja.«

Und das war es dann. Sie flohen aus Israel und ließen Yitzchak in seinem staubigen kleinen Grab zurück. Sie vergruben den Schmerz tief in ihrem Inneren und versuchten, einen neuen Anfang zu machen.

In London ersetzte weicher grauer Nieselregen das unerbittliche Licht, das die Augen gequält und die Haut verbrannt hatte. Die Menschen waren höflich, geduldig und sprachen ihre Muttersprache. Statt uralter ausgebleichter Steine umgaben sie nun rote Ziegel. Alles war grün, üppig und feucht.

Die englische Gemeinde war ihnen freundlich gesinnt und unterstützte sie mit zurückhaltendem Gleichmut. Mit Hilfe ihrer Eltern erwarben sie ein kleines Haus, die Wohnung in Jerusalem wurde verkauft. Chaim bewarb sich als Junior-Rabbiner und begann unter Anleitung eines älteren, erfahreneren Rabbis zu arbeiten. Rivka übernahm den Haushalt. Ihre Mutter besuchte sie jeden Tag. Sie unternahmen lange Spaziergänge, und mit der Zeit linderte die vertraute Umgebung den Schmerz, und der Alltag kehrte zurück.

Als sie mit Avromi schwanger wurde, fühlte sie sich wie aus einem langen Schlaf erwacht, und das erste Mal seit zwei Jahren schöpfte sie Hoffnung. Sie betete mit wiedererwachter Inbrunst und Leidenschaft und bedeckte ihr Gesicht mit dem aufgeschlagenen *Siddur,* als die Dankbarkeit sich aus ihr ergoss.

# 29

# Chani – die Rebbetzin

## Oktober 2008 – London

Die Offenbarung der Rebbetzin lag schon drei Tage zurück, doch sie verfolgte Chani immer noch. Sie wünschte, sie hätte jemanden, mit dem sie diese Bürde teilen könnte. Doch sie respektierte den Wunsch der Rebbetzin und behielt es für sich.

Sie begrüßte Chani zur nächsten Stunde, als sei nichts gewesen. Eine geradezu gespenstische Gelassenheit umgab sie, obwohl der glasige Ausdruck in ihren Augen Chani in alarmierender Weise an ihre Mutter erinnerte.

»Komm herein, Chani«, murmelte die Rebbetzin. Sie trug dieselbe Kleidung wie beim letzten Mal. Ein Kopftuch lag eng an ihrer Stirn an.

»Danke. Wie fühlen Sie sich, Rebbetzin Zilberman?« Ob diese Frage statthaft war?

»*Baruch HaSchem*. Und du?«

»*Baruch HaSchem,* mir geht's gut, danke.« Chani hockte sich auf den Rand des unförmigen Sofas und wartete darauf, dass die Rebbetzin begann.

»Heute wollen wir über das Bedecken des Haars sprechen«, sagte sie schließlich, den Blick auf einen Punkt an der Wand über Chanis Kopf geheftet.

»Ist es wahr, dass jüdische Frauen, die sich unanständig anziehen, für die Sünden dieser Welt verantwortlich sind?«

Die Rebbetzin runzelte die Stirn; eine tiefe Furche entstand zwischen ihren Augenbrauen. »Wo hast du denn das her?«

»Oh, aus der Schule. Wir haben uns ein Video angesehen. Aber ich halte das für Blödsinn.« Sie beobachtete die Rebbetzin und wartete auf eine Reaktion. Sie wollte eine Reaktion. Wo waren das Feuer und die Intensität, die sie beim letzten Mal gespürt hatte? Wo war die echte Rebbetzin? Sie hatten den Draht zueinander verloren. Nachdem sie sich drei Tage lang Sorgen gemacht hatte, war Chani enttäuscht.

»So würde ich das nicht sagen. Vielleicht geht es ein bisschen zu weit. In der *Tora* steht, eine jüdische Frau müsse mit Bescheidenheit sprechen, essen und sich kleiden«, rezitierte die Rebbetzin. »Das gilt auch für den Mann. Alles andere ist unmoralisch. Aber für die Frau ist es von großer Bedeutung, dass sie sich nicht zur Schau stellt, indem sie etwas Unsittliches trägt, nur weil es als modisch gilt. Chani, du weißt genauso gut wie ich, dass die sogenannten Trends nichts für uns sind. Wenn wir verheiratet sind, bedecken wir unser Haar, denn das Haar ist ein Symbol unserer Sinnlichkeit und Schönheit, etwas, das andere Männer anziehend finden könnten. Aber es ist etwas anderes, wenn du mit deinem Ehemann allein bist.«

»Was passiert denn, wenn ein Mann und eine Frau allein zusammen sind?«

Chani wurde es plötzlich warm. Sie senkte den Blick und wartete.

»Chani, ich weiß, wie wichtig das für dich ist. Ich weiß, wie viel Angst du hast. Das ist okay. Aber die Frage kann ich nicht beantworten. Ich wünschte, ich könnte es, aber ich bin nicht deine Mutter. Du wirst es früh genug herausfinden. Es wird nicht so schlimm sein, wie du denkst. Versuch dich zu entspannen und genieße die Intimität, die du schon bald mit deinem Mann teilen wirst.«

Es wird nicht so schlimm sein, wie du denkst! Sie war dem Untergang geweiht.

»Warum erzählt es mir niemand? Ich habe es schon bei meiner Mutter versucht. Niemand sagt mir die Wahrheit. Das ist nicht fair.« Sie hörte ihre eigene jammernde Stimme und schämte sich. Selbstmitleid war ihr zuwider.

»Ein Mann dringt in seine Frau ein und pflanzt seinen Samen in sie.«

Das war nichts Neues. Sie kam nicht von der Stelle. »Ja, aber wie?«

»Was, wie?« Die Rebbetzin spielte auf Zeit, während sie nach einer angemessenen Antwort suchte. Die anderen Mädchen hatten nie gewagt, solche direkten Fragen zu stellen, und so hatte sie nicht ins Detail gehen müssen. »Wenn es an der Zeit ist, wirst du es herausfinden.«

»Aber ich muss es jetzt wissen.«

»Du brauchst nicht alles zu wissen. Vertraue auf *HaSchem*. Vertraue Baruch. Was passiert, ist ganz natürlich. Und es wird okay sein.«

Chani schaute hinunter auf das *Siddur* und verdrehte die Augen. Es wird okay sein! Selbst die Rebbetzin sagte ihr nicht die ganze Wahrheit. Und das, obwohl sie letzte Woche ihr gegenüber so offen gewesen war. Chani hatte mehr Ehrlichkeit von ihr erwartet. Doch sie spürte, dass es keinen Sinn hatte weiterzubohren.

»Und wenn *HaSchem* dich segnet, wird dieser Samen in dir ein Kind entstehen lassen.«

Die Stimme der Rebbetzin wurde brüchig. Chani warf ihr einen besorgten Seitenblick zu.

»Und hoffentlich wirst du viele Kinder haben. *Besrat HaSchem.*«

»Aber ich will gar nicht so viele Kinder!«, platzte Chani heraus.

Die Rebbetzin schluckte vernehmlich und fischte ein Taschentuch aus ihrem Ärmel.

Oh nein, nicht schon wieder, dachte Chani.

»Du solltest dich glücklich schätzen«, flüsterte die Rebbetzin und zupfte das Taschentuch auseinander.

»Es tut mir leid, Rebbetzin Zilberman, ich hätte –«

»Schon gut…«

»Es ist nur, weil Sie nicht wissen, wie das ist.«

»Was meinst du damit?«

»Eine von so vielen zu sein. Es kann die reine… Hölle sein.«

Die Rebbetzin rutschte auf ihrem Platz herum.

»Entschuldigung, das hätte ich nicht sagen sollen.«

»Aber es war dir offensichtlich wichtig.«

»Ja, das stimmt. Wenn man viele Geschwister hat, geht man unter. Meine Eltern haben einfach keine Zeit

mehr für mich. Ich will Ihren Verlust damit nicht klein-
reden, Rebbetzin Zilberman, aber es kann ganz schön
hart für die Kinder sein, von den Eltern ganz zu schweigen.«

»Ich weiß. Ich wollte sagen, ich verstehe«, murmelte
die Rebbetzin. Sie seufzte. »Aber das hätte ich nicht
zugelassen.« Sie hatte die grauen Gesichter der Frauen
gesehen, die eine große Brut hatten, und war Zeugin des
Chaos in ihren Häusern geworden, doch sie hatte noch
nie die Meinung eines Kindes zu diesem Thema gehört.
Sie hätte sonst was dafür gegeben, wenn alle ihre Kinder
gesund und am Leben wären. Mit fünf Kindern wäre
sie gut klargekommen. Aber acht? Neun? Oder elf wie
die Krupniks? Manchmal schien es, als würden diese
Paare um die Wette Nachkommen zeugen, nur um der
Anerkennung willen.

»Das nehmen sich alle Mütter vor. Aber es sind die
Babys, die bestimmen, wo es langgeht, und es ist unmöglich, jedem Kind die gleiche Aufmerksamkeit und
Zuneigung zukommen zu lassen. Und darunter haben
dann die Älteren zu leiden. Ich habe darunter zu leiden.«

»Ja, das ist sicher nicht leicht«, pflichtete die Rebbetzin bei.

»Manchmal bemerkt meine Mutter überhaupt nicht,
dass ich da bin. – Aber ich will nicht schlecht über sie
reden«, fügte sie eilig hinzu.

»Natürlich nicht. Das tust du auch nicht, Chani.«

»Es ist nur so, dass mit der Letzten, mit Yona, alles zu
viel für sie wurde. Sie hatte nach den ganzen Mädchen
auf einen Jungen gehofft. Und an der Enttäuschung ist

sie zerbrochen. Es war wirklich beängstigend. Ich habe mich gefühlt, als hätte ich meine Mutter verloren. Als wäre sie in sich selbst verschwunden.«

Die Rebbetzin seufzte. Sie wusste, wie sich das anfühlte. Sie dachte an Mrs Kaufman, ihr Märtyrerlächeln, die Resignation, die sie ausstrahlte – und der Neid legte sich ein wenig. Doch wie eine Schallplatte mit Sprung kehrten ihre Gedanken zu ihrem eigenen leeren Unterleib zurück.

»Ich denke, ich möchte nur vier Kinder. Dann könnte ich ihnen all die Liebe und Aufmerksamkeit schenken, die ich nicht bekommen habe. Meine Eltern haben ihr Bestes gegeben, aber manchmal reicht das eben nicht. Manchmal hätte ich einfach gern, dass sie mir zuhören, und nur mir. Nur mit mir Zeit verbringen. Ich weiß, dass sie mich lieben. Es ist nur unmöglich, so vielen Kindern gleich viel Liebe zu geben. Mum hat es nicht leicht. An manchen Tagen weiß sie überhaupt nicht, wo ihr der Kopf steht. Wenn zwei Kinder zur gleichen Zeit aus dem Haus müssen und das Baby schreit und Chayaleh verlangt, dass man ihre Hausaufgaben nachschaut und das Abendessen fertig werden muss ... und die Wäsche muss noch sortiert werden ... und ich muss einen Aufsatz fertigschreiben ... Jedenfalls habe ich mich entschieden.« Jetzt fühlte sie sich ein bisschen besser. Es tat gut, mit jemandem zu reden, der einem zuhörte, selbst wenn man nicht auf alles eine Antwort bekam.

»Wir können nicht wählen, Chani.«

»Ich dachte, es gäbe Wege.«

Die Rebbetzin ahnte, dass sie gefährliches Terrain

betraten. Sie wollte mit Mrs Kaufman keinen Ärger riskieren. Diese Frau war riesig.

»Das ist etwas, das du mit Baruch und eurem Rabbi besprechen musst. Jetzt lass uns zu Seite zweihundertundvierzehn blättern und die Psalmen und Segenswünsche für deine Hochzeit besprechen«, sagte sie so bestimmt wie möglich.

Chani gab sich geschlagen und widmete sich der Aufgabe. Frust rumorte in ihr und ließ sich nicht verjagen.

Sie konnte sich nicht erinnern, wie lange sie schon so dasaß. Chani war vor Stunden gegangen. Die Rebbetzin stand auf, ihre Gelenke knackten. Nebenan spielten die Kinder, ihr Kreischen und Stampfen drangen gedämpft durch die dünne Rigipswand. Es war fast Zeit fürs Abendessen. Chaim würde bald nach Hause kommen. Zum ersten Mal seit der Fehlgeburt brauchte sie ihn. Sie mussten über Yitzchak reden. Sie musste die Erinnerung an ihn wieder ausgraben, um nach vorn blicken zu können. Sie wurde mit dem alten Schmerz nicht länger allein fertig. Dieser zweite Verlust hatte alles wieder aufgewühlt, was so tief in ihrem Herzen vergraben gewesen war. So konnte man nicht leben.

Sie würde ihm sein Leibgericht kochen. Langsam gegartes Lamm, goldene, knusprige Kartoffeln und ein Kohlsalat mit Sesam. Von einer neuen Dringlichkeit ergriffen, rumorte sie in Schränken und zog Töpfe und Pfannen heraus. Sie rührte und goss, schnippelte und briet, wobei ihr Geist schwirrte, Worte durchkämmte und die richtigen auswählte.

Chaim hatte gerade die Schlafzimmervorhänge zugezogen. Er zog seine Jacke aus und hängte sie auf. Sie saß an der Frisierkommode und cremte sich die Hände ein.

»Chaim, ich denke in letzter Zeit oft an…«, fing sie an. Ihre Stimme zitterte.

»Ja?« Erleichtert, dass sie endlich mit ihm redete, setzte er sich hinter sie auf das Bett. Ihre Augen trafen sich im Spiegel.

»…an Yitzchak.«

Er senkte den Blick und starrte auf die zerwühlte Bettdecke. Sie konnte seine Miene nicht entschlüsseln. Sein Schweigen beunruhigte sie, doch sie fuhr fort.

»Ich dachte, es wäre eine gute Idee, bei all dem, was wir in letzter Zeit durchgemacht haben – nun, ich habe einfach das Gefühl, dass… dass es Zeit ist, über ihn zu sprechen. Uns an ihn zu erinnern. Er mag nicht hier sein, doch in unseren Gedanken und unseren Herzen lebt er weiter. Jedenfalls in meinem«, sagte sie.

Chaim antwortete nicht. Sie wartete. Die Sekunden dehnten sich zu einer Ewigkeit. Ihr wurde mulmig. Sie hätte das Thema nicht aufbringen sollen. Ihre Hände bewegten sich rastlos umeinander, bis sie vor lauter Reiberei klebrig waren.

Er stand auf und ging zur Tür. »Ich will nicht über Yitzchak reden«, sagte er und betonte dabei jedes Wort.

»Aber nachdem, was passiert ist, kann ich nicht mehr aufhören, an ihn zu denken. Es ist ein Zeichen, siehst du das nicht?«

»Nein, tue ich nicht.« Sein Tonfall war fast nonchalant. Es war wie eine Ohrfeige.

Sie drehte sich auf dem Stuhl, um ihn anzusehen. »Aber warum nicht? Warum können wir nach all den Jahren nicht über unseren Sohn reden?« Inzwischen bettelte sie.

»Weil ich nicht will.« Er ging weiter.

»Bitte«, flüsterte sie, »es ist wichtig für mich.«

»Für mich nicht.« Er fuhr herum und schaute sie mit funkelnden Augen an. »Ich will die Vergangenheit nicht wieder hervorholen. Es ist vorbei. Müssen wir uns nicht mit genug anderen Dingen herumschlagen, was ist mit Avromi und dieser Freundin? Und damit, wie schlecht es dir geht nach der Fehlg– unserem Verlust?« Er brachte dieses hässliche Wort nicht über die Lippen.

»Aber verstehst du denn nicht? Es ist dasselbe. Wir haben jetzt zwei verloren. Vor langer Zeit hatten wir ein Kind, wir haben ihn Yitzchak genannt, er war unser Erstgeborener.«

»Hör auf, Rivka! Hör einfach auf.« Chaims Hände lagen über seinen Ohren. Plötzlich fiel ihm ein, dass die Kinder schon im Bett waren, und er senkte die Stimme. »Ich will nicht darüber reden. Ich kann einfach nicht.«

Mitleidig schaute sie ihn an. Und in diesem Augenblick fand sie ihn erbärmlich, feige. Sein Hemd war aufgeknöpft, und seine Hosenträger baumelten ihm von den Hüften. Das Haar stand in Büscheln rund um den Kopf ab. Er sah greisenhaft aus und erschöpft.

»Vielleicht würde es uns helfen, wenn wir uns mit der Vergangenheit auseinandersetzten. Mir würde es bessergehen.« Ein letzter Versuch.

»Es tut mir leid, Rivka. Das ist mir im Moment zu viel. Ich habe unsere ganzen Sorgen so satt.«

»Dann okay.«

»Okay.«

Er verließ das Zimmer und schloss die Tür. Rivka blieb sitzen und starrte sich selbst im Spiegel an. In ihr kochte die Wut.

Sowie er den Raum verlassen hatte, wusste er, dass er im Unrecht war. Er hatte sie wieder im Stich gelassen. Was stimmte nicht mit ihm? Warum konnte er nicht einfach ein *Mentsch* sein und mit ihr reden? Chaim stand auf dem Treppenabsatz, wieder einmal verloren im wankenden Reich der Unentschiedenheit, das er offenbar am Tag der Fehlgeburt betreten hatte. Er drehte sich zur Schlafzimmertür um, die Hand zum Türknauf ausgestreckt.

Doch er brachte es nicht über sich. Die Wahrheit war, dass er sich der Vergangenheit nicht stellen konnte. Es war alles so mühselig. Er wollte nach vorne sehen, die Fehlgeburt und den schmerzlichen Wirbel um Avromis Fehltritt vergessen. Er wollte, dass alles wieder so war wie früher. Er wollte seine Frau zurück. Er wollte sie in den Arm nehmen, liebkosen, sie zum Lachen bringen und sein Gesicht an ihr Haar und ihre Haut schmiegen. Sich so wie früher mit ihr unterhalten. Doch wann war es das letzte Mal vorgekommen, selbst vor der Fehlgeburt? Chaim konnte sich nicht erinnern.

Er wappnete sich und suchte nach Worten für eine Entschuldigung. Dann dachte er an den Abgrund, in den er alle Erinnerungen an Yitzchak verbannt hatte, und ließ seine Hand sinken. Chaim stand still da, lauschte auf die Geräusche von drinnen, doch im Schlafzimmer blieb es ruhig. Er ging nach unten, schnappte sich Mantel und Hut und trat hinaus in die Nacht. Er brauchte die Heiligkeit seines Büros, wo er klar denken konnte. Das Gebäude würde still und leer sein. Chaim ging schneller, seine Schuhe klopften eilig über den Bürgersteig.

Es war eine friedliche Nacht, kühl und feucht. Am Bordstein glänzten Pfützen wie winzige Ölfelder. In den bescheidenen Häusern zu beiden Seiten glommen Lichter, und hier und da wanderte eine Silhouette von Raum zu Raum. Die Autos standen bewegungslos in ihren Parkbuchten, von feinem Sprühregen überzogen.

Ohne Vorwarnung trieb eine Erinnerung an die Oberfläche, brach hindurch und zerschmetterte die Stille der Nacht. Er trug Yitzchak auf einem silbernen Tablett. Das Tablett war schwer, und er trug es unsicher, voller Sorge, er könnte seinen Sohn fallen lassen, bevor er bei Rabbi Yochanan angekommen war. Yitzchak war einen Monat alt. Er wimmerte und sabberte, seine Hände griffen nach Chaim, während seine weichen, zarten Füße in der Luft strampelten.

Chaim bewegte sich sachte, seine Knöchel um die Griffe wurden weiß vor Anstrengung. Familienmitglieder und Freunde sahen zu und lächelten aufmunternd. Einige der Männer beteten. Die Frauen befanden sich im hinteren Teil, nur Rivka stand neben dem Rabbi. Sie lächelte breit und voller Stolz. Rabbi Yochanan hielt ein Gebetbuch in den Händen und wippte leicht auf den Fußballen, sein fleischiges, faltiges Gesicht unter dem Hut war ernst und aufmerksam.

Kurz bevor sie den Rabbi erreichten, verzog sich Yitzchaks Gesicht, wurde dunkelrot, und er begann zu treten und zu schreien. Chaim setzte ihn hastig auf dem Tisch ab. Rivka trat vor und beruhigte ihren Sohn mit sanftem Streicheln, während Chaim entzückt zusah.

Als er sich wieder beruhigt hatte, räusperte sich Chaim und verkündete: »Dies ist Yitzchak, der erstgeborene Sohn seiner Mutter Rivka.«

Die Erinnerung wurde bruchstückhaft. Das Klimpern der Silbermünzen in seiner Tasche, die speziell dafür geprägt worden waren, seinen Erstgeborenen auszulösen, ihn von *HaSchem* zurückzukaufen, denn alle ersten Dinge gehörten ihm. Die Segnung des Rabbis, als die Münzen über Yitzchaks Kopf hinweg überreicht wurden. Und Yitzchak wurde ihm zurückgegeben und gefeiert als die erste Frucht aus Rivkas Leib. Das stämmige Gewicht seines sich windenden Sohnes in seinen Armen. Die Wärme, die er durch den Gebetsschal hindurch ausstrahlte, und wie sein Herz vor Freude und Stolz anschwoll. Er hob das Kind hoch, und die Gäste jubelten und klatschten.

Dieses süße Gefühl hatte er nie mehr in einer solchen Intensität gespürt wie bei Yitzchak. Nichts war damit vergleichbar, seinen Erstgeborenen zu halten. Vor ihnen lag einzig Hoffnung. Wenn er weitergelebt hätte, wäre Yitzchak vielleicht der Sohn gewesen, der all seine Kinder übertroffen hätte, und seine Güte und Größe hätten die bitteren Enttäuschungen abgemildert, die folgten.

Wie aus heiterem Himmel von Kummer getroffen, blieb Rabbi Zilberman stehen. Sein Hals zog sich zusammen, und seine Brust schmerzte. Der Bürgersteig war nur noch undeutlich zu sehen. Er nahm die Brille ab und kramte nach seinem Taschentuch. Er würde mit Rivka reden. Er würde es wiedergutmachen. Morgen, bevor *Schabbes* anfing.

## 30

# Avromi

### Oktober 2008 – London

Zwei Wochen, nachdem er mit Shola Schluss gemacht hatte, besuchte Avromi seinen Tutor, um ihm zu sagen, dass er sein Studium abbrechen würde. Der Professor drückte sein Erstaunen aus und bedauerte Avromis Entscheidung, da er ihn für begabt hielt.

Als er das Büro verließ, fühlte er sich hohl und ein wenig betäubt. Im Flur empfing ihn sorgloses Studentenleben. Angeregtes Geplauder und fröhliches Frauenlachen hallten von den gekachelten Wänden wider. Lehrkräfte mittleren Alters stolzierten vorbei wie plumpe Holztauben, ihre Papiere sicher unter den Arm geklemmt. All das schien Lichtjahre entfernt. Er wusste nicht, wo er als Nächstes hingehen sollte, nur nach Hause wollte er nicht. Seine Füße trugen ihn Richtung Cafeteria.

Die Mittagszeit war schon vorbei, und nur ein paar Nachzügler saßen noch da. Die Angestellten sammelten scheppernd leere Tabletts und Geschirr ein. Ein paar einsame Fritten brutzelten noch unter den Wärmelampen vor sich hin, und es roch unangenehm nach verkochtem Brokkoli und Blumenkohl. Als sein Blick auf der Suche nach einem ruhigen Fleckchen durch den Saal schweifte, sah er Shola. Sie saß konzentriert über ihren Laptop gebeugt und schrieb etwas, eine Wolke ihres Haars verbarg ihr Profil. Neben ihr stand ein dampfender Becher Tee. Sie hielt inne und sah ins Leere. Avromi erstarrte freudig-entsetzt. Er hatte gewusst, dass sie hier sein könnte. Er hatte es darauf angelegt.

Etwas in ihrem Gesichtsausdruck hielt ihn davon ab hinüberzugehen. Sie wirkte verloren, wie sie da so alleine saß, ein wenig träumerisch und in Gedanken. Es kam ihm plötzlich falsch vor, sie zu stören. Und zu welchem Zweck auch. Er warf einen letzten Blick auf sie, drehte sich um und zwang seine Schritte in Richtung Ausgang. Als er die Schwingtüren erreichte, stolperte er hindurch wie ein Blinder.

Er hatte der Versuchung widerstanden, und dafür war er dankbar, doch die Sehnsucht und Melancholie waren zurückgekehrt. Avromi knöpfte seine Jacke gegen die Oktoberkälte zu und bahnte sich seinen Weg durch den blauen frühen Abend.

# 31

# Die Rebbetzin

## November 2008 – London

Die Rebbetzin trat aus dem Feierabendgewühl in das ruhige Heiligtum des Parks. Das Café war voller Mütter und Kinder. Rentner schürzten faltige Münder, um dampfenden Tee zu schlürfen. Zwischen den Tischen torkelten und hopsten Tauben umher, in der Hoffnung auf ein paar Krümel.

Wolken sammelten sich in weichen grauen Tuffs, und der Nieselregen wurde zu Nebel. Die Feuchtigkeit legte sich wie ein Film auf ihr Gesicht und kühlte es. Sie schwitzte, doch sie verlangsamte ihr Tempo nicht. Sie lief an makellosen Blumenbeeten vorbei, an immergrünen Büschen in ihren hölzernen Kübeln und an den wertvollen orientalischen Bäumen, bis sie zum Wildgehege kam. Der mechanische Rhythmus des Gehens spendete ihrem rastlosen Geist Trost.

Die Rehe beobachteten sie, als sie vorüberging, ihr Spiegelbild eine Miniatur in den großen dunklen Augen der Tiere. Sie standen reglos, bis sie sicher waren, dass Rivka keine Gefahr darstellte, und begannen dann wieder zu grasen. Die Rebbetzin mochte ihre Wildheit und bedauerte, dass sie gefangen waren. Wenn es nach ihr ginge, würde sie sie freilassen, damit sie im Hampstead Heath herumlaufen konnten, so wie vor Hunderten von Jahren.

Der Heath. Dahin ging sie. Der Asphalt wurde zu einem unbefestigten Weg. Ihre Schritte knirschten über Kiesflecken, bis heruntergefallene Blätter und weiche Erde sie dämpften. Alte Eichen schlossen sich über ihrem Kopf zu einer heidnischen Kathedrale. Feuchter Boden, raschelnde Blätter, gewellte Borke und Stille. Nicht die zappelnde Ruhe versammelter Gläubiger, sondern etwas noch Älteres und Tieferes. Diese Bäume hatten sich schon gen Himmel gereckt, noch bevor irgendeine *Schul* in Golders Green gebaut worden war.

Hier konnte sie nachdenken. Weit weg von Gebräuchen und Ritualen, von Segnungen und *Mizwot*, von ihren Kindern und ihrem Mann. Aufschub von der Welt.

Sie erreichte eine Lichtung und ließ sich nieder. Gegen eine alte Buche gelehnt, überkreuzte sie ihre langen Beine an den Fußgelenken und schob den Rock darunter. Ein schwacher Strahl Sonnenlicht blitzte auf und verschwand. Eine Elster in ihrer Butleruniform schoss in der Nähe herab. Der Vogel pickte im Laub herum und beobachtete sie mit einem Knopfauge, dann verschwand er in den Baumkronen wie ein schwarzweißer Blitz.

Ein Mann tauchte auf, eine schattenhafte Gestalt, die ein paar hundert Meter vor ihr mit der Dunkelheit zwischen den Bäumen verschmolz. Er hatte sie nicht gesehen. Minuten später kam ein weiterer Mann, der ihm schnell folgte, bis auch er sich in der Ferne auflöste. Sie wusste, was sie vorhatten, und hatte keine Angst. Sie wünschte ihnen Glück und lächelte ironisch. Eine

*Chassidin* sollte von solchen Sachen nichts wissen. Aber sie hatte es immer schon gewusst. Schließlich war sie nicht immer eine *Chassidin* gewesen. War sie in diesem Moment eine? Sie kannte die Antwort nicht.

Während der vergangenen Wochen waren ihre Gedanken wie Bussarde gekreist, und nun zwang sie sich dazu, ihnen ihre volle Aufmerksamkeit zu widmen. Sie lebte ein Doppelleben. Es gab die Oberfläche, an der sie all die Dinge tat und sagte, die von ihr erwartet wurden. Doch darunter tobte ein Tumult, den sie nicht länger ignorieren konnte.

Sosehr sie sich auch bemühte, war sie sich nicht mehr sicher, ob der Weg, den sie vor so vielen Jahren eingeschlagen hatte, der richtige war. Die *Kehillo* gab ihr wenig Trost und war alles andere als der sichere Hafen, den sie jetzt gebraucht hätte. Sie fühlte sich ausgeschlossen, doch sie stand nicht länger am Rand mit dem Wunsch dazuzugehören. Wie sollte sie in eine Gemeinde passen, in der man ihren Schmerz unter endlosen Gebeten ersticken wollte?

Es wurde von ihr erwartet, dass sie sich wieder in die Herde einfügte und weitermachte wie zuvor. Weiterlächelte und -betete. Wieder die *Mikwe* besuchte und in die Arme ihres Ehemannes zurückkehrte. *HaSchems* Gebote befolgte. Wofür? Welchen Sinn hatte das? Es wurde von einem erwartet, glücklich zu sein und *HaSchems* Existenz in allen Dingen zu feiern. Doch die Wirkung der Droge ›Spiritualität‹ war abgeklungen, und sie hatte wenig Lust auf den nächsten Schuss. *HaSchem* hatte seine Gründe. Sie hatte ihre.

Chaim war nicht mehr der Mann, den sie geheiratet hatte. Dieser Mann war zu einem monochromen Schatten seiner selbst verblichen. Er war ein guter Mann, ein freundlicher Mann und ein vorbildlicher *Chassidim*-Gatte. Doch als sie ihn mehr brauchte denn je, hatte er sich abgewandt. Er war intolerant und unbeugsam geworden. Sie konnte ihm die harsche Art, wie er Avromi behandelt hatte, nicht verzeihen. Sie wusste, dass er sich schuldig fühlte, aber das allein reichte nicht.

Wenn sie ihm den Rücken kehrte, würde sie ihn als Rabbi unmöglich machen. Von seiner Frau verlassen, würde er in den Augen der Gemeinde an Respekt verlieren. Es wäre vermutlich das Aus für seine Karriere. Ohne sie wäre er am Ende. Sie spürte, wie sich die Handschellen aus Erwartung und Verpflichtung zusammenzogen. Immerhin war er ihr Mann, und sie hatte ihn einst heftig geliebt. Sie war sich sicher, dass sie ihn immer noch liebte, doch sie hatten sich beide verändert.

Sie zog ihr Handy heraus. Es war Viertel vor vier und wurde langsam dunkel. Vom langen Sitzen waren ihr die Beine eingeschlafen. Sie stand auf und machte sich auf den Weg zurück. Wenn sie Chaim jetzt anrief, würde sie ihn erwischen, bevor er in die *Schul* ging. Ihr graute vor dem Anruf, doch schließlich wählte sie die Nummer.

»Rivka? Geht es dir gut?«

Die Sorge in seiner Stimme erschütterte sie. »Mir geht es gut, ich bin –«

»Wo bist du? Ich dachte, du wärst mittlerweile zu Hause, die Kinder sind schon zurück, und nichts ist vorbereitet –«

»Ich weiß. Ich bin noch unterwegs.«

»Aber *Schabbes* fängt bald an –«

»Ich weiß, Chaim.« Sie war kurz angebunden. »Ich komme heute Abend nicht nach Hause.«

Am anderen Ende der Leitung herrschte Schweigen. Sie vernahm ein scharfes Luftholen und wartete auf die Explosion. Doch die blieb aus.

Irgendwann sagte er mit kleinlauter Stimme: »Ich wusste, dass es so kommen würde. Ich wusste heute Nachmittag schon, dass irgendetwas nicht stimmt. Wenn nicht heute Abend, wann kommst du dann nach Hause?«

»Ich weiß nicht. Das kann ich im Moment nicht sagen. Vielleicht nie mehr.«

»Meinst du das ernst? Ist es das, was du willst?«

»Ich weiß nicht, was ich wirklich will. Ich bin sehr durcheinander. Ich weiß noch nicht einmal, ob ich zu einem *Chassidim*-Leben zurückkehren kann.«

»Noch nicht einmal meinetwegen? Was wird aus uns?« Seine Stimme brach, und sie wusste, dass er weinte.

»Ich fühle mich, als säße ich in einer Falle. Ich habe das Gefühl für die Wirklichkeit verloren. Ich glaube nicht mehr. An gar nichts mehr.«

»Ist es, weil ich mich geweigert habe, über Yitzchak zu sprechen? Wegen deiner Fehlgeburt? Oder ist es wegen Avromi?«

»Ja und nein – es ist alles zusammen, und noch mehr. Ich spüre das schon eine ganze Weile.«

»Rivka, du weißt, dass es mir leidtut. Du weißt, dass ich dich liebe.«

»Ich weiß.«

»Bedeutet dir das denn gar nichts mehr?«

Sie konnte nicht schlucken. Irgendetwas blockierte ihren Hals. »Doch. Das weißt du.«

»Dann komm nach Hause. Wir können darüber reden.«

»Nein. Ich will jetzt nicht nach Hause kommen. Ich will allein darüber nachdenken, ohne dich und die Kinder. Weit weg von der *Kehillo*.«

»Was, wenn wir uns auf einen Kompromiss einigen? Du kommst nach Hause und lebst das Leben, das du leben willst. Und ich drücke ein Auge zu?«

»Du weißt, dass du das nicht kannst. Es bedeutet dir zu viel.«

»Nun, solange wir immer noch *koscher* leben würden, *Schabbes* einhalten und du dich sittsam kleidest –«

»Das ist genau das, was ich im Moment nicht tun kann. Ich habe es schon viel zu lange gemacht, und es bedeutet mir gar nichts. Ich fühle mich wie ein Roboter. Ich fühle mich so leer.«

»Aber wenn du nur die grundlegenden *Mizwot* einhältst, vielleicht findest du dann die Verbindung wieder …«

»Ich weiß es nicht. Ich muss jetzt Schluss machen. Und du musst in die *Schul*.«

»Wo wirst du heute Nacht bleiben?«

»In einem Hotel.«

»Was ist mit den Kindern? Was soll ich ihnen sagen?«

»Dass ich eine Pause brauche. Sag ihnen die Wahrheit. Es wird hart sein, aber ich denke, sie sind alt genug und können damit umgehen. Sie wissen, dass ich schon eine ganze Weile unglücklich bin. Sag ihnen, dass ich sie liebe und mich bald melde. Ich brauche einfach ein wenig Zeit.«

»Wie bald?«

»Chaim, hör auf damit.«

»Aber wir haben heute Abend Gäste. Wer wird kochen? Wer wird die Kerzen anzünden? Komm, Rivka, es ist dein Zuhause.«

Sie schwieg einen Moment. »Michal kann das alles machen.«

»Rivka, ich –«

»Es tut mir leid.«

Die Rebbetzin beendete das Gespräch und schaltete ihr Handy aus. Dann ging sie in Richtung Straße, eine große, strenge Silhouette, die sich auf das Licht der Scheinwerfer zubewegte.

# 32

# Chani
## November 2008 – London

Der Stuhl kippte und hing eine Schrecksekunde lang seitwärts. Chani packte die Armlehnen, während ihre Freundinnen hin- und hertrippelten in dem Kampf, sie bis zur *Mechiza* zu tragen. Sie trug zum ersten Mal ihren *Scheitel* und merkte, wie sich die Hitze darunter staute. Shuli hatte das Haarnetz mit zusätzlichen Haarnadeln festgepinnt, um sicherzustellen, dass die Perücke die ganze Nacht fest saß. Chani hatte sich über das Piksen beschwert, doch nun war sie dankbar.

Die Musikanten im Bereich der Männer spielten schneller und schneller. Das Stampfen von Füßen erschütterte den Saal, als die Feiernden hitziger wurden und ihre Anstrengungen eindringlicher.

Im Bereich der Frauen prallten Körper aneinander wie Autoscooter auf einem Rummelplatz. Es gab keine Choreographie. Jene, die die Schritte kannten, krachten gegen jene, bei denen das eindeutig nicht der Fall war. Der Kreis wurde größer, bis alle Frauen im selben Takt herumwirbelten, klatschten und sich halbwegs einheitlich in die Mitte und wieder zurück bewegten.

Es war ein herzliches Chaos. Ihre Freundinnen kreischten. Shulamis bellte der kleinen Gruppe von Mädchen

Anweisungen zu, die verzweifelt versuchten, Chani in der Luft zu halten.

»Shoshi, komm her, nimm das rechte Vorderbein!«

»Ich helfe Rina hier hinten, ich kann hier nicht weg, sonst lässt sie sie fallen!«

»Dann Esti, fass hier an, und schieb sie hoch! Nein! Halte sie ruhig!«

»Das versuche ich doch!«

Der Stuhl buckelte und wogte ein weiteres Mal, und Chani war kurz davor abzurutschen. Sie wollte gern runter, aber sie wusste, dass sie die Tortur noch ein Weilchen aushalten musste.

»Beeilt euch!«, zischte sie. »Ich kann mich nicht länger halten. Könntet ihr bitte versuchen, mich ein bisschen gerader zu tragen?«

»Wir tun unser Bestes, Eure Majestät!«

Shulamis' Gesicht war pink vor Anstrengung, doch sie genoss die Verantwortung sichtlich. »Wenn ich dran bin, werde ich vorher mindestens sechs Kilo zunehmen –«, sagte sie durch zusammengebissene Zähne.

Weitere Frauen kamen angerannt, um tragen zu helfen, doch der Stuhl bewegte sich noch immer unkontrolliert, neigte sich und schwankte Richtung Ziel. Chani begann, Spaß an der Sache zu finden. Dies war ihr Thron, das Privileg der Braut. Sie hatte selbst so viele andere Bräute zu tragen geholfen, und nun war sie dran. Ihr Kleid wippte, und man sah plötzlich ihre Schuhe und Knöchel. Sie versuchte, sie zu bedecken, doch der Stuhl schwankte erneut gefährlich, und sie hielt sich wieder mit beiden Händen an den Armlehnen fest. ·

Ein weiterer Schritt vorwärts, und plötzlich konnte sie in den Bereich der Männer sehen. Eine verbotene Welt für alle außer der Braut auf ihrem Thron.

Und da war Baruch, in derselben Zwangslage. Es war offensichtlich, wie unwohl er sich fühlte. Seine langen Beine baumelten weit über den Rand des Stuhls, der eindeutig zu klein für ihn war. Er glich einer Puppe, schlaff und leblos. Seine Gesichtsfarbe war ein sorgenvolles Grau.

Sie wollte rufen oder winken, aber das gehörte sich nicht. Stattdessen starrte sie ihn an und wollte ihn zwingen aufzuschauen.

Die Männer umspülten ihn in einem Meer von Schwarz. *Fedoras, Schtreimel* und schwarze Samt-*Jarmulkes* hüpften darin auf und ab. Sie sangen und stampften eine wiederkehrende Melodie, einfach und rhythmisch.

*»Ai-jai-ja–ja-ja-ja-jaiiii!«*

*»Moschiach! Moschiach! Moschiach! Messiah! Messiah! Messiah!«*

*»Ai-jai-ja–ja-ja-ja-jaiiii!«*

Plötzlich segelte sie durch die Luft, als die Frauen den Stuhl hoch über die Barriere stemmten, damit die Männer ihn sehen konnten. Verzweifelt krallte sie sich am Sitz fest, in Erwartung der nächsten Welle. Ihre Unterröcke flogen trotz aller Bemühungen hoch, und von der Seite der Männer ertönte lautes Gebrüll, als Baruchs Stuhl neben ihrem eigenen dahinglitt.

*»Moschiach! Moschiach! Moschiach!«*

Baruch sah sie mit Leichenbittermiene an. Er hielt ein weißes Taschentuch fest umklammert, doch er wagte nicht, den Sitz loszulassen.

»Dichter!«, grölten die Männer. »Bewegt ihn dichter heran!«

Als sein Stuhl die *Mechiza* streifte, kippte er beinahe um. Auf einmal schoss ein langer, schlaksiger Arm in ihre Richtung und wedelte hektisch mit dem weißen Taschentuch. Die Frauen mühten sich, sie in Position zu bringen. Chani streckte die Hand nach der weißen flatternden Fahne aus, die eher einer Geste der Kapitulation glich denn dem Wunsch, sich zu verbinden. Das wartende Bett – das Aufblitzen weißer Laken, dachte er auch daran? Hatte er genauso große Angst wie sie? Was wäre, wenn sie es einfach ignorierte? Doch die Gäste erwarteten ein Happy End. Sie durfte nicht zögern.

Sie streckte eine Hand aus und erwischte einen Zipfel. Das Taschentuch glitt zwischen ihnen über die Barriere. Verbunden und trotzdem getrennt ritten sie auf ihren Stühlen, wie der Brauch es verlangte.

Ihre Mutter und die Schwestern sahen aus sicherer Entfernung zu. Shuli runzelte die Stirn, als sie die unschickliche Zurschaustellung der Braut beobachtete. Rochele schaukelte ihren Sohn auf den Hüften und wiegte sich mit Devorah im Takt zur Musik. Der Gesichtsausdruck ihrer Mutter war irgendwie seltsam. Sie lächelte. Ein weiterer Schub, und sie verschwand aus Chanis Blickfeld. Chani wollte sie noch einmal sehen, um sicherzugehen, dass sie sich nicht geirrt hatte, doch es gelang ihr nicht.

Mrs Levy verfolgte von ihrem Tisch aus die Geschehnisse. Ihr Privileg als Schwiegermutter hatte ihr einen

Platz direkt am Ring gesichert, und sie hatte es abgelehnt, sich von dort wegzubewegen. Für sie gab es heute keinen Grund zum Feiern. Es war entschieden würdiger für jemanden in ihrer geschmähten Position, während des Tanzens sitzen zu bleiben. Davon abgesehen, wollte sie ihr neues Kostüm nicht zerknittern. Ihre Begleiterinnen hatten sie sitzenlassen, um auf dem Parkett herumzugaloppieren. Närrinnen – glaubten, sie wären wieder achtzehn! Sie schnaubte, als Mrs Wasserman vorbeiwabbelte, Arm in Arm mit Mrs Schatz, der ihr Hut über die Augen gerutscht war.

Ihr Blick kehrte zur *Kalla* zurück. Das Mädel sah unerträglich glücklich aus, was Mrs Levys Elend nur noch vergrößerte. Dort oben auf ihrem Hochsitz hatte Chani allen Grund zur Schadenfreude, und der Gedanke an den Triumph des Mädchens zwang sie dazu, in einem weiteren Glas Champagner Trost zu suchen. Sie war keine Gewohnheitstrinkerin, und der Sprudel schien einen metallischen Beigeschmack zu haben. Angeekelt verzog sie das Gesicht und griff nach ihrer Serviette.

»Ah, Mrs Levy, die stolze Schwiegermutter. Wie schön, dass ich Sie endlich finde!«

Mrs Gelbman stand plötzlich an ihrer Seite. Ungebeten ließ sich die *Jente* nieder und nahm sich ein Stück Schokolade. Oben auf ihrem *Scheitel* trug sie ein scheußliches Gebilde aus schwarzen Federn und gehäkelter Wolle. Sie hatte sich von ihrem Gewinn eindeutig etwas gegönnt.

»*Baruch HaSchem*, Mrs Gelbman, wie nett, Sie zu sehen. Amüsieren Sie sich?«

Widerliche Person. Sie war gezwungen gewesen, sie einzuladen, da sie das Paar zusammengebracht hatte. Und sie musste an ihre Töchter denken.

»Oh, sogar sehr, Mrs Levy. Die *Kalla* könnte nicht strahlender sein, finden Sie nicht auch? Ein hübsches Mädchen, wie ich gesagt habe.«

Sie würde ihr nicht auf den Leim gehen. »Ja, sie sieht wirklich reizend aus. Aber das Aussehen ist nicht alles, was zählt, nicht wahr, Mrs Gelbman?«, sagte Mrs Levy und lächelte gütig in das reizlose faltige Gesicht der *Jente*.

»Das sollten Sie am besten wissen, Mrs Levy.« *Touché*, dachte Mrs Gelbman. »Eine Frau muss unter anderem tugendhaft sein, bescheiden, fleißig und natürlich pflichtbewusst. Ich bin sicher, dass Ihre Schwiegertochter all diese Qualitäten besitzt, und noch viele andere. Und sie wird Ihnen ein Segen sein.«

»*Baruch HaSchem*, Mrs Gelbman«, erwiderte Mrs Levy trocken. Wie viel wusste die Hexe? Was hatte sie gehört? Ihre Quellen deckten den gesamten Buschfunk ab. Hatte Chani gepetzt? Bei der Erinnerung kribbelte ihr Fuß.

»Und ihre Mutter, Mrs Kaufman, ist eine äußerst gottesfürchtige und bewundernswerte Frau, nicht wahr? Ich bin sicher, dass Chani Ihnen keinen Ärger machen wird, wo sie doch aus einem so anständigen Haus kommt.«

»Das wollen wir hoffen«, murmelte Mrs Levy. »Wenn Sie mich bitte entschuldigen, Mrs Gelbman. Ich muss meine Gäste begrüßen.«

»Aber natürlich, Mrs Levy, ich will Sie nicht abhalten.

Schließlich ist es ja Ihr großer Tag, und Sie sollten sich amüsieren.«

Mrs Levy legte den Kopf schief und schenkte Mrs Gelbman ein vernichtendes Lächeln. Sie wandte sich zum Gehen, als eine knochige Klaue sie zurückhielt. Der Griff der *Jente* war erstaunlich fest.

»Noch ein Wort, bevor Sie gehen, Mrs Levy.«

»Ja?«

»Das Geld, das Sie mir angeboten haben...«

»Ich weiß nicht, wovon Sie reden.«

»Ich denke schon.«

Sie versuchte sich loszumachen, doch die Klaue grub sich tiefer in ihren Arm.

»Was wollen Sie, Mrs Gelbman?«

»Ein kleines Zeichen der Dankbarkeit, um Diskretion zu gewährleisten. Unser kleines Telefonat vor ein paar Monaten... Es würde vollkommen aus meiner Erinnerung gelöscht werden, Mrs Levy.« Die Augen der *Jente* glitzerten bösartig.

»Wie viel wollen Sie?«, zischte Mrs Levy.

»Ah, lassen Sie mich überlegen. Ich muss meine Tochter dieses Wochenende in New York besuchen, und ich dachte an einen Platz in der Ersten Klasse von British Airways...«

*Manchmal hat Freiheit ihren Preis,* dachte Mrs Levy bitter.

»Also gut, das Geld geht morgen auf Ihrem Konto ein.«

»Großartig. Und melden Sie sich, wenn Sie anfangen, für Bassy und Malka zu suchen. Ich habe momentan einige sehr feine Jungen in meinen Büchern.«

»Zweifellos, Mrs Gelbman. Sie werden wie immer meine erste Anlaufstelle sein.« Nie wieder, schwor sie sich. Sie würde für ihre Töchter ganz allein passende Ehemänner finden, selbst wenn das bedeutete, dass sie nach New York fliegen und dort Klinken putzen musste.

»*Masel tov,* Mrs Levy!«, antwortete die *Jente* aalglatt.

Mrs Levy beschloss, diese letzte Stichelei zu ignorieren, und begab sich zur Damentoilette in der vergeblichen Hoffnung, dass eine Erneuerung ihrer Kriegsbemalung ihre Stimmung heben würde.

# 33

# Chani – Baruch
## November 2008 – London

Wieder festen Boden unter den Füßen, gab Chani sich ganz dem Vergnügen des Tanzens hin. Sie zwang sich, zu hüpfen und herumzuwirbeln, sich zu drehen, zu stampfen und zu klatschen, selbst wenn das Gewicht des Kleides das Ganze mühselig und anstrengend machte. Bei jeder Drehung gruben sich die Streben des Mieders in ihre Hüften, doch sie ignorierte die Schmerzen.

Es hielt sie auch von zu viel Nachdenken ab. Die vertrauten Gesichter wirbelten um sie herum, als immer andere Freundinnen ihre Hände nahmen. Gemeinsam drehten sie sich, lehnten sich zurück und erschufen einen Strudel im Zentrum des Kreises.

Hier, zwischen den Frauen, war sie sicher. Ihre Mutter schlurfte zum Tanzen nach vorn, und Chani wurde langsamer, um sich ihr anzupassen. Ihre schweißnassen Hände ließen sich nur schwer festhalten. Sie rotierten in einem gemächlichen Tempo. Die Augen ihrer Mutter blickten warm und strahlten, und als der Moment des Auseinandergehens kam, mochte Chani nicht loslassen.

Sie würde nicht länger mit ihr und ihren Schwestern unter demselben Dach leben. Wie still und seltsam das sein würde. Wie einsam. Das Gesicht ihrer Mutter verschwamm in Tränen. Sie blinzelte sie fort. Wie sollte sie sich je daran gewöhnen, nur mit einem einzigen Menschen zusammenzuleben?

Bevor sie sich's versah, hatte eine ihrer Schwestern ihre Hände genommen, und sie wurden wieder schneller. Chani war müde, doch sie musste durchhalten. Sie suchte den Raum nach einem bestimmten Gesicht ab. Wo war die Rebbetzin? Sie dachte an die Unterrichtsstunde, die mit der schrecklichen Offenbarung geendet hatte. Wie schön wäre es, die Rebbetzin unter den Feiernden zu wissen, sie lächeln zu sehen und zu sehen, wie sie sich amüsierte. Darüber hinaus wollte sie ihre Freude mit ihr teilen, mit ihr als Freundin tanzen, frei von ihrer Lehrpflicht. Doch sie konnte sie nirgends entdecken. Genauso wenig wie ihre Schwiegermutter. Für diese kleine Gnade war Chani äußerst dankbar.

Avromi beobachtete die rasenden Tänze vom Rand aus. Es erinnerte ihn an Sholas Geburtstag, und Einsamkeit und Unruhe wallten wieder einmal in ihm auf. Dass er nüchtern war, machte es nicht besser. Seit seinem ersten Vollrausch wollte ihm Alkohol nicht mehr schmecken.

Er machte sich Sorgen um seine Mutter. Er hatte sie seit Freitag nicht gesehen, und obwohl sein Vater versucht hatte, sie zu beschwichtigen, sie sei nur übers Wochenende zu Freunden nach Manchester gefahren und würde am Montag zurückkommen, hatten Avromi und Michal ihm nicht geglaubt. Sie hatten noch nie von Freunden in Manchester gehört, doch Avromi traute sich nicht zu widersprechen, aus Angst vor weiterem Streit. Sein Vater wirkte kleinlaut und nachdenklich. Etwas stimmte ganz eindeutig nicht. Avromi hatte wiederholt versucht, seine Mutter auf ihrem Handy anzurufen, doch es war die ganze Zeit abgeschaltet gewesen. Um die Ehe seiner Eltern hatte es schon eine ganze Weile nicht zum Besten gestanden, und Avromi hatte das traurige Gefühl, dass seine Affäre mit Shola der Auslöser für diese Krise war. Die Fehlgeburt hatte alles nur beschleunigt.

Die wilden Szenen, die sich vor ihm abspielten, beschworen das Bild von Shola in ihrem blassrosa Kleid herauf. Dürftig bekleidete junge Damen waren hier Mangelware, denn es tanzten ausschließlich die altbekannten bärtigen Männer seiner Gemeinde in ihren schwarzen Anzügen. In der Vergangenheit wäre er unter den Ersten gewesen, die sich in die verrückte, fröhliche Menge gestürzt hätten. Doch stattdessen bewohnte er sein selbstgewähltes Fegefeuer.

Er war fest entschlossen, seinen Platz in der frommen Welt wiederzufinden, in die er geboren worden war. Und nun winkte Jerusalem, wo er neu anfangen konnte. Vor zwei Wochen hatte er eine Zulassung zu der *Jeschiwa* erhalten, die sein Vater favorisierte. Seitdem behandelte er ihn nicht mehr ganz so eisig wie bisher. Er kannte kaum jemanden in Jerusalem und war dankbar, dass Baruch einer von ihnen sein würde.

Als Avromi ihm erzählt hatte, dass er die Universität verließ, um in Jerusalem zu studieren, war Baruch angenehm überrascht gewesen, doch auch enttäuscht, weil Avromi seine säkulare Ausbildung nicht beendete, eine

Freiheit, um die Baruch ihn offen beneidete. Den wahren Grund seines plötzlichen Sinneswandels hatte Avromi ihm verschwiegen. Er brachte es immer noch nicht über sich, Baruch die Wahrheit zu beichten, besonders jetzt, wo Baruch ein achtbarer verheirateter Mann war. Ein Teil von ihm fürchtete sich vor seiner Reaktion.

Sein alter Freund hatte eine Frau gefunden. Früher oder später musste das für einen von ihnen so kommen, doch der schüchterne Baruch hatte gezeigt, was wirklich in ihm steckte, und seine Auserwählte gegen alle Widrigkeiten verteidigt. Avromi suchte die schwarze See nach ihm ab. Er beobachtete, wie man ihn weiterzerrte, als wäre er in einer Drehtür gefangen. Baruchs Kopf hing herab, seine Arme waren schlaff, und sein ganzer Körper wirkte erschöpft. Avromi würde ihm zu Hilfe kommen. Das war das mindeste, was er tun konnte.

Wie wirbelnde Kosaken drehten sich die Männer, Runde um Runde, Schulter an Schulter, und ihre Rockschöße flatterten. Baruch war schwindelig und schlecht, und er wünschte, er könnte sich hinsetzen, um zu verschnaufen, doch der menschliche Kreisel zeigte keine Anzeichen von Ermüdung. Schweiß rann ihm das Gesicht herunter, und als er stolperte, trat ihm der Mann hinter ihm in die Kniekehlen. Er hatte keine Ahnung, wer diese Männer waren. Hier und da erblickte er ein bekanntes Gesicht. Hätte er doch bloß nicht so viel gegessen. Das Lachsfilet drohte an die Oberfläche zu schwimmen. Die beiden Gläser Champagner, vorher eine vermeintlich gute Idee, drehten ihm jetzt den Magen um.

Plötzlich zogen ihn Arme in Sicherheit. Avromi befreite seine Arme und Beine aus denen der anderen und führte ihn zu einem Stuhl. Er war ihm so dankbar, dass er ihn hätte küssen können. Avromi zog ein Bündel Servietten hervor und wischte Baruch das Gesicht. Dann verschwand er und kehrte mit einem Krug Wasser und zwei Gläsern zurück.

»Dachte, du könntest eine Pause gebrauchen, altes Haus. Du hast ausgesehen, als würdest du da drinnen gleich die Krise kriegen.«

Baruch kam langsam wieder zu Atem.

»Lass dir Zeit.« Avromi schenkte ihm ein Glas Wasser ein, und Baruch leerte es in einem Zug.

»Was würde ich ohne dich tun, Vrom?«, keuchte er und hielt sein Glas zum Nachfüllen hin.

»Holla, immer langsam, B'ruch. Dir wird schlecht, wenn du zu schnell trinkst.«

»Mir ist schon schlecht.«

»Vielleicht brauchst du ein bisschen frische Luft?«

»Super Idee. Aber wie komme ich hier raus?«

»Wir sagen ihnen einfach die Wahrheit.«

»Okay.«

Unsicher stand Baruch auf und folgte Avromi über die Tanzfläche, was nicht ungefährlich war. Sie wichen herumfliegenden Gliedmaßen aus und schafften es bis zum Ausgang.

Eine schwere Hand legte sich auf seine Schulter. »Wohin gehst du, mein Sohn?«

Mr Levy in seiner ganzen frischen weißen und tiefschwarzen Pracht hielt ihn zurück.

»Dad, ich möchte an die Luft. Mir ist schlecht –«

»Ach, komm, Baruch, das hier ist deine Hochzeit, du kannst doch nicht mitten im Tanz gehen! Was sollen deine Gäste denken?«

»Dad, bitte, ich brauche wirklich –«

Baruchs Gesicht war plötzlich totenbleich. Seine Augen quollen hervor, und sein Haar klebte ihm an der Stirn.

»Mr Levy, ich glaube, er muss –«

Baruch stürzte an seinem Vater vorbei und auf die Tür zu. Im Flur lag dicker Teppich, und es war kühl und still. Der Teppich war olivgrün mit schwarzen Schlängellinien. Das Muster verschwamm vor seinen Augen, und er griff nach dem erstbesten Gefäß, einer großen Bronze-Urne, eine von zweien, die die Tür des Ballsaales zierten, und erbrach sich heftig hinein.

Avromi tätschelte ihm sachte den Rücken. »Alles gut. Jetzt wird es gleich besser.«

Ein weiterer Schwall ergoss sich in die Urne. Baruch verharrte einen Moment heftig atmend. Dann richtete er sich auf und ließ sich von Avromi zur Herrentoilette führen.

Die kühlen weißen Fliesen waren wie Balsam für seine überreizten Sinne. Er drehte den Kaltwasserhahn auf und wusch sich Gesicht und Hände. Er gurgelte und spuckte den faden Geschmack in seinem Mund aus. Avromi lehnte am Waschbecken daneben und wartete geduldig.

»Du hast ein bisschen übertrieben.«

»Ich weiß«, stöhnte Baruch. Er starrte sich im Spiegel

an. Ein Wrack starrte zurück. Er musterte seine blutunterlaufenen Augen und streckte die pelzige Zunge heraus. »Ich sehe schrecklich aus. Was soll Chani denken? Wahrscheinlich rieche ich auch entsetzlich.«

»Du kannst dich später waschen und dir die Zähne putzen. Hier, nimm einen Kaugummi.«

Baruch lehnte sich gegen den Spiegel und schloss die Augen. Die Angst zu versagen überkam ihn.

»Vrom, wie soll ich –« Er stockte, weil er nicht wusste, wie er es ausdrücken sollte.

»Es tun?«, schlug Avromi vor.

»Ja«, sagte Baruch, dankbar für die intuitive Antwort seines Freundes. Er wickelte den Kaugummistreifen aus und schob ihn sich in den Mund. Avromi tat es ihm gleich. Nach ein paarmal Kauen sprach er weiter.

»Ich weiß es wirklich nicht, B'ruch. Aber ich bin sicher, du schaffst das. Nachher, wenn ihr beide allein auf eurem Zimmer seid, wirst du dich ruhiger und besser fühlen.«

Baruch stöhnte.

»Entspann dich, und denk an England, wie man so sagt.«

Baruch öffnete die Augen und blinzelte seinen Freund an. »Was soll das denn bedeuten?«

»Hab ich irgendwo mal gehört. Ich glaube, das gilt eigentlich für das Mädchen. Weißt du, sie legt sich hin und denkt an etwas anderes, während du deinen Job erledigst.«

»Das hört sich ja vielversprechend an. Warum in aller Welt sollte Chani an England denken?«

»Weiß ich doch nicht. Ach, komm, B'ruch, Kopf hoch! Du wirst es mit einem richtigen, echten Mädchen tun!«

»Was genau tun? Das ist doch der Punkt. Ich weiß nicht, was ich zu tun habe! Ich meine, woher soll ich wissen, was wohin gehört? Wie soll ich es also tun?«

»In Ordnung, in Ordnung, beruhige dich.«

Sie schwiegen eine Weile, kauten gedankenverloren, während beide über den Akt nachdachten, der Baruch abverlangt wurde.

»Ich gebe zu, es ist ein wenig problematisch«, sagte Avromi schließlich.

»Yep.«

»Aber wenn deine Eltern dazu in der Lage waren und meine Eltern es geschafft haben, dann sollten wir das auch hinbekommen.«

Baruch stellte sich seine Eltern in dieser Lage vor. Ihm wurde wieder übel. »Super Tipp, Vrom. Aber ich denke lieber nicht an meine Eltern, wenn du verstehst, was ich meine.«

»Ja klar. Könnte einen ablenken. 'tschuldige, B'ruch. Ich wollte nur helfen.«

»Ich weiß, Vrom, ich weiß… Wir gehen besser zurück.«

»Es läuft bestimmt alles prima!« Avromi gab Baruch einen freundschaftlichen Klaps auf die Schulter.

Baruch lächelte matt und ging Richtung Tür.

# 34

# Die Rebbetzin
## November 2008 – London

Die Rebbetzin starrte auf die graue Betonfassade. Von draußen sahen die meisten Zimmer dunkel und unbewohnt aus. Hier und da schimmerte gedämpftes Licht aus der ansonsten leblosen Hülle. Auf dem gepflasterten Hof stand eine zerbeulte Limousine herum.

Es regnete in Strömen. Dieses Hotel musste reichen. Sie ging hinein. Das Foyer war staubig und verlassen. Jalousien hingen schief vor den großen, schmutzigen Fenstern. Im Teppich hatte sich der Dreck von Jahren gesammelt. Sie schaute nach oben und sah, dass die Deckenbeleuchtung zu einer Leichenhalle für Hunderte von Insekten geworden war.

»Hallo, ist jemand da?«, rief sie.

Hinter der Rezeption regte sich etwas. Ein kleiner aschgrauer Asiate hatte hinter dem Tresen in einer Ecke gehockt. Ein Fernseher flackerte auf dem Empfangstresen, der Ton war abgestellt. Er hatte sie die ganze Zeit beobachtet.

»Ja, Ma'am, kann ich Ihnen helfen?« Er musterte ihre nasse, strähnige Perücke, ihren übergroßen Mantel, die durchweichte Strumpfhose und die abgewetzten Slipper.

Die Rebbetzin fummelte an ihrem Ehering. Sie war eine verheiratete Frau und vollkommen respektabel, doch sie erkannte die Fragen in den Augen des Mannes.

Sie räusperte sich und sagte so selbstsicher, wie sie konnte: »Ich möchte bitte ein Zimmer. Ein Einzelzimmer.«

»Natürlich, Ma'am. Welchen Namen darf ich notieren, Ma'am?«

Die Finger des Mannes begannen, auf einem uralten Computer zu tippen.

»Die Reb- Ich meine, Mrs Zilberman.« Sie buchstabierte.

»Wie viele Nächte, Ma'am?« So wie er es sagte, klang es, als würde sie womöglich für immer in diesem staubigen, verlassenen Loch wohnen.

»Ich würde gern das ganze Wochenende bleiben, wenn das möglich ist, einschließlich Sonntagnacht. Wie viel kostet die Übernachtung?«

»Selbstverständlich, Ma'am. Es kostet sechzig Pfund die Nacht, Frühstück inklusive.«

Sie zögerte einen Moment ob der obszönen Summe Geld, die sie im Begriff war zu verschwenden, nur damit sie ihren Kopf auf ein dreckiges Kopfkissen legen konnte. Sie dachte an ihr Mahagonibett und seufzte. Dann reichte sie dem Asiaten ihre Kreditkarte.

Augenblicke später erhielt sie eine Plastikkarte mit der geprägten Nummer einunddreißig.

»Gehen Sie einfach den Korridor runter. Am Ende sehen Sie einen Fahrstuhl, und dort drücken Sie die Nummer drei für den dritten Stock. Ihr Zimmer liegt auf der rechten Seite. Ich bringe Ihnen gleich Ihr Gepäck hoch, Ma'am.«

»Oh, das wird nicht nötig sein, danke. Ich habe kein Gepäck.«

Der Mann lehnte sich über den Tresen und linste auf ihre Füße, nur um sicherzugehen. Er versuchte, wieder zu seinem leeren Gesichtsausdruck zurückzukehren, doch seine Augenbrauen waren immer noch überrascht hochgezogen. Die Rebbetzin wurde dunkelrot. Sie richtete sich zu ihrer vollen Größe auf, dankte mit einem Nicken und schritt zum Fahrstuhl.

»Frühstück wird im Speisesaal im ersten Stock serviert, zwischen sieben und zehn«, rief der Asiate ihr nach. Sie antwortete nicht, sondern betrat den Fahrstuhl und drückte den Knopf ihres Stockwerks.

Sie war zu einer Ausgestoßenen geworden, einem Niemand, einer exzentrischen Frau mittleren Alters, die einen Ehering trug, aber allein ankam. Sie war allein. In ihrem Zimmer angekommen, begutachtete sie ihr neues Reich, und es gab keinen Zweifel: Sie war allein. Dies war die Freiheit, nach der sie sich gesehnt hatte. Sie ließ einen Finger über das Fensterbrett gleiten, nur um ihren Verdacht zu bestätigen. Das Zimmer war genau wie erwartet. Müde und seelenlos.

Die Rebbetzin gestattete sich ein bitteres Lächeln. Als sie sich setzte, gaben die Bettfedern ein warnendes Quietschen von sich, woraufhin sie prompt aufstand und sich stattdessen das Badezimmer ansah. Der Duschvorhang war braun verfärbt und klebte am Wannenrand. Zwei tote Fliegen lagen auf dem Rücken in der Badewanne, ihre winzigen Beine spröde und steif. Sie drehte den Wasserhahn auf. Er gurgelte, und schließlich spuckte er einen rostigen Schwall Wasser aus, der irgendwann klar wurde und die Fliegen wegspülte.

Sie zog ihre nassen Sachen aus und stieg in das laukwarme Badewasser, während die Wanne sich weiter füllte. Eine halbleere Miniflasche grünes Shampoo und ein Stückchen Seife lagen in der Seifenschale. Die Rebbetzin nahm ihren *Scheitel* und das darunter verborgene Haarnetz ab und öffnete ihr enggewickeltes Haar. Das Wasser ging ihr bis zur Schulter und war am Ende angenehm heiß. Sie tauchte unter, hörte das Scheppern rostiger Rohre, und ihre Haare umgaben sie wie Seegras.

In ein Handtuch gewickelt, benutzte sie den Fön, ein Relikt aus den Siebzigern, der aussah wie ein gerippter Wasserschlauch. Ihre Mutter hatte so einen besessen. Sie musste sie anrufen und ihr erzählen, dass sie Chaim und die Kinder verlassen hatte. Doch heute würde sie denken, es handle sich um einen Notfall. Sie würde sich nach *Schabbes* bei ihr melden und hoffte, dass ihre Mutter nicht vorher bei Chaim anrief.

Plötzlich fühlte die Rebbetzin sich erschöpft. Sie wollte nicht mehr nachdenken. Sie legte sich ins Bett, rollte sich auf die Seite und schloss die Augen. Entfernt hörte sie eine Tür zuknallen und das Rumpeln eines Rollkoffers.

Sie fiel in einen unruhigen Schlaf, in dem sie von ihrem Mann und den Kindern träumte. Sie kamen ihr auf der Brent Street entgegen, doch schienen sie sie nicht zu erkennen. Sie rief ihre Namen, doch sie liefen an ihr vorbei, als wäre sie ein Geist. Plötzlich fiel ihr auf, dass es fünf Gestalten waren und nicht nur vier. Eine andere Frau hatte sich bei ihrem Mann untergehakt. Sie drehte sich um, und die Rebbetzin sah ihren geschwollenen Bauch. Die Frau lachte hämisch und wandte sich ab.

Am Samstagmorgen wachte sie spät auf. Sie hatte seit Freitagmittag nichts mehr gegessen. Sie schlüpfte in ihre Kleidung und setzte aus Gewohnheit den Scheitel auf.

Draußen ging sie die trostlose und laute Finchley Road entlang, bis sie ein Café fand, das einigermaßen sauber und friedlich aussah.

Die Kellnerin reichte ihr die Speisekarte und spulte die Gerichte des Tages ab: »Wir haben Spaghetti Bolognese, gebackene Kartoffeln mit einer Füllung Ihrer Wahl, entweder Käse, Thunfisch oder Mais, Sour Cream oder Speck, es gibt Champignonsuppe mit einem frischen Brötchen und Butter. Oder Spinat-und-Zwiebel-Quiche. Also, was möchten Sie?«

Die Rebbetzin brachte es beinahe nicht über sich, *treif* zu essen, doch hier war nichts *koscher*, noch nicht mal die Teller. Sie bestellte die Suppe und das Brötchen, da es die neutralste Option zu sein schien. Bevor sie ihren Löffel eintauchte, zögerte sie und murmelte ein Gebet. Ihre Familie wäre mittlerweile aus der *Schul* zurück und säße beim Mittagessen. Es fühlte sich seltsam an, allein zu essen.

Der Rest des Tages dehnte sich leer vor ihr aus. Sie brauchte Kleidung, eine Zahnbürste und Zahnpasta und ein Duschgel. Es gab keine andere Möglichkeit, als einkaufen zu gehen. Auf dem Weg zur U-Bahn und in die Stadt mischte sich Aufregung mit Schuldgefühlen in ihr.

Zurück im Hotel, breitete sie alle Einkäufe auf dem Bett aus. Dann zog sie die neue Jeans über und genoss das seltsam vertraute Gefühl von rauhem Denim auf ihrer Haut. Der Pullover war weich und bedeckte ihr Schlüsselbein, das sie immer noch zögerte zu entblößen. Sie betrachtete sich im Spiegel, riss spontan an ihrer Perücke und ignorierte den Schmerz, als die Haarnadeln durch die Gegend flogen. Sie schüttelte ihr Haar aus. Es fiel ihr in sanften Wellen über die Schultern und den Rücken hinunter. Sie sah zehn Jahre jünger aus. Ihr Spiegelbild lächelte sie an.

Zwanzig Uhr. Zu früh, um ins Bett zu gehen – und sie war auch nicht bereit, ihre neue Klamotten so schnell wieder auszuziehen. Sie wollte ausgehen und sich darin zeigen, doch was macht eine alleinstehende Frau mittleren Alters allein an einem Samstagabend?

Eine Stunde später machte es sich die Rebbetzin mit einer riesigen Tüte Popcorn in einem Samtsitz bequem und sah zu, wie sich der Vorhang öffnete. Die Leinwand blitzte auf, und Musik dröhnte los. Um sie herum saßen turtelnde Paare, aber sie fühlte sich überhaupt nicht einsam. Sie schaufelte sich eine Handvoll Popcorn in den Mund, ließ ihren Kopf gegen die Lehne sinken und wartete darauf, dass der Film anfing.

Als sie aus dem Kino trat, war es immer noch früh. Trotz der Dunkelheit lag ein Gefühl von Erwartung und Spontaneität in der Luft. Pärchen trödelten an Schaufenstern entlang, und Teenager hingen vor Nando's herum. Auf die Rebbetzin wirkte es so, als sei ganz London auf den Beinen.

Sie wollte noch nicht in ihre traurige Zelle zurückkehren. Abendbrot schien eine gute Idee. Sehnsüchtig dachte die Rebbetzin an die Hummus- und Falafel-Buden auf der Golders Green. Noch besser wäre ein saftiges Lamm-*Shawarma* in *Tahina*-Sauce, gewickelt in ein lockeres, warmes Pittabrot, alles, nur nicht schon wieder *treif*.

Ihr Magen knurrte, doch sie konnte es nicht riskieren. Was, wenn jemand sie erkannte? Andererseits, und wenn? Was sollte passieren? Es wäre Wasser auf die Klatschmühlen, aber das würde sie schon aushalten. Aber galt das auch für Chaim und die Kinder? Was, wenn sie ihnen begegnete? Das war unwahrscheinlich. Avromi würde sich in seinem Zimmer verstecken, und sie fühlte sich wie eine Verräterin, weil sie nicht für ihn da war. Michal und Moishe wären bei Freunden, ihr Mann wahrscheinlich allein zu Hause. Sicher machte er sich Sorgen über ihren Verbleib, und ihr Herz zog sich zusammen. Sie fragte sich, was er den Kindern erzählt hatte. Sie drückte das Kreuz durch und schritt zur Bushaltestelle. Innerhalb von Minuten kam die Nummer 13, und sie tuckerte in Richtung ihrer alten Heimat.

Als sie ausstieg, erfasste der Wind ihre Haare, und sie flatterten wie eine Fahne hinter ihr her. Die Rebbetzin schnallte den Trenchcoat ihres Mannes enger, um die eisigen Finger der Herbstbrise abzuwehren. *Schabbes* war zu Ende, und in Golders Green würde viel los sein. Sie schlang die Arme um den Oberkörper. Beim Gedanken daran, ihr Viertel zu betreten, schlug ihr Herz vor Aufregung schneller. Starbucks, Costa Coffee und Caffé Nero; das seltsame altmodische Bekleidungsgeschäft, voller Pelze und Kitsch; der Lebensmittelladen; und die rund um die Uhr geöffnete Apotheke mit ihren glamourösen Anzeigen, die perfekte Haut versprachen. Sie war immer noch auf neutralem Territorium. Doch schon bald passierte sie eine *koschere* Bäckerei und näherte sich den Cafés, wo man sich nach *Schabbes* traf, um über Käsekuchen und Cappuccino zu tratschen.

Aus einem Minivan, der in zweiter Reihe parkte, stiegen junge fromme Mädchen aus, die alle identische dunkelblaue Steppjacken trugen. Sie schlugen die Tür zu und schlenderten Richtung Bordstein, ohne auf das wütende Hupen der Fahrzeuge Rücksicht zu nehmen, die hinter ihnen aufgehalten wurden. Die Rebbetzin ging vorsichtig weiter. Und natürlich entdeckte sie eine Klassenkameradin von Michal, Sissy Ross. Das Mädchen war ein linkisches Nervenbündel, und obwohl es keine enge Freundin ihrer Tochter war, war es dennoch ein wohlbekanntes Gesicht. Die Rebbetzin schob sich an der Gruppe vorbei, den Blick auf einen Punkt in der Ferne gerichtet. Doch Sissy war viel zu beschäftigt, um sie zu bemerken.

Ihr Weg schlängelte sich unter der Eisenbahnbrücke hindurch, die die Straße überspannte. Junge afrikanische

Männer tauschten vor einem schäbigen Internetcafé Neuigkeiten aus. Ein Paar schaute sehnsüchtig auf die Auslagen im Schaufenster eines Schuhdiscounters nebenan.

Die verblasste Front des Dizengoff-Cafés tauchte auf ihrer rechten Seite auf. In kleinen Grüppchen drängten sich die Besucher in seinem bedrückenden Interieur zusammen, unter den riesigen angestaubten Fotos von Tel Aviv in den 1980ern. Zum Entsetzen der Rebbetzin humpelten Mr und Mrs Schwartz auf sie zu, regelmäßige *Schul*-Gänger, die eifrig am Unterricht ihres Mannes teilnahmen. Sie hatte sogar ihre Tochter in die *Mikwe* begleitet. Es war zu spät, um die Straßenseite zu wechseln. Die Rebbetzin hielt den Atem an. Sie konnte nicht anders, als Mrs Schwartz anzustarren, die sich aufgrund ihrer arthritischen Hüfte schwer auf ihren Mann stützte, ihr Gesicht verzerrt vor schmerzhafter Anstrengung. Sie war eine freundliche, gütige Seele, und es beunruhigte die Rebbetzin, sie so leiden zu sehen. Das Paar ging dicht an ihr vorbei. Sie guckten sie an, blinzelten, doch sie erkannten sie nicht. Die Frau hatte direkt durch sie hindurchgesehen. Die Rebbetzin fühlte sich unsichtbar, ein Geist ihres früheren Selbst. Sie ließ sich weitertreiben, etwas verstört, aber auch erleichtert. Weil sie keine fromme Tracht mehr trug, existierte sie für die Gemeinde nicht mehr; sie sahen nur das, was sie sehen wollten. In ihrer Jeans und mit dem offenen Haar war sie keine von ihnen und daher unwichtig, nur ein weiteres Hindernis, dem man ausweichen musste. Sie hätte ebenso gut ein Laternenmast sein können. In was für einer seltsamen, bornierten Welt sie doch lebten.

Solly's lockte, und sie schob die schwere Glastür auf, um sich in der Schlange anzustellen. Ein gelangweilter israelischer Teenager nahm ihre Bestellung entgegen und würdigte sie kaum eines Blickes. Sie reichte ihr Geld herüber und erhielt im Gegenzug eine Rolle aus Teig und gewürztem Fleisch. Wieder draußen, riss sie das Papier auf und biss in das zarte, fettige Lamm, ohne sich um die Sauce zu kümmern, die ihr das Kinn hinunterlief.

Am Sonntagmorgen blieb die Rebbetzin im Bett liegen. Sie streckte sich träge aus, genoss es, so viel Platz für sich allein zu haben, und spulte vor ihrem inneren Auge noch einmal Szenen des gestrigen Films ab. Zögerlich kehrten ihre Gedanken zu ihrem Zuhause und zu Ehemann und Kindern zurück. Schuldgefühle und Sorgen folgten auf dem Fuße, und ihr Geist schwang wie ein Pendel zwischen ihnen hin und her. Ihre Unruhe wuchs, bis ihr schlecht wurde. Wie konnte sie sie einfach so verlassen? Sie dachte an Moishe, seinen dünnen Körper, sein wuscheliges Haar, das er nicht glattkämmen mochte, seine plötzliche Teenager-Gereiztheit – er brauchte sie. Und wer würde Avromi zuhören und ihn trösten? Er brauchte Zeit und sanften Zuspruch für sein Seelenheil. Zuletzt dachte sie an Michal – ihre vernünftige, pragmatische Tochter an der Schwelle des Erwachsenseins, und trotzdem brauchte sie immer noch eine Mutter.

Was hatte sie sich dabei gedacht, sie allein zu lassen?

Sie setzte sich auf und griff nach ihrem Mobiltelefon. Sie starrte auf den Klumpen Plastik in ihrer Hand und wusste, dass sie sofort in einem Taxi nach Hause rasen würde, sowie sie ihre Stimmen hörte.

Wenn sie auszog, konnte sie sich eine kleine Wohnung in der Nähe nehmen, in Swiss Cottage oder West Hampstead. Sie konnte ihre Kinder immer noch jeden Tag sehen. Michal war dieses Jahr mit der Schule fertig und würde nächsten September in Gateshead oder Jerusalem auf die *Sem* gehen. Auch Avromi würde es schaffen. Er war ein ausgeglichener junger Mann, und obwohl er litt, würde er im Januar in Jerusalem ganz neu anfangen. Bis es so weit war und alle sich an die neue Situation gewöhnt hatten, wäre er zu Hause und würde ein Auge auf Moishe haben. Sie konnten sie besuchen, wann immer sie wollten, über Nacht bleiben oder nur mit ihr zu Abend essen. Dafür müsste sie *koscher* kochen. Ihre Gedanken kreisten wild um Möglichkeiten und zögerten bei Schwierigkeiten. Gut, sie könnte zu Hause *koscher* leben – das war keine wirkliche Entbehrung.

Was war mit Chaim? Was täte er heute wohl? Sie hatte nicht die Kraft, jetzt mit ihm zu reden. Schlagartig wurde ihr bewusst, dass er heute Chanis Hochzeitszeremonie leiten würde und sie Chani versprochen hatte, dort zu sein. Die Rebbetzin stöhnte. Die *Schul* war der letzte Ort, an dem sie sein wollte. Aber ein Versprechen war ein Versprechen.

Dann hatte sie eine Idee. Die Zeremonie fand um vierzehn Uhr statt. Sie hatte noch genug Zeit.

## 35

## Chani – Baruch

November 2008 – London

Die Türen des Fahrstuhls schlossen sich mit einem diskreten Rumpeln. Chani und Baruch standen schweigend nebeneinander, während sie in den sechsten Stock rauschten. Der Flur war leer, und der dicke Plüschteppich, dessen Muster sich einige Stunden zuvor noch vor Baruchs Augen geschlängelt hatte, dämpfte ihre Schritte. Wandleuchten warfen einen matten Schein auf die schwarzen Strudel. Das Rascheln von Chanis Kleid war das einzige andere Geräusch.

Chani lief einen halben Schritt hinter ihrem Mann. Sie passierten Zimmer für Zimmer, jede Tür mit einem Spiegel versehen, so dass Chani das Gefühl hatte, von den Geistern der früheren Brautpaare begleitet zu werden, die vor ihnen diesen Korridor hinuntergegangen waren. Wie war es ihnen ergangen? Chani war inzwischen hellwach, jegliche Erschöpfung war vergessen. Ihr Magen knurrte laut, aber Baruch schien es nicht zu bemerken; er hatte kaum mit ihr gesprochen oder sie angeschaut, seit sie ihre Eltern verlassen hatten. Wahrscheinlich war er genauso nervös wie sie.

Das Zimmer war phantastisch. Groß wie ein Palast,

mit schweren, zimmerhohen Brokatvorhängen, die von goldenen Kordeln gehalten wurden. Von der stuckverzierten Decke hing ein Kronleuchter. In einem Erker stand eine Frisierkommode aus Mahagoni. Darauf befand sich auf ihrem Ständer die Perücke, die sie künftig jeden Tag tragen würde, eine gesichtslose Frau, die sie genau beobachtete. Ein großer Korb mit *koscheren* Süßigkeiten thronte auf dem Schreibtisch daneben, und darunter hatte man ihre Koffer abgestellt.

Auf dem riesigen Himmelbett mitten im Raum war ihre Nachtwäsche ausgebreitet worden. Chani setzte sich vorsichtig. Die dicke Matratze gab unter ihrem Gewicht kaum nach. Als Baruch es ihr gleichtat, wurde sie gegen ihn gedrückt. Sie kicherten, warfen sich scheue Blicke zu und schauten dann wieder fort.

»Groß, oder?«, sagte Baruch.

»Ziemlich«, bestätigte Chani.

»Könnte man sich drin verlaufen. Wir hätten eine Karte mitbringen sollen.«

Chani schwieg. Baruch wurde rot, als sein Witz floppte.

»Bist du müde?«

Sie schaute kurz zu ihm hoch. »Nein, überhaupt nicht. Ich glaube, ich werde die ganze Nacht nicht schlafen können.«

»Ich auch nicht.« Er griff nach ihrer Hand, und so saßen sie eine Weile lang da, bis das Schweigen unerträglich wurde. Chani stand auf, um den Geschenkkorb zu begutachten.

»Hast du Hunger?«, fragte sie.

»Nein, ich kriege nichts mehr rein. Und du?«

Sie schüttelte den Kopf. »Satt bis oben hin.«

Der Schweiß hatte kalte Flecken unter seinen Armen gebildet, und sein Mund fühlte sich an, als wäre er voller Sand. Er musste sich waschen, doch wie lautete das richtige Protokoll vor seiner frisch angetrauten Frau?

»Ich vermute, wir sollten uns bettfertig machen.«

Chani bewegte sich nicht. Sie blickte auf die fröhliche rosa Schleife, die an das Zellophan des Korbes geheftet war.

»Möchtest du gern zuerst ins Badezimmer?«

Sie nickte. »Kannst du mir helfen, mein Kleid hinten aufzuknöpfen?«

»Ich werd's versuchen.«

Sie drehte ihm den Rücken zu, und er begann, an den winzigen Knöpfen herumzufummeln. Als sie schließlich nachgaben, entblößte sich Chanis schmaler, heller Rücken vor ihm. Er wollte an ihrer Wirbelsäule entlangstreicheln, doch sie schnappte sich ihr Nachthemd und floh ins Bad. Die Tür schloss sich, und er blieb zurück.

Von drinnen kam das Rauschen und Zischen der Dusche. Er schlenderte im Zimmer umher, öffnete Schubladen und inspizierte den Inhalt. Briefpapier, Umschläge, Speisekarten – nichts Interessantes. Er schaltete den Wasserkocher an, nur um das Lämpchen rot glühen zu sehen. Dann besah er sich im Spiegel, hauchte dagegen und verzog das Gesicht, als er seinen schlechten Atem roch. Er musste die Zähne putzen. *Baruch HaSchem* hatte er noch nicht versucht, sie zu küssen. Aber wie machte man das überhaupt? Bewegte man seine Lippen, wenn man die des anderen berührte? Oder drückte man sie nur dagegen? Und was machte man mit seiner Zunge? Er hatte Küsse im Fernsehen gesehen. Der Mann und die Frau hatten einander regelrecht verschlungen. Er fand damals, dass das ziemlich abstoßend aussah. Aber vielleicht machte man das so? Vielleicht gefiel es Chani?

Das Schloss klickte, und die Tür schwang langsam auf. Chani erschien in einer Dampfwolke, in dem riesigen, flauschigen Hotelbademantel sah sie aus wie ein Zwerg. Ihre Haare waren nass, ihre Füße nackt, und sie hielt ihre Perücke mit beiden Händen fest umklammert. Sie sah jung und verletzlich aus.

»Ähm, ich brauche meine Zahnbürste und die Zahnpasta. Ich bin gleich fertig.«

»Klar. Lass dir Zeit.«

Sie fummelte an den Reißverschlüssen ihres Koffers, stopfte ihre Hochzeitsperücke hinein und zog den Kulturbeutel heraus. Dann flitzte sie wieder ins Bad und verschloss erneut die Tür. Baruch setzte seine Wanderung durchs Zimmer fort, die Hände hinter dem Rücken verschränkt.

In der feuchten Abgeschiedenheit des Badezimmers packte Chani ihren knallrosa BH und den Slip aus. Die Farbe leuchtete mehr denn je und wirkte neben der schlichten weißen Baumwolle ihres Nachthemdes vollkommen unpassend. Vielleicht war es am Ende doch keine so gute Idee gewesen, sie zu kaufen. Trotzdem, sie genoss das glatte Gefühl von Satin auf der Haut. Sie knöpfte ihr Nachthemd bis zum Hals zu und zog die Ärmel über die Handgelenke. Das Geheimnis derart verborgen, putzte sie sich die Zähne, flüsterte ein kurzes Gebet und öffnete die Tür zum Zimmer, wo Baruch sich gerade vor dem Spiegel die Haare frisierte. Er fuhr herum.

»Du bist dran«, sagte sie.

»Danke«, murmelte er und griff sich seinen Pyjama und die Waschsachen.

Was tat eine Braut jetzt?

Sie hatte ihr Kleid an die Schranktür gehängt und sich in einen der Sessel gesetzt, die Füße unter sich. Das Zimmer war groß und zugig, und sie fror. Baruch ließ sich Zeit. Ihre Mutter hatte das *Siddur* für sie auf die Frisierkommode gelegt, aber zu beten war das Letzte, wozu sie jetzt Lust hatte. Auf dem Sofatisch lag die Fernbedienung des Fernsehers. Sie würde ihn nur kurz einschalten. Sie drückte den großen, roten Knopf, und der Bildschirm leuchtete auf. Ein Paar umarmte sich innig an einem Strand. Seine Hand kroch ihren Schenkel hinauf, und sie drückte ihm ihre Hüfte entgegen, wobei sie leise stöhnte. Er bedeckte ihren Hals mit Küssen, und ihre Hand packte seinen muskulösen Nacken.

Als Baruch aus dem Badezimmer trat, klebten Chanis Augen am Bildschirm. Er räusperte sich, und in ihrer Panik warf sie die Fernbedienung hinunter. Das Paar stöhnte und ächzte weiter, während sie unter dem Sofa danach fischte. Als sie wieder hochkam, starrte Baruch fasziniert auf die leidenschaftliche Darbietung, wandte sich jedoch sofort ab und wurde knallrot. Eilig schaltete sie das Gerät ab und brachte das Paar zum Schweigen.

»Ich wollte nur sehen, was gerade läuft«, stammelte sie. »Ich hatte nicht gedacht, dass ausgerechnet so was –«

»Ja, äußerst unpassend«, sagte Baruch.

»Also«, sagte Chani, »was sollen wir jetzt machen?«

Ihr Kleid auf seinem Bügel zitterte ein wenig. In der Dunkelheit schien es zu leuchten. Die einzige Lichtquelle kam vom Fernseher gegenüber, das rotglühende Lämpchen wie ein starres Auge in der Finsternis. Sie lagen reglos in dem riesigen Bett, durch eine endlose Weite ägyptischer Baumwolle voneinander getrennt, jeder auf seiner Seite.

Chanis Füße waren taub vor Kälte, doch sie wagte nicht, sie zu bewegen. Sie wartete darauf, dass Baruch einen Annäherungsversuch unternahm. Doch ihr Ehemann lag nur schweigend neben ihr. Sie spürte, wie sich die Bettdecke mit seinem Atem sanft hob und senkte.

Baruch wägte die Situation ab. Er musste in das Mädchen eindringen, das neben ihm lag, doch sein bestes Stück hatte sich verängstigt zusammengezogen und verhinderte so jeden Vorstoß in diese Richtung. Keines der Handbücher, in denen er sich in der Bibliothek schlaugemacht hatte, hatte ihn darauf vorbereitet. Er wünschte, er könnte aus diesem Alptraum einfach irgendwann aufwachen, doch er musste seine Pflicht erfüllen. Je länger er zögerte, desto schwerer würde es, die Sache zu beginnen. Er hatte das Gefühl, ans Bett gefesselt zu sein. Das Mädchen wartete.

Chani wurde unruhig. Sie wollte es hinter sich bringen. Sie hatte nicht seit einer Ewigkeit gewartet und sich Sorgen gemacht, nur damit Baruch jetzt Lampenfieber bekam. Sie wusste, dass er sie wollte. Sie hatte gesehen, wie er sie angeschaut hatte, als er dachte, sie bemerke es nicht. Es war die Angst, die ihn lähmte, dieselbe Angst, die an ihr nagte. Etwas musste geschehen. Sie streckte eine Hand nach dem großen stillen Berg zu ihrer Linken aus. Er war noch zu weit weg. Sie rutschte hinüber, bis sie in Reichweite war.

Eine eisige kleine Hand streichelte seine Schulter. So war das eigentlich nicht gedacht. Aber in seiner Feigheit war er dankbar dafür, dass sie den ersten Zug gemacht hatte. Die kleine Hand streichelte weiter. Er spürte federleichte Bewegungen durch seinen Pyjama. Sie berührte ihn! Es passierte wirklich. Ermutigt drehte er sich zu ihr und streckte die Hand aus. Er traf auf Stoff, doch darunter lag etwas unbestreitbar Weiches und Nachgiebiges. Ihre Brust? Sein Penis zuckte. Nein. Es war lediglich ihr Oberarm. Sachte begann er, sie zu erforschen. Ihre Hand wanderte ebenfalls seinen Arm hinunter. Er rückte näher zu ihr heran, und zu seiner Freude tat sie dasselbe. Ihre Arme umschlangen sich wie Tentakeln, doch ihre Körper blieben stur auf Abstand.

Er konnte gerade so ihr Gesicht und ihre Augen erkennen und genoss die Wärme, die von ihrem Körper ausging. Plötzlich stieß ein kalter, klammer Fuß an sein Schienbein und rieb sich an seinem Pyjama. Er nahm das als Einladung und zog sie zu sich heran. Unter ihrem dünnen Nachthemd raste ihr Herz. Sie lehnte sich über ihn. Feuchte Locken strichen über sein Gesicht. Dann küsste sie ihn, weiche Lippen berührten seine. Seine Arme umschlossen sie, und seine Hände begannen, ihren ganzen Körper zu erforschen.

Sie drückten sich aneinander und wanden sich. Die Luft unter der Bettdecke wurde heiß und feucht. Baruch bemühte sich, unter ihrem Nachthemd herumzuwühlen, doch Chani lag fast auf ihm, und er schaffte es nicht, es ihr auszuziehen. Einen Augenblick später krochen Hände unter sein Pyjamaoberteil und begannen verstohlen, seine Brust zu streicheln. Er hatte das Gefühl, sein Herz würde gleich vor Freude zerspringen.

Chani gefiel, was sie vorfand. Baruch war überhaupt nicht behaart, abgesehen von einem komischen kleinen Büschel auf dem Brustbein war seine Haut glatt wie die eines Seehundes. Darunter spielten Rippen und Muskeln, und sie genoss die Energie, die sie ausstrahlten. Sein Körper war aufregendes Neuland für sie.

Ein großes Paar Hände ergriff ihren Po. Sie erstarrte. Das passierte viel schneller, als sie gut fand. Sie entwand sich seinem Griff, und Baruch nutzte die Gelegenheit, sich neben sie zu manövrieren, und nun rubbelten seine langen Finger drängend an der Vorderseite ihres Nachthemdes, zupfen an den Druckknöpfen, die jeder mit einem kleinen Plopp nachgaben. Unbeholfen küsste er ihr Gesicht, wie ein überschwenglicher Hund. Sie hätte sich gern das Kinn und die Wangen abgewischt, aber sie wollte ihn nicht vor den Kopf stoßen. Sie legte ihm beschwichtigend eine Hand auf die Brust und schob ihn von sich.

Erschrocken wich er zurück. »Alles in Ordnung? Habe ich etwas falsch gemacht?«, flüsterte er.

»Nein, nicht alles. Ein bisschen weniger küssen, das ist alles. Bitte.«

»Es tut mir leid, ich habe keine Ahnung, wie man sich küsst…«

»Ich auch nicht. Aber lass es uns ein bisschen langsamer und vorsichtiger probieren.«

»Okay«, sagte er. Er war zu nichts zu gebrauchen, das hatte er ja gleich gewusst.

Schwer atmend lagen sie nebeneinander. Er fühlte, wie er erschlaffte. Sie drängte sich ein weiteres Mal an ihn.

»Komm, lass es uns noch mal versuchen«, sagte sie.

Er verlor sich in einem Meer aus Chani. Eingehüllt in ihre weichen, schlanken Gliedmaßen und seidige Haut, küsste, leckte, streichelte, fummelte, schnüffelte und forschte er. Er bestand nur noch aus Fingern, Mund und Zunge. Sein Universum wurde begrenzt von den Parametern der kleinen, zierlichen Gestalt neben ihm. Sie war ein wenig zurückhaltender, doch ihr Enthusiasmus deutlich zu spüren. Ab und an stöhnte und seufzte sie leise. Davon ermutigt, kämpfte er mit ihrem BH. Er zupfte an den Trägern und zog an dem Bügeldraht, doch der Stoff blieb stur an seinem Platz.

Ihr Nachthemd lag längst irgendwo daneben, genau wie sein Pyjamaoberteil. Seine Fummelei führte nirgendwohin. Geduldig lag sie vor ihm.

»Kannst du mir mal helfen?«

Sie griff hinter sich, und Sekunden später lag der BH auf dem Boden. Chani war enttäuscht. Sie hatte sich danach gesehnt, bewundert und gewürdigt zu werden, doch für Baruch war ihr mutiger Einkauf bedeutungslos. Er wollte nur an das heran, was sich darunter verbarg. Plötzliche Lust durchfuhr sie. Was immer er da auch machte, es war äußerst angenehm. Sie drängte sich ihm entgegen, und kurz darauf drückte etwas Hartes gegen ihren Slip. Vielleicht hatte die Rebbetzin letzten Endes doch recht gehabt.

Er musste in sie hinein. Er hatte keine Ahnung, wie er das anstellen sollte. Sein Penis pulsierte und drückte sehnsüchtig gegen das dünne Stückchen Stoff, das ihn an der Vereinigung mit Chani hinderte.

Das Mädchen lag unter ihm, eine sich windende Masse aus Haut und Knochen. Ihre Hüftknochen drückten scharf und schmal gegen seinen Unterleib. Eine Hand bewegte sich zwischen seine Oberschenkel, als sie nach unten griff und ihren Slip auszog. Er rückte kurz von ihr ab. Dann kehrte er mit einem Keuchen zurück, und sein Glied stach wild in den warmen, haarigen Hügel unter ihm. Er presste und drückte, aber eine heiße Muskelwand hielt ihn auf. Er sah zu ihr hinunter. In der Dunkelheit glänzten ihre Augen. Ihre Zähne waren vor Schmerz zusammengebissen und gebleckt. Sie war ein wildes Tier, das in der Falle saß; doch er konnte nicht aufhören.

Chani lag steif unter Baruchs Gewicht. Ihre Knie waren nach außen gekehrt, und sie fühlte sich wie ein Käfer, der auf den Rücken gefallen war und es nicht mehr schaffte aufzustehen. Sie konnte kaum atmen. Sie versuchte, sich ein Stückchen das Bett hochzuschieben, doch bevor sie es sich versah, drückte etwas Pulsierendes, Hartnäckiges gegen sie. Sein Rüssel.

Zuerst fühlte sie gar nichts. Doch als der Druck sich

erhöhte, wurden auch die Schmerzen stärker. Sie ertrug es, schloss die Augen, biss die Zähne zusammen und öffnete sich für ihn. Doch er drückte und presste immer noch. Er lag auf ihr und keuchte und stöhnte. Sie sah seine große Gestalt über sich, sein Haar eine Masse wilder Locken. Sie konnte sein Gesicht nicht erkennen. Das war nicht der Junge, den sie geheiratet hatte, es hätte jeder sein können.

Plötzlich fühlte sie einen stechenden Schmerz und schrie auf. Mit aller Kraft drückte sie ihn fort und schob sich das Bett hoch, so dass sie mit dem Rücken am Kopfende lehnte. Entsetzt wich er zurück. Sie hörte einen schrecklichen stöhnenden, seufzenden Laut. Eine warme Flüssigkeit spritzte auf ihre Füße. Und dann sank Baruch wie betäubt zwischen die zerwühlten Laken.

Sie konnte sich nicht bewegen, die Flüssigkeit rann zwischen ihren Zehen durch. Ihre Hände drückten auf die unerträgliche Wundheit zwischen ihren Beinen, die er verursacht hatte. Es war schlimmer als alles, was sie sich vorgestellt hatte. Die Rebbetzin hatte sie angelogen. Das hatte nichts mit Genuss zu tun. Wut kochte in ihr hoch, auf sie und ihre Mutter. Doch am meisten hasste sie Baruch. Sie musste jemandem die Schuld geben, so unfair das auch sein mochte. Er hatte ihr diese Schmerzen zugefügt. Und wenn das die Ehe war, dann wollte sie nichts davon wissen.

Er brannte vor Scham, als er erschöpft von seinen erbärmlichen Anstrengungen zur Seite fiel. Er war ein Versager. Ein klebriges Zeug war über seinen Bauch verschmiert. Er hatte seinen Samen nicht in sie gesät und war noch nicht mal in sie eingedrungen. Und am schlimmsten war, dass er ihr weh getan hatte. Sie hatte vor Schmerz aufgeschrien und ihn von sich weggeschoben. Er war so entsetzt darüber, dass er nicht einmal den Kopf zu heben wagte, um sie anzusehen. Minuten vergingen. Dann hörte er ein leises Wimmern in der Dunkelheit. Mit einem Ruck richtete er sich auf und tastete nach dem Lichtschalter. Die Helligkeit blendete ihn einen Moment, doch dann sah er Chani. Sie lag zu einem Ball zusammengerollt, die Knie mit einem Arm umschlungen, der andere lag über ihrem Gesicht.

»Chani?«

Sie antwortete nicht, doch das Wimmern wurde lauter. Er hatte entsetzliche Angst. Was hatte er getan? Hatte er sie verletzt? Sie war erst wenige Stunden seine Frau, und nun krümmte sie sich vor Schmerzen und sprach nicht mehr. Er kroch dichter zu ihr heran, beugte sich über sie und zupfte sanft an ihrem Arm. Sie rückte von ihm ab, und er sah Tränen auf ihrer Wange glitzern.

»Chani! Alles in Ordnung?«

Immer noch keine Antwort. Das Wimmern wurde zu einem Schluchzen. Ob er einen Krankenwagen rufen sollte?

»Chani, es tut mir so leid! Kann ich irgendetwas für dich tun?«

Sie stand auf und wickelte sich in die Bettdecke. Als sie zum Badezimmer stolperte, schleifte sie wie eine Schleppe hinter ihr her, ein Echo ihres Hochzeitskleides. Die Tür knallte zu, wurde verschlossen, und sie war fort.

Baruch saß nackt auf der Bettkante und wartete. Die

Minuten vergingen, und er begann zu frieren. Angewidert schaute er auf seinen Penis. Schließlich zog er seinen Pyjama an, um die Schande zu bedecken. Aus dem Badezimmer war kein Geräusch zu hören. Er schlich sich auf Zehenspitzen zur Tür und lauschte. Nichts. Sollte er klopfen? Irgendetwas sagte ihm, dass er sie besser in Ruhe ließ. Aber es war seine Pflicht, sich um seine Frau zu kümmern, und sie war in Not.

»Chani?« Seine Stimme klang idiotisch.

Keine Antwort.

»Chani? Ist mit dir alles okay? Bitte, sag mir, dass mit dir alles okay ist. Brauchst du irgendwas, kann ich irgendwas für dich tun?« Seine Worte wurden von der Toilettenspülung und dem Rauschen des Wasserhahns verschluckt. Er probierte den Türgriff, obwohl er wusste, dass abgeschlossen war. »Chani, bitte sprich mit mir.«

»Lass mich einfach in Ruhe.« Ihre Stimme klang elend.

»Ich kann dich nicht in Ruhe lassen. Wir sind jetzt verheiratet. Du bist meine Frau.«

Stille.

Die Dusche rauschte, und er war ein weiteres Mal ausgeschlossen.


Sie wusch jede Spur von ihm fort. Sie schrubbte alles mit Seife weg – seinen Speichel, seinen Schweiß, seinen Samen, seine Berührungen. Sie wollte wieder sauber und unberührt sein. Er konnte warten.


Baruch saß mit dem Rücken gegen die Badezimmertür. Er würde warten, bis sie herauskam. Irgendwann musste sie ja herauskommen. Er hätte nicht gedacht, dass es so schlimm werden würde. Was für ein Fiasko. Hinter ihm klickte das Schloss, und bevor er aufstehen konnte, öffnete sich die Tür, und er verlor das Gleichgewicht. Chani trat zurück und gestattete ihm, sich unbeholfen aufzurichten. Dann ging sie wortlos an ihm vorbei.

»Chani?« Er folgte ihr. Sie öffnete ihren Koffer und zog einige Kleidungsstücke heraus. Sie begann sich anzuziehen.

»Was machst du da?«

»Ich gehe.« Sie sah ihn noch nicht mal an.

»Aber… aber… das kannst du nicht! Wir sind verheiratet –«

»Ich weiß, und ich will nach Hause zu meinen Eltern.« Ihr Tonfall war knapp, so hatte sie noch nie mit ihm gesprochen.

»Chani, bitte, es ist sechs Uhr morgens! Sie schlafen alle noch. Du kannst jetzt nicht zurückgehen! Bitte, bleib, wir können doch darüber reden –«

»Ich habe nichts zu sagen.«

Mit dem Rücken zu ihm begann sie zu packen. Baruch streckte eine Hand nach ihr aus. Er konnte sie vor Tränen kaum sehen. Sie bestand nur noch aus verschwommenen Farbflecken.

»Bitte«, krächzte er. »Bitte bleib und sprich mit mir. Es tut mir so leid. Es ist alles mein Fehler.«

»Es ist niemandes Fehler. Wir kennen uns gar nicht, aber von uns wird erwartet, dass alles in einer Nacht von null auf hundert geht. Das ist absurd!« Sie gab ein kurzes, leeres Lachen von sich.

»Ich weiß. Ich habe es versucht, Chani, ich habe es wirklich versucht. Ich bin in die Bücherei gegangen, um alles über heute Nacht herauszufinden –«

»Nun, dann hast du offensichtlich in die falschen Bücher geguckt!«, schnauzte sie. »Wozu sollen Bücher in so einer Situation denn gut sein? Diese blöden Bücher! Es ist immer dasselbe, man erzählt uns was, aber die Realität ist eine vollkommen andere –«

»Da gebe ich dir recht. Aber vielleicht können wir daran arbeiten… uns Zeit lassen. Es noch mal versuchen.«

»Noch mal versuchen? Nach heute Nacht?« Sie starrte ihn an.

Es war alles so unfair. Warum war er eigentlich ganz allein an allem schuld?

»Schau mal, Chani, es gehören ja immer zwei dazu. Du weißt genauso wenig über diese ganzen Sachen wie ich. Und ich hatte keine Ahnung, was ich da gemacht habe –«

»Das musst du mir nicht sagen!«

Das hatte gesessen. Aber er hatte es nicht verdient. Plötzlich wurde er wütend.

»Prima! Dann geh doch, lauf nach Hause, gib mir die ganze Schuld, wenn du dich dann besser fühlst!« Er stampfte Richtung Badezimmer, um seinen Schmerz zu verbergen.

Chani sah ihm nach. »Nein, Baruch. Es ist mein Fehler. Ich hätte dich nie heiraten dürfen. Ich hätte auf deine Mutter hören sollen, als sie versucht hat, mich davon abzuhalten –«

Wie angewurzelt blieb er stehen. »Sie hat was?«

Das hätte sie nicht sagen wollen. »Nichts, vergiss es.«
Sie zog ihren *Scheitel* von seinem Ständer. Sie brachte es
nicht über sich, ihn aufzusetzen. Ein lebloses, abstoßen-
des Ding, Haar, das mal zu jemand anderem gehört
hatte.

Seine Schläfen pochten. Er konnte nicht glauben, was
er gerade gehört hatte.

»Nein, Chani. Du musst es mir sagen. Was hat meine
Mutter getan?«

Baruch stand vor ihr, die Hände in die Hüften gestemmt, sein Gesicht wütend und entschlossen. Plötzlich
bekam Chani Angst. Hier, in diesem riesigen Zimmer,
konnte er ihr alles Mögliche antun.

»Es spielt wirklich keine Rolle. Vergiss, was ich gesagt
habe –«

»Das kann ich nicht. Du hast es ja gesagt. Also erzähl's
mir. Zumindest das bist du mir schuldig.«

»Okay. Deine Mutter hat mir vor unserem Haus aufgelauert –«

»Sie hat dir aufgelauert? Was meinst du damit?«

»Sie wartete in ihrem Wagen vor unserer Haustür, und
als ich näher kam, stieg sie aus und stellte sich vor.«

»Wann war das?«

»Kurz bevor du mir den Antrag gemacht hast.«

»Ich verstehe. Und dann?«

»Dann bin ich in ihr Auto eingestiegen. Sie hat mich
darum gebeten.«

»Und weiter?«

»Wir sind nach Hampstead gefahren und haben uns
in ein Café gesetzt, und sie hat mir gesagt, dass ich nicht

die richtige Sorte Mädchen für dich sei. Dass unsere Familien zu verschieden seien. Und dass ich verschwinden solle.«

Baruch gab einen schrecklichen gurgelnden Laut von sich. Seine Fäuste waren geballt. Er drehte sich zur Wand, um nicht die Fassung zu verlieren. »Und was hast du zu alldem gesagt?«

»Ich habe mich geweigert, dich aufzugeben. Ich habe ihr gesagt, meine Familie sei genauso gut wie eure.«

Er drehte sich wieder zu ihr um. Seine Augen waren rot und feucht. »Danke«, sagte er. »Dafür, mich vor meiner verfluchten Mutter nicht aufzugeben.« Seine Stimme zitterte vor Wut.

Aber jetzt hatte sie angefangen und konnte nicht mehr aufhören. Jetzt konnte er genauso gut die ganze Wahrheit erfahren, dann wüsste er, was sie durchgemacht hatte und warum sie die Ehe auflösen wollte.

»Das ist noch nicht alles.«

»Nur zu, Chani, wo wir schon mal dabei sind!« Sein Sarkasmus spornte sie an.

»Okay. Du erinnerst dich doch an das Abendessen mit meinen und deinen Eltern?«

»Wie könnte ich das vergessen? Ich habe mich selten so gut amüsiert!«

»Deine Mutter ist mir nach oben gefolgt und hat mich im Badezimmer zur Rede gestellt.«

»Sie hat was? Das glaube ich nicht. Als deine Eltern unten warteten, und mein Vater –« Er ging mit großen Schritten und flatterndem Pyjama im Zimmer auf und ab. »Und? Was ist dann passiert?«

»Sie hat mir angeboten, einen passenderen Jungen zu finden, wenn ich dich in Ruhe ließe.«

»Mein Gott! Sie ist unverbesserlich! Ich wusste, dass meine Mutter sich immer einmischt, aber das schlägt dem Fass den Boden aus! Wenn mein Vater das gewusst hätte, wenn er das herausfände…«

Er ging wieder auf und ab.

»Nein, Baruch, bitte sag nichts. Ich hätte es nicht erwähnen dürfen.«

»Oh, du kannst darauf wetten, dass ich etwas sagen werde! Aber erzähl mir zuerst den Rest. Wie bist du sie losgeworden?«

»Ich habe ihren Fuß in der Tür eingeklemmt.«

Er starrte sie ungläubig an. Und dann verzog sich sein Gesicht, und er begann hemmungslos zu lachen.

Chani war nach dieser Beichte nicht zum Lachen zumute. Er würde die Sache nicht auf sich beruhen lassen. Nur der Himmel wusste, wozu diese Frau noch fähig wäre, wenn sie auf Rache sann. Doch auf einmal dämmerte ihr, dass Mrs Levy gewonnen hätte, wenn sie jetzt nach Hause gehen würde. Sie steckte in einer Zwickmühle. Sie war erschöpft. Ihr war alles egal. Sie wollte nur noch in ihr eigenes Bett.

Baruch hielt sich am Sessel fest und wurde immer noch von seinen Lachkrämpfen geschüttelt. Er schien sie vergessen zu haben. Sie stopfte ihre Perücke in die Tasche, knallte den Koffer zu und zerrte ihn zur Tür.

»Chani! Geh nicht! Bitte warte!«

Mit einem Satz war er neben ihr, das Gesicht voller Sorge.

»Na, du scheinst das ja offensichtlich witzig zu finden«, gab sie bissig zurück.

»Nein, tue ich nicht. Es ist nur die Vorstellung, wie du –« Wieder drohte ihn die Heiterkeit zu überwältigen. Er schaute fort und wischte sich über den Mund.

»Ernsthaft, ich möchte, dass wir das hinkriegen. Gib nicht so schnell auf.«

»Warum? Deine Mutter hat genügend Mädchen, die nur darauf warten.«

»Sei nicht gemein. Ich habe kein Interesse an anderen Mädchen. Ich möchte mit dir zusammen sein. Und das weiß sie auch.«

Also hatte er auch um sie gekämpft. Seine Brillengläser funkelten. Sie konnte seine Augen dahinter nicht sehen, doch eine große, warme Hand griff nach ihrer, und diesmal wich sie seiner Berührung nicht aus. Sie standen an der Tür, Hand in Hand, der Koffer zu ihren Füßen.

»Ich will es heute Nacht nicht noch mal probieren«, sagte sie.

»Ich auch nicht. Das habe ich dir schon gesagt.«

»Aber wir haben keine andere Wahl. Wir müssen es heute Nacht tun.«

»Wer sagt das?«

Sie zuckte die Achseln. »Jeder.«

»Niemand wird wissen, ob wir es tun oder nicht. Das ist jetzt unsere Sache.«

»Was ist mit *HaSchem*?«

An *HaSchem* hatte er nicht gedacht. Er entschied, ihm in dieser Sache zu vertrauen.

»Ich bin sicher, dass *HaSchem* dafür Verständnis hat, wenn wir uns Zeit lassen.«

»Aber was ist mit dem *Schewa Brachot*? Dann würden wir all die Leute belügen, bei denen wir zu Gast sind.«

»Wie ich schon sagte, von wem, wenn nicht von uns, sollen sie es erfahren? Es geht sie nichts an. Lass sie denken, was sie wollen. Das tun sie sowieso.«

»Okay. Aber wenn wir zusammenbleiben, müssen wir an irgendeinem Punkt miteinander schlafen … und das, was ich heute Nacht durchgemacht habe, möchte ich nicht noch mal durchmachen.«

»Chani, ich wünschte, wir hätten es nie probiert. Ernsthaft, wenn wir es wieder versuchen, dann in deinem Tempo. Viel langsamer. Wir lassen uns Zeit. Reden. Lernen uns besser kennen. Bis wir uns wirklich wohl fühlen. Es wird eine Übung für die Zeit sein, wenn du *nidda* bist. Wir können jeden Abend ausgehen und in einem anderen Restaurant essen und unsere Ehe feiern.«

»Die Leute werden reden.«

»Die Leute werden immer reden. Wir müssen wir selbst bleiben und das tun, was richtig für uns ist.« Er konnte gar nicht fassen, wie erwachsen und verantwortungsvoll er sich anhörte. Baruch, der verheiratete Mann. Er grinste. Sie wandte sich ihm zu. Er trat einen Schritt näher. Dann öffnete er seine Arme, und sie lehnte sich an seine Schulter.

»Und dann ist da noch etwas, das ich mit dir besprechen muss.«

»Oh? Dann raus damit.«

Es war halb sieben am Montagmorgen. Die Vorhänge waren zugezogen, und Chani saß im Schneidersitz auf dem Bett, eingewickelt in den Hotelbademantel. Baruch lag auf der Seite, immer noch im Pyjama. Seine großen Füße hingen über die Bettkante. Auf dem Bett waren Plastikverpackungen und zusammengeknüllte Aluminiumfolie verstreut, nachdem sie den *koscheren* Präsentkorb geplündert hatten. An Chanis rechter Wange klebte Schokolade. Sie hatte einen Apfel zur Hälfte aufgegessen. Baruch nahm sich noch eine Erdbeerwaffel.

»Ich will nicht sofort ein Baby.«

Baruch hörte auf zu kauen. Dann schluckte er hörbar.

»Na ja, ich will auch keines. Nicht gleich jedenfalls.«

»Wirklich? Meinst du das ernst, oder sagst du das nur meinetwegen?«

Er verdrehte die Augen. »Natürlich sage ich das nur, um Euer Hoheit zu gefallen. Chani, ich bin noch nicht bereit für Kinder. Ich kann mir kaum etwas Beängstigenderes vorstellen! Ich bin doch erst zwanzig!«

»Aber die Gemeinde erwartet es von uns, unsere Eltern erwarten es —«

»Und? Dann sollen sie doch. Das ist jetzt unsere Entscheidung.« Wie selbstbewusst er sich anhörte. Er wünschte, Avromi wäre Zeuge seines Triumphs. Chani aber runzelte die Stirn und knabberte an ihrem Apfel.

»Okay. Aber was machen wir, damit ich nicht so schnell schwanger werde?«

Daran hatte er nicht gedacht. »Ich glaube, da gibt es Wege... Wir müssen zu einem Arzt gehen und fragen.

Aber zuerst müssen wir vermutlich die Rabbis um Erlaubnis bitten. Ich habe gehört, sie geben einem bis zu einem Jahr Zeit.«

Ein Jahr schien beiden ziemlich lang. Sie grinsten sich scheu an. Chani seufzte. »Ich wusste es. Wir werden nie richtig frei sein und unsere eigenen Entscheidungen treffen können, oder?«

»Nein«, sagte Baruch geknickt. »Aber so weit es möglich ist. Davon abgesehen, werden wir neu in Jerusalem sein, und das gibt uns zumindest für eine Weile ein bisschen mehr Raum und Privatsphäre.«

»Und ich will höchstens vier.«

»Vier sind reichlich. Fast zu viele!«

»Ehrlich?«

»Ehrlich.«

Die Ehe wurde von Minute zu Minute besser. Alles in allem war er kein schlechter Fang. Das musste sie Mrs Levy lassen. Sie wischte ihre klebrigen Finger am Nachthemd ab und griff nach seiner Hand. Wie winzig ihre Hand im Vergleich zu seiner aussah. Sie kicherte.

Später am Morgen wachte Baruch auf, weil er zur Toilette musste. Einen Augenblick lang wusste er nicht, wo er war. Er schaute hinauf in die dunklen Falten des Baldachins und lauschte dem leisen Schnarchen, das von dem kleinen Berg links neben ihm kam. Chani. Er bewegte sich vorsichtig, um sie nicht zu wecken, konnte sich jedoch nicht verkneifen, wenigstens einen Blick auf sie zu werfen. Sie lag zusammengerollt auf ihrer linken Seite, die Decke bis zum Kinn hochgezogen. Ihre Augenlider zuckten im Traum. Wovon träumte sie wohl? Er hoffte, dass es etwas Schönes war. Ihre leicht geöffneten Lippen zitterten bei jedem Einatmen. Ihre Wangen waren gerötet, und ihr zerzaustes Haar verbarg ihre Stirn. Sie sah aus wie zwölf. Zärtlich strich er eine Strähne zur Seite. Seine Frau. Sie hatte um ihn gekämpft. Sie hatte seiner Mutter die Stirn geboten.

Seine Gedanken kehrten zu den Ereignissen zurück, die zu ihrem ersten Zerwürfnis geführt hatten. Ein Schauer überlief ihn. *Baruch HaSchem* war sie geblieben. Er würde es wiedergutmachen. Selbst wenn es ein Jahr dauerte, bis sie die Ehe vollzogen. Na ja, vielleicht kein ganzes Jahr. Er hatte gehofft, seine Jungfräulichkeit etwas eher zu verlieren. Aber Chani war nun das Wichtigste in seinem Leben. Vielleicht würde er das auch für sie werden. Er glitt aus dem Bett und ging Richtung Bad, als sein linker Fuß auf etwas Weichem, Glattem ausrutschte. Er fand das Gleichgewicht wieder, tastete auf dem Teppich umher. Er öffnete die Badezimmertür und untersuchte den Fetzen Stoff im Licht.

Ein knallrosa BH. Er dachte daran, wie Chani ihn unter ihrem sittsamen Nachthemd getragen hatte, und merkte, wie es ihn erregte. Er wünschte, er hätte sie darin gesehen. Vielleicht könnte er sie bitten, ihn irgendwann noch mal für ihn anzuziehen.

Vielleicht.

# 36

# Die Rebbetzin
## November 2008 – London

Die Rebbetzin schlich die Treppe hoch, die zur Galerie der Frauen führte. Durch die dicken Wände hörte man die Stimmen der Männer. Eine Violine jammerte die ersten Töne, die die Ankunft der *Kalla* ankündigten. Flink sprang sie die letzten Stufen hoch und fand einen Sitzplatz an der hinteren Wand. Niemand hatte ihr Kommen bemerkt. Sie hoffte fieberhaft, dass das so blieb. Die ersten beiden Reihen der Galerie waren dicht besetzt. Frauen reckten die Köpfe und versuchten, einen Blick auf die Braut zu erhaschen. Einige wagten sogar, sich über das Geländer zu lehnen. Chani hatte die *Schul* betreten und befand sich auf ihrem Weg zum Hochzeitsbaldachin, doch die Rebbetzin konnte sie nicht sehen.

Chaim würde unter der *Chuppa* stehen. Sie fragte sich, wie er sich fühlte. Wie er aussah. Normalerweise machte es ihm Freude, eine Hochzeitszeremonie zu leiten, und sie hoffte, dass ihr Verhalten ihm das nicht verdorben hatte. Natürlich hatte es das, und sie schämte sich. Dann schüttelte sie den Kopf, als wolle sie die negativen Gedanken loswerden, und versuchte, sich nur auf Chani zu konzentrieren.

Die Frauen wurden ganz still, die Gebetbücher waren vergessen, als sie auf die Braut schauten, die unter ihnen entlangglitt. Die Stimme des *Chasan* erhob sich melodiös.

Die Rebbetzin wünschte, sie könnte sie sehen. Sie schloss die Augen und sandte ein inniges Gebet für Chanis Glück gen Himmel. Möge die Ehe deutlich besser werden als ihre eigene. Nachdem sie ihrer Pflicht nachgekommen war, schlich sie sich schnell von der Galerie, bevor jemand sie erkannte.

Die sonntägliche Menschenmenge brandete ihr entgegen wie das Meer. Sie holte tief Luft, warf sich in die wiegende Flut und passte ihre Schritte an. Ein zufälliger Beobachter hätte vielleicht noch ihre vertraute aufrechte Haltung unter dem alten Regenmantel ihres Mannes erkannt. Doch dann wurde ihre Gestalt langsam kleiner, bis sie schließlich in der Ferne verschwamm, ein Teil der Menge, auf dem Weg in die Freiheit.

# Glossar

*Aschkenase,* der; *Aschkenasim* (Pl.) – mittel- und osteuropäischer Jude

*Baal Schem Tov* – Rabbi Israel ben Elieser, geboren um 1700 in Okop (Polen-Litauen); gestorben am 22. Mai 1760 in Polen-Litauen; genannt Baal Schem Tov. Er gilt als Begründer der chassidischen Bewegung innerhalb des religiösen Judentums.

*Baruch HaSchem* – (Ausruf) Gesegnet sei Gott, Gott sei Dank

*Bedeken* – Teil der Hochzeitszeremonie, in der der Bräutigam sicherstellt, dass er das richtige Mädchen zur Frau nimmt, und sie verschleiert.

*Bedika,* die – ein Test, der von Frauen nach der Menstruation mit einem weißen Baumwolltuch durchgeführt wird, um sicherzustellen, dass sich kein Blut mehr in der Vagina befindet.

*Beit Midrasch* – Raum oder Zentrum, in der Regel in einer Synagoge oder einer Jeschiwa, zum Studium der Tora

*Besrat HaSchem* – Mit G'ttes Hilfe

*Bima,* die – erhöhtes Pult, Podium, Kanzel

*Blintzes,* die (Pl.) – Blinis; gebratene, knusprige Pfannkuchen, gefüllt mit Frischkäse, Obst oder Kartoffeln

*Bobower,* der – Mitglied der Bobower Chassidim, einer Strömung innerhalb des ultraorthodoxen Judentums. Nachkommen aus Bobowa, Galizien. Die meisten leben in Brooklyn, New York.

*Broche,* die, *Broches* (Pl.) – Segen, Segensspruch

*broiges* – trübsinnig, launisch, schlechter Laune

*Challa,* die; *Challot* (Pl.) – süßes Weißbrot, Hefezopf, der an *Schabbes* gegessen wird

*Chanukkiah,* die – achtarmiger Leuchter, der zum Chanukkah-
fest im Winter entzündet wird, eine Kerze nach der anderen.
Die mittlere Kerze ist der *Schamasch,* der Diener, der zum Anzünden benutzt wird.

*Chasan,* der – der Kantor, Vorbeter in einer Synagoge

*Chasid,* der; *Chassidin,* die; *Chassidim* (Pl.) – Gütiger, Wohltäter,
Frommer, Orthodoxer; Anhänger des Chassidismus. Der
Chassidismus wird häufig als frohe, ausgelassene und positive
Form des Lehrens angesehen, in der die Anhänger ihre Liebe
zu Gott und der *Tora* durch fröhlichen Gesang, Tanz und lei-
denschaftliches Beten zum Ausdruck bringen. Die Kehrseite
der Medaille sind Fanatismus und Starrsinn, wo Steine und
Flaschen auf jene geworfen werden, die an *Schabbes* Auto
fahren. Die Männer sind in lange schwarze Mäntel gekleidet,
mit weißen Hemden ohne Krawatte und breitkrempigen Hüten. Sie haben Vollbärte, und viele tragen Ohrlocken.

*Chas we Shalom!* – (Ausruf) Gott behüte!

*Chassene,* die; *Chassenes* (Pl.) – die Hochzeit

*Chossen,* der – Bräutigam

*Chuppa,* die – Hochzeitshimmel / Baldachin, unter dem das
Brautpaar während der Trauungszeremonie steht

*dawenen* – beten (er dawnete)

*Feh!* – jiddischer Ausruf, der Ekel oder Abscheu ausdrückt

*Fohrspiel,* das – ein Nachmittag mit Sketchen, Liedern und Spielen, die von den Freundinnen der Braut vorbereitet werden,
um sie kurz vor ihrer Hochzeit zu unterhalten.

*Ganew,* der – Dieb

*Gemara,* die – zweiter Teil des Talmuds, Erläuterung der Mischna

*Goi,* der; *Gojim* (Pl.) – Nichtjude – kann abwertend gemeint
sein, aber auch nur im Sinne von »kein Jude«

*Goje,* die; *Gojete* (Pl.) – Nichtjüdin

*Goses,* der – Moribunder, mit dessen Tod innerhalb von 72 Stunden zu rechnen ist

*Ha Kodesch Ha Borech Hoo* – Ha Kodesch: Heiliger Geist; Borech, auch »Willkommen«

*HaSchem* – Gott; wörtlich »der Name«

*Hatzolah* – freiwilliger Rettungsdienst der jüdischen Gemeinden, der auf religiöse Vorschriften Rücksicht nimmt.

*heimisch* – wird im Jiddischen zur Betonung des Traditionellen verwendet

*Im jirtse HaSchem* – so Gott will

*Jarmulke,* die – kleine Kappe, mit der ein Junge in der Anwesenheit Gottes den Kopf bedeckt

*Jente,* die – Eheanbahnerin, Ehestifterin, Kupplerin

*Jeschiwa,* die – Talmudschule, religiöse Schule für Männer (im Anschluss an die reguläre Schule)

*Jeschiwa Bocher,* der – ein talentierter *Jeschiwa*-Schüler

*Jichud-Raum* – Raum, in den das Brautpaar nach der Hochzeitszeremonie von den Schwiegereltern geleitet wird, wo es zum ersten Mal allein ist und das Hochzeitsfasten bricht. Es werden Geschenke ausgetauscht, und die Braut darf nun Schmuck anlegen.

*Jiddischkait,* die – das Jüdischsein

*Jom Tov / Jamin Towim* (Pl.) – wörtlich »guter Tag« bezeichnet die hohen jüdischen Feiertage, an denen die Arbeit verboten ist

*Kaddisch,* das – Gebet für die Seelenruhe Verstorbener

*Kalla,* die – Braut

*karet* – die höchste Strafe Gottes. *Karet* bedeutet, dass die menschliche Seele von Gott getrennt wird und nicht mehr an die Quelle des Lebens gebunden ist.

*Kaschrut,* der – die jüdischen Speisegesetze; religionsgesetzliche Vorschriften darüber, welche Nahrungsmittel zum Verzehr erlaubt sind und über deren Zubereitung

*Kehillo,* die – Versammlung, Gemeinde

*Kiddusch-Wein,* der – spezieller *koscherer* Wein für den Segensspruch

*Kippa,* die; *Kippot* (Pl.) – das hebräische Wort für die kleine, kreisförmige Mütze aus Stoff oder Leder, mit der ein Junge oder Mann zur Ausübung seiner Religion den Kopf bedeckt
*koscher* – rituell zulässig, in Ordnung, richtig, gut

*Laila tov* – gute Nacht
*Latkes* – kleine, frittierte Kartoffelpuffer, die in der jüdischen Küche als Beilagen zu Mahlzeiten serviert werden
*L'chaim* – (Trinkspruch) Auf das Leben!
*Lokschenkugel,* der – süßer Nudelauflauf mit Sultaninen

*Macher,* der – eine wichtige, einflussreiche Person in der Gemeinde
*Machsor,* das – Gebetbuch für die Feiertage
*Masel tov!* – Herzlichen Glückwunsch!
*Mechiza,* die – eine Vorrichtung (Wand, Mauer, Absperrung, Vorhang etc.) zur räumlichen Trennung der Geschlechter in einer Synagoge oder an anderen Plätzen, an denen jüdisch-religiöse Rituale vollzogen werden
*Mentsch,* der – als Betonung eines besonders guten Menschen
*meschugge* – verrückt, durchgedreht
*Mesusa,* die – kleine, lange Schriftkapsel am Türpfosten, welche das *Sch'ma* enthält (die heiligsten Gebete, das jüdische Glaubensbekenntnis, auf einer winzigen Schriftrolle), die das Haus segnet und alle Menschen, die das Haus betreten
*Mikwe,* die – rituelles Bad der Frauen
*Mincha* – Nachmittagsgebet
*Miskena,* der / die – ein Mensch, der unser Mitleid verdient, wörtlich »armes Ding«
*Mizwa,* die; *Mizwot* (Pl.) – gute Tat in den Augen Gottes; »Vorschrift«, Gebot der Tora; Bezeichnung jeder Handlung oder Tat, zu der ein Jude durch das Religionsgesetz verpflichtet ist.
*Moschiach* – der Erlöser

*Naches* (Pl.) – das Gefühl von Stolz und Zuneigung für die eigenen Kinder und ihre Erfolge
*Nebbich,* der – bemitleidenswerter Mensch

*nidda* – sobald bei der Frau die Menstruation oder anderweitige Blutungen einsetzen, wird sie gemäß dem jüdischen Gesetz als rituell abgesondert und unrein betrachtet und ist für den Mann verboten.

*Nu?* – Also? Nun?


*Pessach* – eines der höchsten Feste des Judentums. Erinnert an den Auszug aus Ägypten und die Befreiung der Israeliten aus der ägyptischen Sklaverei. Wird in der Woche vom 15. – 22. Nissan (März/April) als Familienfest gefeiert.

*Purim* – am 14. des Adar-Monats feiern die Juden *Purim*, im Gedenken an die Errettung des jüdischen Volkes in der persischen Diaspora.


*Rabbi/Rabbiner*, der – spiritueller Führer und Lehrer

*Rachamim*, das – Mitleid

*Rebbe*, der – jiddisch für Rabbi

*Rebbetzin*, die – die Frau des Rabbiners

*Ribbonoh Shel Olem* (lit. »Master of the Universe«) – Herr der Welt

*Rosch Chodesch* - Bezeichnung für den ersten Tag eines jeden Monats im jüdischen Kalender, der mit dem Auftreten des Neumonds zusammenfällt.

*Rugelach*, das – süßes Hörnchen


*Schabbes*, der – heiligster Tag der jüdischen Woche; Ruhetag. Der Schabbes beginnt am Freitagabend bei Sonnenuntergang und endet am Samstagabend nach Eintritt der Dunkelheit.

*Scheitel*, der – Perücke, mit der eine verheiratete Frau ihr Haar verdeckt und ihre Sittsamkeit bewahrt. Das echte Haar einer verheirateten Frau ist nur für die Augen des Ehemannes bestimmt.

*Sch'ma Jisrael*, das – Glaubensbekenntnis der Juden; ein Gebet, das alle Juden kennen

*Schewa Brachot*, die – sieben Segen. Die sieben Segen werden bei der Trauung unter der *Chuppa* gesprochen. An den folgenden sieben Abenden während der Feiern werden sie wiederholt.

*Schickse,* die – nichtjüdisches Mädchen (abfällig)

*Schidduch,* der, *Schidduchim* (Pl). – (hebräisch) ein Arrangement, bei dem zwei Juden einander vorgestellt werden mit der Erwartung, dass sie ein passendes Paar bilden, heiraten und glücklich miteinander leben könnten.

*Schiwa,* die – traditionelle Trauerzeit von einer Woche, wenn die Trauernden das Haus des Verstorbenen besuchen und ihr Beileid bekunden.

*Schofar,* das – Musikinstrument, Horn eines *koscheren* Tieres; wird zu den hohen Feiertagen geblasen.

*Schomer Negia,* der/die – jemand, der Personen des anderen Geschlechts (ausgenommen Eheleute) nicht berührt

*Schtiebl,* das – eine kleine Nachbarschaftssynagoge, häufig ist das Gebäude ein ganz normales Haus, in dem Männer sich versammeln, um zu beten, im Gegensatz zu den extra gebauten offiziellen Synagogen

*Schul,* die – Synagoge

*Sem,* die – Abkürzung für Seminar, ein religiöses College für Mädchen, das Äquivalent einer *Jeschiwa* für Männer

*Sepharden,* die (Pl.) – Juden iberischer Herkunft (Spanien, Portugal, Marokko) mit anderen Bräuchen als die osteuropäischen Juden und von dunklerer Hautfarbe. Unter den *Aschkenasim* hielten sich in der Vergangenheit Vorurteile, die Sepharden seien ungebildet und primitiv. Die Sepharden waren nicht vom Holocaust betroffen, litten jedoch Jahrhunderte vorher unter der Spanischen Inquisition.

*Siddur,* das – jüdisches Gebetbuch für den Alltag und *Schabbes*

*Simcha,* die – festlicher Anlass

*Simchat Tora* – eine fröhliche, trunkene, religiöse Feier, mit der das Lesen der Tora für das beendete Jahr und der Beginn des erneuten Lesens im kommenden Jahr zelebriert wird.

*Streimel,* der – Pelzmütze, die chassidische Männer auch im Hochsommer tragen

*Tallit,* der – wird im Deutschen als »Gebetsmantel« oder »Gebetsschal« bezeichnet. Großes, gestreiftes, viereckiges weißes Tuch, das früher nur von Männern getragen wurde. Selbst sehr junge orthodoxe Juden tragen ein dünnes Unterhemd mit *Ziziot* (Schaufäden) auf ihrer Haut, vom Aufstehen, bis sie sich abends ausziehen. Vier lange weiße Stränge aus Wolle werden als Zeichen für die Welt sichtbar über der Kleidung getragen. Sie sind mit einer immer gleichen Zahl an Knoten versehen, die dem Kleidungsstück eine mystische Bedeutung geben.

*Talmud,* der – das bedeutendste Schriftwerk des Judentums; Gesetzeskodex; wird an der *Jeschiwa* studiert

*tamei* – ritual unrein; ein Mann, der eine Frau berührt, die *nidda* ist, wird ebenfalls unrein. Deswegen legt man Gegenstände, erst ab, um sie nicht von Hand zu Hand weiterzureichen.

*Tefillin,* die – Gebetsriemen, die ein folgsamer Jude sich für das Morgengebet um die Stirn, den gesamten Arm, die Hand und bestimmte Finger bindet.

*Tora,* die – erster Teil der hebräischen Bibel, entspricht den fünf Büchern Mose

*treif* – nicht *koscher,* für den Genuss verboten, unrein

*Tscholent,* der – Eintopf für den *Schabbes,* an dem das Kochen oder Entzünden eines Feuers verboten ist. Wird am Vorabend zubereitet und bis zum nächsten Tag auf dem Herd oder im Backofen warm gehalten.

*Tuches,* der – Hintern

*Tzimmes,* der – eintopfähnliche Beilage aus Karotten und Früchten; wird zum Beispiel an *Schabbes* gegessen

*Zadik,* der; *Zadikim* (Pl.) – Gerechter, Rechtschaffener, fromme Person

*Zimmen tov* – Glückwunsch, ein Ereignis möge unter einem guten Stern stehen

*Zore,* die; *Zores* (Pl.) – Bedrängnis, Angst, Not

# Danksagungen

Es gibt viele Menschen, die mir dabei geholfen haben, so weit zu kommen. Meine wunderbare Agentin Diana Beaumont von Rupert Heath Literary Agency. Danke, dass du an das Buch geglaubt hast, auch als ich selbst nicht daran glaubte, und immer eine feste, ruhige Hand am Ruder behalten hast. Danke an alle bei Sandstone Press für das herzliche Zuhause, besonders Moira für ihr einfühlsames Lektorat. Laurence King vom Writers Workshop, meinem wunderbaren Mentor, der mir beibrachte, über meine vielen Fehler zu lachen. Naava Carman dafür, dass du meine Antriebskraft bist. Meinen frommen Freunden – ihr wisst, wen ich meine – für ihre Hilfe bei meiner Recherche. Paul Donnellon für die Herstellung des Trailers. Meinen Freunden Gagandeep Prasrad, Irene Kanareck, Monika Jakdaleko, Karen Stratton, Princess Lesley, Amorel Manasseh, Sheila Figueiredo, Craig und Catherine Brown. Euer Enthusiasmus hat mich angetrieben. Ein spezielles Dankeschön an Miranda Clayton, die in der Not meinen Rücken kuriert hat und die bezüglich des Manuskripts so zuversichtlich war. Natasha Law dafür, dass sie Rosies klebrige Finger von meinem Laptop ferngehalten hat.

Meinem wundervollen Bruder Dan und meiner lieben Schwägerin Louise für ihre beständige Unterstützung und unermüdlichen Optimismus. Und für den (vergeblichen) Versuch, mich davon zu überzeugen, dass der Akt des kreativen Schaffens wichtiger ist als eine Veröffentlichung. Meiner Mum, Nina Kimerling. Ich hoffe, dieses Buch schenkt dir viele *Naches*. David und Emma Harris – ich könnte mir keine besseren Schwiegereltern wünschen. Ihr habt Chani von Anfang an geliebt und habt sie (und mich) die ganze Zeit aufgeheitert. Eure Unterstützung hat mir so viel bedeutet. Und Danke an den wichtigsten Menschen, meinen Mann Jules, dem dieses Buch gewidmet ist. Ohne dich gäbe es kein Buch.